# BIER
# LEXIKON

**DORTMUNDER**

**TRAPPISTEN**

**PILSNER**

**ALTBIER**

**IRISH RED ALE**

**GOLDEN ALE**

**LAMBIC**

**WEIZENBIER**

**MÄRZEN**

**DRY STOUT**

**KÖLSCH**

**INDIA PALE ALE**

# BIER LEXIKON

## MICHAEL JACKSON

coventgarden

## coventgarden
BEI DORLING KINDERSLEY

---

### PRODUZIERT FÜR
### DORLING KINDERSLEY VON

MARK JOHNSON DAVIES · **GESTALTUNG**
PHIL HUNT · **REDAKTION**

---

**CHEFLEKTORAT**
SHARON LUCAS

**CHEFBILDLEKTORAT**
DEREK COOMBES

**BILDREDAKTION**
TIM SCOTT

**DTP DESIGN**
SONIA CHARBONNIER

**HERSTELLUNG**
WENDY PENN

Die Deutsche Bibliothek – CIP-Einheitsaufnahme

Ein Titeldatensatz für diese Publikation ist bei
Der Deutschen Bibliothek erhältlich.

Titel der englischen Originalausgabe:
Great Beer Guide

© Dorling Kindersley Limited, London, 2000

© der deutschsprachigen Ausgabe by Dorling Kindersley Verlag GmbH, München, 2001
Alle deutschsprachigen Rechte vorbehalten

**Übersetzung** Bernd Öhler, Christel Opeker, Karin Opeker
**Umschlaggestaltung** Mark Thomson, International Design UK Ltd., London

ISBN 3-8310-9008-4

Printed and bound in Italy

Besuchen Sie uns im Internet
## www.dk.com

# INHALT

# EIN GUTES BIER

Viele der berühmtesten Biere haben kaum Eigengeschmack und bleiben nicht unbedingt in Erinnerung. Es ist eigentlich kaum möglich, ein relativ geschmacksneutrales Gebräu aus Gerste und Hopfen herzustellen. Trotzdem findet man solche Produkte, die zum Teil nach Sprudelwasser mit Alkohol schmecken, immer wieder. Ihnen ist dieses Buch nicht gewidmet. Ich erwarte von einem Bier mehr als Alkohol.

Ein großes Bier hat Geschmack. Es muss gar keinen hohen Alkoholgehalt besitzen. Einige der wirklich großen Biere haben nur 2-3 Vol.-% Alkohol, andere weisen 9-10 Vol.-% auf. Es gibt sommerliche Erfrischungsgetränke unter ihnen und sehr gehaltvolle Winterwärmer. Ihre Größe liegt jedoch im Geschmack.

PILSNER MALZ

Jedes wirklich gute Bier hat Hopfen- und Malzaromen. Einige, wie etwa Münchner Lager-Biere, haben einen Hang zu malziger Süße. Große Pilsner Lager dagegen sind kräuterbetont, aromatisch-hopfig. Ein Weizenbier ist kräftiger, durstlöschender. Manche Weizenbiere schmecken würzig, bei einigen werden Gewürze oder Früchte als Brauzutat verwendet. Auch die verschiedenen Hefesorten sorgen für unterschiedlich fruchtige Aromen. Porter und Stout hat eher einen gerösteten, toastigen Geschmack.

Im Geschmacks- und Aromalexikon *(siehe S. 516-517)* finden Sie mehr dazu. Manche Biere sind äußerst malzig, andere unwahrscheinlich hopfig, einige von säuerlicher

SCHOKOLADENMALZ

Fruchtigkeit, je nachdem für welchen Zweck sie gebraut werden *(siehe S. 518-519)*. Es gibt Biere, die die unterschiedlichen Richtungen auf eine ganz ungewöhnliche Art verbinden. Sie können in einem Moment süß, im nächsten schon trocken schmecken. Diese Biere entwickeln oft im Laufe des Trinkens immer mehr Geschmack. Sie sind komplex.

GOLDING-HOPFEN

Ein gewöhnliches Bier ist langweilig. Ein komplexes Bier dagegen macht einen zufrieden, ohne Überdruss zu erzeugen. Ein großes Bier schmeckt nicht nur einfach gut, es beginnt mit einem oder mehreren Aromen, zeigt dann Struktur und Geschmack und zum Abschluss hat es einen Abgang, ein anderes Wort für Nachgeschmack.

CASCADE-HOPFEN

Gewöhnliche Biere haben keinen Abgang. Man weiß bei einem gewöhnlichen Bier nicht, ob man nur »etwas feuchte Luft« eingeatmet hat, wie der indianisch-amerikanische Schriftsteller William Least Heat Moon es in seinen »Leichtbier-Erfahrungen« beschreibt. Große Biere hinterlassen einen lang anhaltenden Nachgeschmack, d.h. sie sind »lang«, genau wie ein guter Wein.

Ein Bier lässt sich so differenziert beschreiben wie ein Wein. Lesen Sie dieses Buch, suchen Sie sich ein Bier aus und testen Sie selbst...

*Michael Jackson*

# GROSSE BIERE VON A-Z

# AASS BOCK

| | | |
|---|---|---|
| ⬥ | **HERKUNFT** | Norwegen |
| 🍾 | **TYP** | Bock |
| % | **ALKOHOLGEHALT** | 6,5 Vol.-% |
| 🍺 | **IDEALE SERVIERTEMPERATUR** | 9 °C |

Aass (mit offenem o ausgesprochen) bedeutet im Norwegischen »Gipfel«, ist hier aber der Familienname. Die alte Brauerei in Drammen bei Oslo braut ein beispielhaftes norwegisches Bockbier. Aass Bock hat ein süßes Lakritz-, Karamell- und Malzaroma. Es ist von weicher Sahnigkeit, wird zweifach gemaischt, lange gekocht und sechs Monate lang gereift. Man trinkt es gerne zu Marzipankuchen, einer norwegischen Spezialität.

*Skål!*
*Der deutschsprachige Schriftzug Bock ziert diese für den Export produzierte Flaschenabfüllung. In Norwegen würde hier »Bokkøl« stehen, wobei »Køl« Bier bedeutet.*

# ADNAMS BROADSIDE

| | |
|---|---|
| ⬡ **HERKUNFT** | Ostengland, UK |
| 🍾 **TYP** | Strong Ale |
| % **ALKOHOLGEHALT** | 6,3 Vol.-% |
| 🌡 **IDEALE SERVIERTEMPERATUR** | 10–13 °C |

Das Broadside soll an den Kugelhagel erinnern, den britische Kanonen in der Schlacht von Sole Bay 1672 auf die Holländer feuerten. Beheimatet ist die Brauerei Adnams in dem in der Sole-Bucht in Suffolk gelegenen Seestädtchen Southwold. Das Bier ist bernsteinfarben, hat eine dichte Krone, einen festen und sehr sanften Körper und ist lieblich, nussig mit Malzaromen, kirschartiger Fruchtigkeit und im Abgang ausreichend trocken um Lust auf ein weiteres Bier zu machen. Das Fassbier hat nur 4,7 Vol.-% Alkohol.

*Explosives Gebräu?*
*Auf dem Etikett ist die »Breitseite« (Broadside) zu sehen, die einem Schiff vom Kugelhagel der englischen Kanonen zugefügt wird.*

A

# ADNAMS SUFFOLK STRONG ALE

🛡 **HERKUNFT** Ostengland, UK

🍶 **TYP** Bitter Ale

% **ALKOHOLGEHALT** 4,5 Vol.-%

🍺 **IDEALE SERVIERTEMPERATUR** 10–13 °C

In East Anglia, wo Gerste angebaut und gemälzt wird, steht die Familienbrauerei Adnams in Southwold (Grafschaft Suffolk). Zur Brauerei gehört das Swan Pub, das 1345 wahrscheinlich eine Brauerei war. Adnams Suffolk Strong Ale, mit extravagantem Namen, hat einen festen Körper, ein prononciertes Aroma und den Geschmack des Fuggles-Hopfens. Vom Fass heißt das Bier Adnams Extra.

*Schöne Aussicht*
*Das Etikett zeigt eine historische An-*
*sicht der Brauerei Ende des 19. Jahr-*
*hunderts. Der Ort wurde 1660 erstmals*
*erwähnt, möglicherweise gab es jedoch*
*schon 1345 einen gleichnamigen Ort.*

# Aecht Schlenkerla Rauchbier

| | |
|---|---|
| ▨ **Herkunft** | Franken |
| 🍾 **Typ** | Bamberger Rauchbier |
| ⊗ **Alkoholgehalt** | 4,8 Vol.-% |
| 🍺 **Ideale Serviertemperatur** | 9 °C |

Die Schlenkerla-Schenke aus dem Jahre 1678 ist eine Institution in Bamberg und bekannt für Spezialitäten der Region. Schlenkerla ist das bekannteste Rauchbier. Es schmeckt kräftig nach Birkenholz und Rauch bis zum trockenen, langen Abgang.

*Kalter Rauch*
*Der traditionelle, allerdings undurchsichtige, Bierkrug aus Steingut hält das Bier kühl und frisch.*

A

# Affligem Nöel Christmas Ale

🛡 **Herkunft** Flämisches Brabant, Belgien

🍾 **Typ** Strong Spiced Ale

% **Alkoholgehalt** 9,0 Vol.-%

▮ **Ideale Serviertemperatur** 13 °C

Das westlich von Brüssel gelegene Benediktinerkloster Affligem wurde 1074 gegründet. Es braute ursprünglich, wie viele andere Klöster auch, sein Bier selbst, hat das Braugeschäft mittlerweile jedoch an die Brauerei De Smedt in der nahe gelegenen Stadt Opwijk übertragen. Nach dem Kloster sind eine ganze Reihe von starken Bieren benannt, die nach einem champagnerartigen Gärungsverfahren in verkorkten Flaschen entstehen. Selbst das leichteste goldfarbene Blonde weist immer noch 6,5–7,0 Vol.-% auf. Jedes dieser Biere besitzt reichhaltige Geschmacksstoffe, wie etwa die bei der Gärung starker Biere oft entstehenden Fruchtaromen. Zusätzlich wird mit Orangenschalen, Anis und Kümmel gewürzt. Das Weihnachtsbier gehört zu den feinsten der Affligem-Biere.

# ALASKAN AMBER

| | |
|---|---|
| 🛡 **HERKUNFT** | Pazifischer Nordwesten der USA |
| 🍾 **TYP** | Altbier |
| % **ALKOHOLGEHALT** | 5,2 Vol.-% |
| 🍺 **IDEALE SERVIERTEMPERATUR** | 9 °C |

Ein um die Jahrhundertwende nach Alaska ausgewanderter deutscher Brauer produzierte ein Bier, das man wohl dem Typ Alt zurechnen musste. Geoff und Marcy Larson entdeckten es, als sie 1986 in Juneau ihre Kleinbrauerei gründeten. Sie beschlossen ein Alt zu brauen und nannten es Alaskan Amber. Dieses sehr komplexe Bier mit malzigem Aroma, leicht öligem, sauberem, malzigem Geschmack und würzig trockenem Abgang wurde ihr Hauptprodukt.

# ALASKAN SMOKED PORTER

**HERKUNFT** Pazifischer Nordwesten der USA

**TYP** Geräuchertes Porter

**ALKOHOLGEHALT** 5,9 Vol.-%

**IDEALE SERVIERTEMPERATUR** 10–13 °C

Ein Pionier-Rauchbier der Neuen Welt. Die Brauerei in Juneau, der Hauptstadt Alaskas, liegt gegenüber einer Fischräucherei, wo das Malz über Erle geräuchert wird. Dieses große, komplexe, ungefilterte Bier gibt es seit 1988. Es fängt ölig an, mit einem Hauch Bitterschokolade und gerösteten Früchten, und entwickelt dann explosionsartig Rauchigkeit.

*Passt in einen Schwenker
Reiche und gehaltvolle Biere
entwickeln mehr Geschmack,
wenn man sie in kleinen
Gläsern, wie etwa einem
Cognacschwenker, serviert.*

# ALBA
# SCOTS PINE ALE

- **HERKUNFT** Schottland
- **TYP** Kiefern-/Fichten-Bier
- **ALKOHOLGEHALT** 7,5 Vol.-%
- **IDEALE SERVIERTEMPERATUR** 13 °C

Ein ebenfalls ungewöhnliches Bier der Gebrüder Williams ist dieses völlig ohne Hopfen und nur mit Kiefernzweigen und Fichtensprossen gebraute Ale. Es schmeckt am besten bei kühlem Wetter und ist aromatisch, ölig, pfefferig und »medizinisch«. Es wird bei Maclay in Alloa hergestellt, eine eigene Brauerei plant die Familie Williams in einer Mühle in Strathaven südlich von Glasgow.

*Holzfäller*
*Um auf die traditionellen heimischen Zutaten zu verweisen, wird das Alba in einem Kiefernast-Bierhalter präsentiert.*

# ALFA LENTE BOK

| | |
|---|---|
| 🛡 **HERKUNFT** | Provinz Limburg, Niederlande |
| 🍾 **TYP** | Frühlingsbock |
| ⊘ **ALKOHOLGEHALT** | 6,5 Vol.-% |
| 🍺 **IDEALE SERVIERTEMPERATUR** | 9 °C |

Im Niederländischen steht »lente« für »Frühling«. Dieses saisonale Bier stammt aus der kleinen traditionellen Alfa-Brauerei im Norden von Maastricht. Sie ist bekannt für ihre reinmalzigen Lagerbiere. Dieses Bok hat eine bemerkenswert stabile Krone und einen strukturierten, trockenen, frischen und malzigen Charakter. Für den Typ ist es stark, von leichtem Körper und sehr süffig.

*Der goldene Bock*
*Durst löschende Biere für den Frühling*
*kommen ohne dunkles Malz aus.*

# ALFA MIDZOMER BIER

| | |
|---|---|
| 🛡 **HERKUNFT** | Provinz Limburg |
| 🍾 **TYP** | gewürztes Sommer-Lager |
| % **ALKOHOLGEHALT** | 4,5 Vol.-% |
| 🍶 **IDEALE SERVIERTEMPERATUR** | 9 °C |

Warum Alfa? »Weil wir die Ersten sind – und die Besten«, sagte Urgroßvater Meens. Der Ursprung der Familie Meens geht bis ins 17. Jahrhundert zurück. Die klosterartige Brauerei stammt aus dem Jahr 1870. Die im Sandstein entspringende Quelle liefert Gletscherwasser, das etwa 6000 Jahre alt sein soll. Viele Brauereien produzieren ein spezielles Sommerbier. Alfa jedoch widmet sein Bier dem Mittsommer. Die Brauerei ist berühmt für die Qualität des verwendeten Quellwassers und die reinen Malzbiere. Das Midzomer Bier ist ein weiches, rein malziges Bier mit geringem Alkoholgehalt, gewürzt mit Orangenschalen und Koriander.

*Bauernhof*
*Das Wappen auf dem Etikett, das die Familie Meens repräsentiert, zeigt drei Enten. Auf dem Etikett am Flaschenhals sind die drei Löwen von Limburg zu sehen.*

# ALFA SUPER DORTMUNDER

**HERKUNFT** Provinz Limburg, Niederlande

**TYP** Starkes Dortmunder

**ALKOHOLGEHALT** 7,5 Vol.-%

**IDEALE SERVIERTEMPERATUR** 9 °C

Die deutsche Stadt Dortmund liegt an der Ruhr. Rund um die Stadt Maastricht am Zusammenfluss der holländischen Rur mit der Maas befinden sich jedoch einige berühmte holländische Brauereien. Der Dortmunder Braustil, der trockene, mittelstarke Biere mit festem Körper erzeugt, hat holländische Brauereien wie Alfa und auch einige belgische inspiriert. Im Unterschied zu den traditionell eingestellten Dortmunder Brauern legen Belgier und Holländer den Dortmunder Stil sehr viel weiter aus, was sich unter anderem auch im Super Dortmunder ausdrückt. Es zeichnet sich dank einer großzügigen, späten Zugabe Tettnanger Hopfens durch ein delikates, vanilleähnliches Aroma aus und besitzt einen verhältnismäßig leichten, cremigen Körper mit einem Geschmack von frischem Brot.

# Amstel Herfstbock

| | |
|---|---|
| 🛡 **Herkunft** | Nordbrabant, Niederlande |
| 🍾 **Typ** | Bock |
| % **Alkoholgehalt** | 7,0 Vol.-% |
| 🍶 **Ideale Serviertemperatur** | 9 °C |

Die Amstel ist der Fluss, nach dem Amsterdam benannt ist. Die Brauerei Amstel stand einst direkt am Fluss, unweit von Heineken. Die größere Brauerei übernahm 1968 den Lokalrivalen, doch der Name überlebte auf einigen speziellen Produkten, die jetzt in Südholland und Nordbrabant hergestellt werden. Dazu gehört ein Amstel Light sowie dieser sehr malzige Oktoberbock. Er hat ein Lakritz-/Karamell-Aroma, schmeckt weich und angenehm »hustensüß«-medizinisch und ist aromatisch im Abgang.

*Bocksprung*
*Das Etikett auf dieser Bockbier-*
*flasche und dem zugehörigen*
*Glas zeigt dem Namen entspre-*
*chend zwei Ziegenböcke.*

# ANCHOR LIBERTY ALE

HERKUNFT  Kalifornien, USA

TYP  Amerikanisches Ale

ALKOHOLGEHALT  6,1 Vol.-%

IDEALE SERVIERTEMPERATUR  10 °C

In den 70er-Jahren besuchte Fritz Maytag, Besitzer der Anchor-Brauereien, einige bekannte englische Ale-Brauereien. Nach seiner Rückkehr setzte der begeisterte Brauer die englischen Prinzipien mit amerikanischen Zutaten in die Praxis um. Das Liberty Ale wurde 1975 zum 200. Jahrestag der amerikanischen Revolution aus der Taufe gehoben. Das aromatische Anchor Liberty ist duftig und von stimmiger Komplexität mit feingliedriger Statur, sanft und ölig. Es schmeckt nach Zitronenschalen und Engelwurz. Der intensive Abgang ist so trocken wie der eines Martinis.

*Ich bin so frei*
*Der amerikanische Adler auf dem Etikett des Anchor Liberty scheint sich ein Nest aus Gerste und Hopfen gebaut zu haben. Im Bier ist Cascade-Hopfen aus Washington.*

# ANCHOR OLD FOGHORN

**A**

| | |
|---|---|
| 🛡 **HERKUNFT** | Kalifornien, USA |
| 🍺 **TYP** | Barley Wine |
| ％ **ALKOHOLGEHALT** | 8,7 Vol.-% |
| 🍾 **IDEALE SERVIERTEMPERATUR** | 13 °C |

Das Nebelhorn gehört zu San Francisco wie die Bucht und der Nebel, den es durchdringen soll – dieses hier lässt sich zudem in Flaschen abfüllen. Das Bier kam 1975 auf den Markt und setzt weithin Qualitätsmaßstäbe. Es hat ein angenehm weiches, öliges Bouquet und schmeckt mit blumiger, trockener Intensität nach einer Spur Aprikosen und Orangen. Das Bier wird neun bis zehn Monate trocken gehopft. Es ist groß, komplex und doch subtil. Mit einem Roman von Jack London servieren!

*Späte Warnung*
*Der maritime Name dieses*
*großen Bieres ist jünger als die*
*berühmte Brauerei.*

# ANCHOR »OUR SPECIAL HOLIDAY ALE«

A

| | |
|---|---|
| 🛡 **HERKUNFT** | Kalifornien, USA |
| 🍾 **TYP** | Gewürz-Ale |
| % **ALKOHOLGEHALT** | 5,5–6,0 Vol.-% |
| 🍺 **IDEALE SERVIERTEMPERATUR** | 13 °C |

Die Brauerei Anchor in San Francisco ist bekannt für ihr trockenes, perlendes Dampfbier, braut aber auch andere Spezialitäten. Das Special Holiday Ale wird vom amerikanischen Erntedankfest bis Neujahr ausgeschenkt. Es ist fast immer gewürzt, die Zutaten wechseln von Jahr zu Jahr. Bislang wurden Piment, Zimt, Nelken, Koriander, Wacholder, Lakritze, Muskat und Zitrone herausgeschmeckt.

*Lebensbaum*
*Das Etikett dieses Bieres zeigt jedes Jahr einen anderen Baum. In vorchristlichen europäischen Gesellschaften war der Baum ein heiliges Symbol für die Wintersonnenwende.*

# ARCEN HET ELFDE GEBOD

🛡 **HERKUNFT** Provinz Limburg, Niederlande

🍾 **TYP** Starkes helles belgisches Ale

％ **ALKOHOLGEHALT** 7,0 Vol.-%

🍺 **IDEALE SERVIERTEMPERATUR** 10 °C

Der Name bedeutet »das elfte Gebot«, und dieses lässt sich in einem Wort zusammenfassen: »Genießet!« – gemeint sind Speis und Trank. Het Elfde Gebod ist ein helles holländisches Bier, nicht so hochprozentig wie die anderen Biere des Typs. Geschmacksnoten von Apfelblüte, Banane und Honig verbindet es mit süßlicher Koketterie in interessanter Manier mit trockener Abgeklärtheit. Es wurde ursprünglich von Breda/Oranjeboom gebraut, jetzt von Arcen.

A

# ASAHI STOUT

**HERKUNFT** Honshu, Japan

**TYP** Strong Stout

**ALKOHOLGEHALT** 8,0 Vol.-%

**IDEALE SERVIERTEMPERATUR** 13°C

Der Name Asahi (»aufgehende Sonne«) wird von verschiedenen japanischen Firmen verwendet. Biere im westlichen Stil wurden nach 1860 aufgrund der Kontakte zum Westen bekannt. Die Brauerei Asahi produziert neben ihrem Verkaufsschlager Super Dry, einem hellen Lager, auch Biere im traditionellen Stil. Ihr charaktervollstes Bier ist ein Strong Stout in der britisch-irischen Tradition. Im Asahi Stout kommt heute noch eine wilde Hefe zur Verwendung, die in den Hochzeiten des Stout-Exports von den Britischen Inseln üblich war. Das große Bier ist erdig, teerartig, rauchig, whiskeyartig und ein sehr guter Winterwärmer.

*Sumo-Stout?*
*Das Bier ist zwar außergewöhnlich stark, trotzdem für ein Stout sehr sanft. Das Etikett nimmt im Design und der Schrifttype den satinartigen Charakter des Biers auf.*

# AUGUST SCHELL DOPPEL BOCK

**HERKUNFT** Mittlerer Westen der USA

**TYP** Doppelbock

**ALKOHOLGEHALT** 6,8 Vol.-%

**IDEALE SERVIERTEMPERATUR** 9 °C

D ie deutsch klingende
Brauerei August Schell in
New Ulm (Minnesota) hat sich in
jüngster Zeit sehr um die Wah-
rung dieses Erbes bemüht. Außer
einem gelbbraunen, rumartigen
Bock (5,8 Vol.-%) braut sie nun
auch diesen ausgewogenen Doppelbock. Das Bier ist anregend ausgewogen mit leicht säuerlichem
Hopfen- und keksartigem Malzaroma und der Körper sanft; er hat
saubere, sirupartige Noten und ist
im Abgang trocken und hopfig.

*Doppelte Dosis?*
*Die Bezeichnung »Doppelbock« weist*
*nicht darauf hin, dass dieses Bier gleich*
*doppelt so viel Alkohol enthält. Ein nor-*
*males Bock hat etwa 6,0 Vol.-%, ein*
*Doppel in der Regel etwa 7,0 Vol.-%.*

# AUSTRALIS BENEDICTION

**HERKUNFT** North Island, Neuseeland

**TYP** Belgisches Abteibier

**ALKOHOLGEHALT** 8,7 Vol.-%

**IDEALE SERVIERTEMPERATUR** 14°C

Die Australis-Biere werden von Ben Middlemiss in der Brauereikneipe Galbraith in Auckland produziert. Sie sind alle sehr geschmacksintensiv und so komplex, wie man es in kaum einem anderen Land findet. Die flaschengegärten Biere werden im belgischen Abteilstil gebraut. Die orange Farbe und auch das holzartige Aroma erinnern an den Trappistenklassiker Orval *(siehe S. 348)*, allerdings ist das Benediction zedernartiger und hat mehr Anisaroma. Der Geschmack ist medizinisch, würzig, kräuterartig und weinähnlich und erinnert damit an einen weiteren belgischen Klassiker, das Chimay Cinq Cents *(siehe S. 118)*. Das Bier hat eine malzige und kandisartige Süße, ist im Abgang jedoch staubtrocken.

# Australis Hodgson IPA

🛡 **Herkunft** North Island, Neuseeland

🍾 **Typ** India Pale Ale

% **Alkoholgehalt** 6,3 Vol.-%

🌡 **Ideale Serviertemperatur** 10–14°C

Das Bier wurde nach dem Londoner Bierbrauer George Hudson benannt, der im 18. Jahrhundert als erster ein helles Ale braute. Das India Pale Ale von damals war gleichermaßen stark wie hopfig um den langen Seeweg nach Indien unbeschadet überstehen zu können. Alle drei Biere der Australis-Linie reifen vier Monate im Fass um dann in Flaschen umgefüllt und mit einer Flaschenhefe und Zucker versehen zu werden. Die Flaschengärung dauert weitere vier Monate. Sie werden als naturtrübes »real ale« (echtes Ale) verkauft. Dieses Beispiel besitzt ein erdiges, orangenschalenartiges Aroma, einen malzigen und nussigen Grundton mit ausgeprägter Struktur und Anklängen von Vanilleschoten sowie einen wurzelartigen, pfefferigen Abgang.

# AUSTRALIS ROMANOV BALTIC STOUT

**HERKUNFT** North Island, Neuseeland

**TYP** Baltisches/Imperial Stout

**ALKOHOLGEHALT** 7,8 Vol.-%

**IDEALE SERVIERTEMPERATUR** 13–18°C

Früher war es einfacher Bier auf dem Seeweg zu transportieren, wie etwa das Stout, das von London über die Nordsee ins Baltikum exportiert wurde. Auch die russische Zarin Katharina die Große liebte dieses Bier und forderte die Brauereien in St. Petersburg dazu auf, ebenfalls in diesem Stil zu brauen. Das Romanov ist ein typisches Bier im Imperial-Stil. Es schmeckt aufgrund des hohen Anteils an gerösteter Gerste und Kristallmalz nach starkem Mokka. Sein Geschmack lässt außerdem fast vermuten, dass Wodka, Rum oder Slibowitz beigefügt werden; er wird jedoch nur durch den hohen Alkoholgehalt und die natürliche Würzigkeit des Biers hervorgerufen. Es überrascht durch viele warme Aromanoten. Der Körper ist teerähnlich, der Abgang sanft wie ein süßliches Toffee.

# AYINGER ALTBAIRISCH DUNKEL

⬚ **HERKUNFT** Oberbayern, Deutschland

🍾 **TYP** Dunkles Lager

％ **ALKOHOLGEHALT** 5,0 Vol.-%

🍺 **IDEALE SERVIERTEMPERATUR** 9 °C

Einige der bekanntesten Biere Münchens werden im nahe gelegenen Dörfchen Aying gebraut, das nicht viel mehr als eine Kirche, einen Maibaum und eine Brauerei mit eigenem Gasthof und Restaurant umfasst. In der oberbayerischen Tiefebene, in der das Dörfchen und auch die Stadt München liegen, werden einige der weltbesten Malz- und Braugerstensorten angebaut. Weiches Alpenwasser sorgt für sanfte Biere. Die ersten (dunklen) Lager-Biere wurden hier produziert. Die meisten bayerischen Brauereien haben mindestens ein Dunkles in ihrem Angebot, die meisten davon sind wesentlich malziger als vergleichbare Produkte im Ausland. Die Brauerei Ayinger darrt ihre eigene Gerste. Das hier vorgestellte Dunkel ist ein sehr malziges Getränk, leicht butterig, aber sehr sauber mit einer ausgewogenen Herbheit. Sein intensiv-würziger Geschmack passt ideal zu kräftig gewürzten Würstchen.

# AYINGER CELEBRATOR

| | |
|---|---|
| HERKUNFT | Oberbayern, Deutschland |
| TYP | Doppelbock |
| ALKOHOLGEHALT | 7,2 Vol.-% |
| IDEALE SERVIERTEMPERATUR | 9 °C |

Münchens berühmteste »Landbiere« kommen aus dem nahe gelegenen Aying, das aus wenig mehr als einer Kirche, einem Maibaum und einer Brauerei (mit Gasthof) besteht. Am Ort angebaute Gerste wird in der Brauerei gemälzt. Der Ayinger Doppelbock namens Celebrator ist von dunkelbrauner bis ebenhölzerner Farbe sowie einem sanften, reichhaltigen, kaffeeartigen und malzigen Geschmack mit einem feigenartig trockenen Abgang.

*Im Zeichen des Geißbocks*
*Das Symbol für Männlichkeit taucht gleich zweimal auf Glas und Flasche sowie am Flaschenhals auf.*

# AYINGER OKTOBER-FEST-MÄRZEN

A

▱ **HERKUNFT** Oberbayern

🍺 **TYP** Märzen

% **ALKOHOLGEHALT** 5,8 Vol.-%

🍺 **IDEALE SERVIERTEMPERATUR** 9 °C

Auf dem Oktoberfest darf nur Bier Münchner Brauereien verkauft werden, dennoch brauen andere Brauereien ein Festbier für den Oktober. Eines davon ist das Ayinger, von gold-bronzener Farbe, sehr frischem Hopfen- und Malzaroma, nussigem Geschmack und leichtem, straffem Körper. Die Brauerei veranstaltet viele kleine Volksfeste rund um München.

*Spezialisten*
*Auf ihren Etiketten bezeichnet die Ayinger Brauerei ihre Biere als »Spezialitäten«. Sie braut rund ein Dutzend verschiedene Typen.*

# BACCHUS

| | |
|---|---|
| **HERKUNFT** | Westflandern, Belgien |
| **TYP** | Flämisches Rot/Braun |
| **ALKOHOLGEHALT** | 4,5 Vol.-% |
| **IDEALE SERVIERTEMPERATUR** | 9–13 °C |

Das Bier mit dem orgiastischen Namen ist eine von mehreren extrovertierten Marken der Brauerei Van Honsebrouck in Ingelmunster (Westflandern). Es hat ein Essigbouquet, einen Hauch von Karamell, eine eichene, holzige Note und späte, leichte, spritzige Säure. Es wird in Holzfässern gelagert. Die ostflandrische Brauerei Van Steenberge braut ein Bier namens Bios (griechisch für Leben), anfangs leicht sirupartig, später sauer-trocken.

*Löwenstolz*
*Der schwarze Löwe auf dem Etikett ist das Wappentier Flanderns. Die Brauerei steht in der einstigen Residenzstadt des Herzogs von Flandern.*

# BADGER TANGLEFOOT

| | |
|---|---|
| 🛡 **HERKUNFT** | Westengland, UK |
| 🍾 **TYP** | Pale Ale |
| % **ALKOHOLGEHALT** | 5,0 Vol.-% |
| 🍺 **IDEALE SERVIERTEMPERATUR** | 13 °C |

Nach dem Dachs (»badger«), dem Markenzeichen der Brauerei Hall and Woodhouse, ist dieses Bier benannt. Die Bezeichnung Tanglefoot soll auf einen Handelsreisenden zurückgehen, der nach einer Bierverkostung stolperte. Obwohl der zweite Name dies suggeriert, ist das Bier nicht sehr stark. Es ist sehr geschmacksintensiv mit einem ausgewogenen Verhältnis zwischen der ananasartigen Fruchtigkeit der hauseigenen Hefe und dem trockenen, limonenartigen, harzigen und chininartigen Aroma der Hopfensorte Challenger.

B

# BALTIKA PORTER

- **HERKUNFT** St. Petersburg, Russland
- **TYP** Baltisches Porter/Imperial Stout
- **ALKOHOLGEHALT** 7,0 Vol.-%
- **IDEALE SERVIERTEMPERATUR** 13–18 °C

Die Haupstadt des Imperial Stout ist auch die Heimat der Brauerei Baltika, erst 1990 in St. Petersburg gegründet. Baltika Porter ist sanft, zunächst von körniger Süße, dann leicht trocken, und weist Whiskey-noten auf. Ein fruchtigeres, weinartiges Imperial Porter braut die nahe gelegene Brauerei Vienna. Fester, würziger und wärmender ist das Porter von Stepan Razin, der 1795 gegründe-ten, ältesten Brauerei der Stadt.

# BANKS'S

🛡 **HERKUNFT** Mittelengland

🍾 **TYP** Mild Ale

％ **ALKOHOLGEHALT** 3,5 Vol.-%

🥃 **IDEALE SERVIERTEMPERATUR** 10–13 °C

B

Eine der bekanntesten Brauereien von Mild Ale ist die Brauerei Banks in Wolverhampton in den West Midlands. Ihr Ruhm gründet auf der Qualität ihres Mild Ale und den hohen Absatzzahlen. Wohl aus Angst vor dem möglicherweise wenig modischen Image der Midlands als Industrieregion hat ein Marketing-Genie in den letzten Jahren dem Bier die nichtssagende Beschreibung »einmalig ausgewogenes Bier« angehängt, nebst der Aufforderung es kalt zu servieren. Folgt man dieser Anweisung, verflacht der sahnige, ölige, nusskaramellige Malzgeschmack dieses leckeren Bieres.

*Wirklich ausgewogen?*
*Alle Brauer versuchen ausgewogene Biere zu brauen. Dieses ist sehr ausgewogen und hat einen leichten Hang zum Malzigen, der für die Sorte typisch ist.*

# BANKS'S ULTIMATE CURRY BEER

**HERKUNFT** Westliche Midlands, England

**TYP** Pale Ale

**ALKOHOLGEHALT** 5,3 Vol.%

**IDEALE SERVIERTEMPERATUR** 10 °C

Leider gibt es in den meisten indischen Restaurants in Großbritannien nur gewöhnliches Lager-Bier, obwohl die indischen Pale Ales besser passen würden. Indische Gerichte werden vor allem in den Midlands, wo auch die Brauerei Banks's zu Hause ist, sehr gerne serviert. Das Ultimate Curry Beer wurde 1998 kreiert. Es ist von sehr heller Farbe und besitzt einen recht lebhaften Ingwer- und Sorbetgeschmack. Um diesen Charakter zu erreichen, benötigt man vier Hopfensorten, darunter den relativ neuen First Gold, der zitrusartig bzw. sogar mandarinenartig ist. Das Bier entstand im Rahmen eines Wettbewerbs der National Hop Association, die sich ein aus englischen Hopfensorten hergestelltes Bier wünschte, das zu Currygerichten passt.

# BASS No.1

🛡 **HERKUNFT** Trent Valley, England

🍾 **TYP** Barley Wine

Ⓢ **ALKOHOLGEHALT** 10,5 Vol.-%

🍺 **IDEALE SERVIERTEMPERATUR** Lagern bei 13 °C, servieren bei 10–13 °C

**B**

Dies könnte der erste kommerziell vertriebene Barley Wine gewesen sein, aber der Name stammt vom Brauhaus Nummer 1 des Bass-Konzerns. Heute wird es nur noch sporadisch im Bass-Museum in Burton gebraut, aber auch noch verkauft. Es ist streng, aber geschmeidig, ölig und eichen. Zunächst brüskiert es durch seine Bitterkeit, macht aber auf merkwürdige Weise fast süchtig.

*Der echte König unter den Bieren …*
*… das behauptet auf jeden Fall das*
*Etikett auf dem Flaschenrücken. Das*
*schwere Ale macht dem American Bud-*
*weiser Konkurrenz, das behauptet der*
*wahre König unter den Bieren zu sein.*

# BASS »OUR FINEST ALE«

**HERKUNFT** Burton, Trent Valley, England

**TYP** Pale Ale

**ALKOHOLGEHALT** 4,4 Vol.-%

**IDEALE SERVIERTEMPERATUR** 10–13 °C

Das berühmteste Brauprodukt der Brauerei Bass ist sicherlich das Draught Bass. Obwohl dieses Fassbier in den letzten Jahren an Charakter verloren hat, ist es immer noch ein sehr feines und komplexes Bier, das vor allem von der Zugabe einer zweistämmigen Hefekultur geprägt ist. Als Fassbier ist es nur in Gaststätten erhältlich. Allerdings sind mittlerweile die Flaschenversionen dieses Biers im Handel. Obwohl das Flaschenbier pasteurisiert und gefiltert ist, hat es immer noch ein wohlschmeckendes, blumiges Aroma. Im Geschmack ist es zunächst herbhopfig um dann eine malzige, leicht nussige Sanftheit zu entwickeln.

### Die Marke
*Ein auf das Fass gebranntes Symbol war wohl der Ursprung des typischen roten Dreiecks der Brauerei Bass, das in den 1880ern zum ersten eingetragenen Warenzeichen Großbritanniens wurde.*

# BATEMAN'S XXXB

B

| | |
|---|---|
| 🛡 **HERKUNFT** Ostengland |
| 🍾 **TYP** Bitter Ale |
| % **ALKOHOLGEHALT** 4,8 Vol.-% |
| 🍺 **IDEALE SERVIERTEMPERATUR** 10–13 °C |

Britische Biertrinker verehren diese Brauerei, seit George Bateman einen familieninternen Streit um ihre Unabhängigkeit gewann. XXXB erinnert an die Zeit vor der allgemeinen Alphabetisierung, als die Stärke des Bieres durch eingebrannte Zahlen oder Symbole auf dem Holzfass kenntlich gemacht wurde. Das robuste und doch weiche, süß-fruchtige, geschmackvolle Bier hat einen Hauch von Aniswürze.

*Logo mit Stil*
*Das Markenzeichen stellt eine stilisierte Windmühle dar, neben der die Brauerei auf dem flachen Land nahe der Küste steht.*

# BAVIK KUURNSE WITTE

| | |
|---|---|
| HERKUNFT | Westflandern, Belgien |
| TYP | Belgisches Weizenstarkbier |
| ALKOHOLGEHALT | 7,5 Vol.-% |
| IDEALE SERVIERTEMPERATUR | 9–10 °C |

Die Brauerei, die mittlerweile in der vierten Generation geführt wird, wurde von der Familie De Brabandere 1894 in Bavikhove, Westflandern, gegründet. Das auf seine Tradition stolze Unternehmen produziert eine breite Palette von lokalen und nationalen Biersorten *(siehe auch Petrus, S. 362-364)*, wie etwa auch das ungewöhnlich starke Weizenbier Kuurnse Witte. Das Wappentier der Stadt Kuurns, der Esel, ziert das Etikett. Solche Wappen findet man im ländlichen Flandern häufig. Das Kuurnse Witte besitzt eine limonen- und weinartige sowie eine pfefferige Note. Gerade die letzten beiden Geschmacksnoten sind bei starken Bieren häufig anzutreffen, weil die Hefe hier während der Gärung stärker arbeiten muss.

# BAVIK WIT BIER/WITTEKERKE

| | |
|---|---|
| HERKUNFT | Westflandern, Belgien |
| TYP | Belgisches Weizenbier |
| ALKOHOLGEHALT | 5,0 Vol.-% |
| IDEALE SERVIERTEMPERATUR | 9–10 °C |

Die gewürzten belgischen Weizenbiere wurden traditionell mit einer kleinen Haferzugabe gebraut. Eine der wenigen Brauereien, die dies auch heute noch so tun, ist die Brauerei De Brabandere. Der Hafer erzeugt die für dieses Bier typische, seidene Weichheit. Die Würzung entspricht der für belgische Weizenbiere üblichen: Curaçao-Orangenschalen und Koriander, mit Betonung auf dem Koriander. Das Bier ist sehr geschmackvoll mit einer deutlichen, verlockenden, duftigen Fruchtigkeit und einer schwachen kräutrigen Herbheit. Es besitzt einen leichten, aber dennoch runden Körper.

# BEAMISH IRISH STOUT

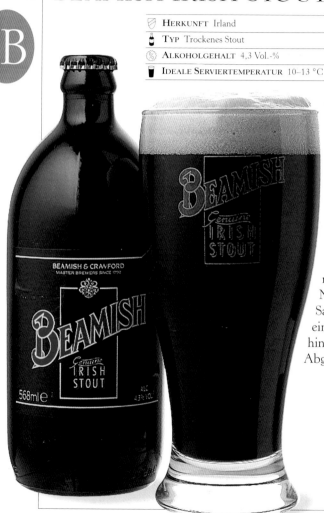

B

**HERKUNFT** Irland

**TYP** Trockenes Stout

**ALKOHOLGEHALT** 4,3 Vol.-%

**IDEALE SERVIERTEMPERATUR** 10–13 °C

Ein Stout aus der einst »protestantischen« Brauerei Corks, 1792 gegründet. Im Vergleich zur Konkurrenz, die sich »modernem«, süßem Geschmack angepasst hat, erscheint Beamish Irish Stout trockener. Das Bier hat einen röstigen Geschmack mit Nuancen von Butter, Sahne und Pfeffer und einem späten, sich lange hinziehenden, trockenen Abgang.

# BELHAVEN 80/- EXPORT ALE

**HERKUNFT** Südschottland

**TYP** Schottisches Ale

**ALKOHOLGEHALT** 3,9 Vol.-%

**IDEALE SERVIERTEMPERATUR** 10–13 °C

Ein Benediktinerkloster auf einer nahen Insel förderte diese Brauerei in Belhaven bei Dunbar, zwischen Edinburgh und der Grenze zu England gelegen. In Schottland war es im 19. Jahrhundert üblich, auf den Etiketten der Bierflaschen den Biersteuersatz in Schilling anzugeben. Die Brauerei datiert ihre Anfänge auf 1719. Ihr 80/- ist von gelbbrauner Farbe und hat einen sanften, doch festen, toastigen Geschmack, der sich gut entwickelt. Die hauseigene Hefe sorgt für einen Hauch süßlicher Ananas.

*Das Wappen von Haven*
*Der typische sprungbereite*
*schottische Löwe ist oft auf*
*Fahnen vor einem gelben Hin-*
*tergrund zu sehen.*

# BELHAVEN WEE HEAVY

B

🌿 **HERKUNFT** Nordwesten der USA

🍾 **TYP** Wee Heavy

🍺 **ALKOHOLGEHALT** 8,0 Vol.-%

🍺 **IDEALE SERVIERTEMPERATUR** 13 °C

Umgeben von Skigebieten, im Wald der Cascade Mountains in Oregon, liegt der Ort mit dem seltsamen Namen Government Camp. Seit 1992 wird dort gebraut. Pittock Wee Heavy heißt nach dem Erstbesteiger (1857) des Mount Hood (378 m). Henry L. Pittock war Geschäftsmann, Schriftsteller und Bergsteiger. Das Bier enthält Hafer, torfgeröstetes Malz und Golding-Hopfen aus Kent. Es wird recht kühl vergoren und gelagert. Das köstliche Bier ist weinrot bis braun, hat das Aroma von Kirschnougat, schmeckt karamellig und entwickelt auch im Abgang eine karamellige Trockenheit.

# BELLE-VUE KRIEK

| | | |
|---|---|---|
| 🛡 | **HERKUNFT** | Flämisch-Brabant, Belgien |
| 🍶 | **TYP** | Kriek-Lambic |
| 🍷 | **ALKOHOLGEHALT** | 5,2 Vol.-% |
| 🍺 | **IDEALE SERVIERTEMPERATUR** | 8–9 °C |

Das Tal der Senne inspirierte Brueghel zu seinen Landschaften. Die Lambic-Brauerei Belle-Vue liegt allerdings in Molenbeek am Stadtrand Brüssels. Ihr Kriek hat eine Note von Eiche und Eisen und einen fruchtigen Anklang an schwarze Johannisbeere. Einen reicheren, süßeren Kirschencharakter hat das Kriek Primeur, das jedes Jahr neu gemischt wird. Ein Teil davon wird im April mit Kirschen vom Vorjahr gebraut.

*Sterne im Blick?*
*Belle-Vue gehört zur belgischen*
*Großbrauerei Interbrew, die auch*
*Stella Artois herstellt.*

# Berliner Bürgerbräu
# Bernauer Schwarzbier

| | |
|---|---|
| HERKUNFT | Berlin |
| TYP | Schwarzbier |
| ALKOHOLGEHALT | 5,2 Vol.-% |
| IDEALE SERVIERTEMPERATUR | 9 °C |

In Bernau (nordöstlich von Berlin) gab es einst 142 kleine Brauereien, die Basis des Wohlstands der Stadt. Heute existiert dort keine Brauerei mehr, aber die Berliner Bürgerbräu erweist mit diesem Schwarzbier der Tradition ihre Reverenz. Die 1869 gegründete Brauerei befindet sich immer noch in den ursprünglichen Räumen in Köpenick im ehemaligen Ostberlin. Die Verwendung von sehr dunklem Malz bewirkt den typischen Geschmack dieser Biersorte, einer Spezialität in der ehemaligen DDR. Es gehört zu den wirklich schwarzen Bieren und hat erdiges Aroma mit einem öligen Espresso-, Schokolade- und Rum-Geschmack und einem langen, weichen, klebrigen Abgang.

*Bier zum Angriff*
*Das Bernauer Schwarzbier wird anlässlich eines jähr-*
*lichen Festzuges serviert, der an einen Angriff auf*
*die Stadt während der Hussitenkriege erinnern soll.*

# BERLINER BÜRGER-
# BRÄU MAIBOCK

B

◇ **HERKUNFT** Berlin

**TYP** Maibock

**ALKOHOLGEHALT** 8,5 Vol.-%

**IDEALE SERVIERTEMPERATUR** 9 °C

Die alteingesessene Ostberliner Brauerei wurde nach der Übernahme durch die bayerische Brauereifamilie Häring neu belebt. Sie braut einen hellen Maibock und einen Dunklen Bock. Der Maibock hat ein sahniges Malzaroma, einen relativ leichten Körper, einen malzigen Charakter sowie einen frischen und hopfigen Abgang. Die Brauerei Bürgerbräu befindet sich am Müggelsee, einem beliebten Picknickplatz. Bei kaltem Wetter wird eher der Dunkle Bock getrunken, an warmen Frühlings- und Sommertagen der helle Maibock.

# BERLINER BÜRGERBRÄU ROTKEHLCHEN

B

| | |
|---|---|
| **HERKUNFT** | Norddeutschland/Berlin |
| **TYP** | Export |
| **ALKOHOLGEHALT** | 5,3 Vol.-% |
| **IDEALE SERVIERTEMPERATUR** | 9 °C |

Viele deutsche Brauereien haben eigene Biergläser. Es gibt sogar Gläser für manche einzelnen Biere, wie in Belgien, wo dies sehr verbreitet ist. In den frühen Jahren des Berliner Bürgerbräu benutzte man einen Bierkrug mit einem roten Henkel für ein eher exportartiges Lager (trockener als das goldene Lager und nicht so hopfig wie das Pils, ein minimal stärkerer Goldton als bei den beiden und etwas stärker). In der Regel verlangte ein Gast nach einem »Rotkehlchen«, um dieses Bier in dem dazugehörigen Krug zu erhalten. Die Tradition wurde nach der Wiedervereinigung anlässlich des 125jährigen Jubiläums der Brauerei neu belebt. Auch ein Produzent für den typischen Bierkrug konnte nach einigem Suchen gefunden werden. Das Bier hat einen sanften und festen Körper und ist mild im Geschmack mit einer zurückhaltenden Bitterkeit.

# BERLINER KINDL WEISSE

| | |
|---|---|
| 🛡 **HERKUNFT** Berlin | |
| 🍾 **TYP** Berliner Weiße | |
| % **ALKOHOLGEHALT** 2,5 Vol.-% | |
| 🍶 **IDEALE SERVIERTEMPERATUR** 9–12 °C | |

Eine der zwei großen Brauereien in Berlin ist Kindl, gegründet 1872 und jetzt ein Teil der Binding Gruppe. Die Brauerei liegt in Neukölln, einer Arbeiterwohngegend. Wenn man die Brauerei durch den klosterartigen Bogen betritt, sieht man ein schönes 50er-Jahre-Brauhaus mit Marmorkacheln. Die Weiße, die vor allem im Sommer ausgeschenkt wird, ist fest, kohlensäurehaltig und fruchtig mit einem sauren Stich. Die geringe Stärke ist typisch für diesen erfrischenden Biertyp. Es wird typischerweise mit einem Schuss Himbeer- oder Waldmeistersirup genossen.

*Der Champagner des Nordens*
*So bezeichneten Napoleons Truppen*
*das Berliner Weißbier. Getrunken*
*wird dieses Bier aus einer Art über-*
*dimensionalem Champagnerkelch.*

# BERT GRANT'S FRESH HOP ALE

**HERKUNFT** Nordwestküste der USA

**TYP** Pale Ale

**ALKOHOLGEHALT** 5,2 Vol.-%

**IDEALE SERVIERTEMPERATUR** 10–13 °C

Der in Schottland geborene, führende Hopfenexperte der USA, Bert Grant, gehört zu den herausragenden Persönlichkeiten der amerikanischen Brauindustrie. Er war einer der Ersten, die Kleinstbrauereien und Brauereigaststätten einführten. Seine Brauerei befindet sich im Herzen der amerikanischen Hopfenregion, in der Stadt Yakima im Staat Washington. Dieses Bier kann nur während der Hopfenernte produziert werden. Statt des meist üblichen gedarrten wird hier frischer Hopfen zugegeben (20 Minuten nach dem Pflücken). Man nimmt ausschließlich die Sorte Cascade. Das Bier schmeckt nach Gras, Blättern, Gartenminze und ein wenig nach Mandarinen.

# BERT GRANT'S IMPERIAL STOUT

| | |
|---|---|
| ⬡ **HERKUNFT** | Nordwestküste der USA |
| **TYP** | Imperial Stout |
| **ALKOHOLGEHALT** | 6,0 Vol.-% |
| **IDEALE SERVIERTEMPERATUR** | 10–13 °C |

B

Der erfinderische Bert Grant produzierte als erster US-Brauer ein starkes Stout im Stil von Sankt Petersburg. Dieser Braustil aus dem 18. Jahrhundert wurde im Gründungsjahr von Grants Brauerei, 1982, eingeführt. Das Bier ist zwar schwächer als die meisten anderen Imperial Stouts, allerdings gehörte es zum Zeitpunkt seiner Einführung zu den stärksten, geschmackvollsten und körperreichsten Bieren in Amerika. Inzwischen gibt es in den USA einige Biere, die dieses übertreffen. Das Grant's Imperial Stout ist jedoch immer noch eines der geschmackvollsten: schokoladig, mit Röstaroma, nach Honig duftend und ölig.

# BERT GRANT'S INDIA PALE ALE

B

HERKUNFT  Pazifischer Nordwesten der USA

TYP  India Pale Ale

ALKOHOLGEHALT  4,2 Vol.-%

IDEALE SERVIERTEMPERATUR  10–13 °C

Als erste Kleinbrauerei braute Grant's wieder India Pale Ale in den USA, in Yakima, dem Zentrum des Hopfenanbaus im Bundesstaat Washington. Grant's sehr helles IPA weist eine Hopfigkeit voll blumiger Blüte und die fruchtige Intensität frisch gepflückter Äpfel auf. Im Abgang schmeckt es kräftig und anhaltend herb und bitter. Unter anderem werden die Hopfensorten Galena und Cascade verwendet. Dem Bier wird daher eine kräftige Bitterkeit nachgesagt.

# BERT GRANT'S
# PERFECT PORTER

B

🏷️ **HERKUNFT** Nordwesten der USA

🍾 **TYP** Plain Porter

% **ALKOHOLGEHALT** 4,0 Vol.-%

🍺 **IDEALE SERVIERTEMPERATUR** 10–13 °C

Bert Grant ist eine amerikanische Brauerpersönlichkeit. Er ist Hopfenexperte, Vorkämpfer von Kneipen- und Kleinbrauereien und bescheinigte sich einst in Anzeigen scheinbare Verdienste um das Glück der Menschheit. Seine Marke Perfect Porter klingt wenig bescheiden, der Alkoholgehalt ist es sehr wohl. Dennoch ist das Bier von rundem Körper und Geschmack und hat leichte Anklänge von Kakao, gerösteten Nüssen und etwas Torf.

*Spiegelbildlich*
*Wann immer Bert Grant sein Bier trinkt, sieht er sein eigenes Abbild.*

# BIG ROCK MCNALLY'S EXTRA ALE

| | | |
|---|---|---|
| 🛡 | **HERKUNFT** | Alberta, Kanada |
| 🍾 | **TYP** | Irisches Rotes Ale |
| % | **ALKOHOLGEHALT** | 7,0 Vol.-% |
| 🍺 | **IDEALE SERVIERTEMPERATUR** | 10–13 °C |

Ed McNallys Vorfahren wanderten zur Zeit der Hungersnot aus Irland aus. Er selbst wurde in den Siebzigerjahren des 20. Jahrhunderts zu einem erfolgreichen Anwalt und Gerstenfarmer in Kanada. 1985 gründete er in Calgary, am Fuß der Rockys, die Big Rock Brewery. Dort wurden in den letzten fünfzehn Jahren viele Biere produziert. Seinen eigenen Namen gab der Brauer jedoch nur seinem Lieblingsbier, dem McNally's Extra Ale. Das starke Bier irischen Typs hat ein blumiges Aroma, die Malzigkeit erinnert an getoastetes Rosinenbrot.

# BIG TIME BHAGWAN'S BEST INDIA PALE ALE

🛡 **HERKUNFT** Pazifischer Nordwesten der USA

🍾 **TYP** India Pale Ale

% **ALKOHOLGEHALT** 5,8 Vol.-%

🍺 **IDEALE SERVIERTEMPERATUR** 10–13 °C

Etliche Kleinbrauereien in den USA machen sich einen Jux beim Benennen ihrer Ales. Big Time in Seattle erinnert augenzwinkernd an Bhagwan Shree Rajneesh, der im nahen Oregon in den 80er-Jahren eine Kommune betrieb. Das Bier hat die typischen Hopfenaromen der Region, den Duft von Grapefruit und süßen Orangen, einen leichten, weichen Körper und einen anregenden, trockenen Abgang.

# BIG TIME OLD WOOLY

| | |
|---|---|
| 🛡 **HERKUNFT** | Nordwestküste der USA |
| 🍾 **TYP** | Barley Wine |
| % **ALKOHOLGEHALT** | 10,0 Vol.-% |
| 🥃 **IDEALE SERVIERTEMPERATUR** | 13 °C |

Mammuts mögen in den Eiswüsten Alaskas heimischer gewesen sein als im Bundesstaat Washington, aber das dickhäutige Zotteltier macht sich gut im Namen dieses »Urviehs« von einem Winterwärmer. Die Braukneipe Big Time in Seattle ist bekannt für erfrischende und originelle Biere. Dieses schmeckt exzellent abgestimmt nach duftendem Hopfen, Grapefruitschalen und Malzen. Es ist sanft und hopfig und genau der richtige Schlummertrunk.

*Ein Schluck Urzeit*
*Old Wooly wird als Jahrgangsbier gebraut und reift mit der Zeit sogar.*

# BITBURGER PREMIUM PILS

 **HERKUNFT** Rheinland-Pfalz, Deutschland

**TYP** Pilsner

**ALKOHOLGEHALT** 4,6 Vol.-%

**IDEALE SERVIERTEMPERATUR** 9 °C

Die Bitburger-Brauerei erhebt den Anspruch, den Ausdruck Pilsner 1883 als erste in Deutschland benutzt zu haben. Ihr Pils ist sehr leicht, weich und sauber. Es scheint zuerst eine saubere, süße Malzigkeit zu betonen, ist dann im Abgang aber von fester, elegant abgerundeter, hopfiger Trockenheit. Ein Teil der Malzgerste wird ebenso wie ein Teil des Hopfens in der Gegend angebaut. Das Eis für die Eiskeller kam früher aus Eifelseen.

*Markenbildung*
*Der »gründerzeitlich« aussehende Bier-*
*kenner auf dem Etikett ist ein frühes*
*Beispiel für Markenbildung.*

# BLACK SHEEP ALE

| | |
|---|---|
| 🛡 **HERKUNFT** Nordostengland |
| 🍾 **TYP** Pale Ale |
| % **ALKOHOLGEHALT** 4,4 Vol.-% |
| 🍺 **IDEALE SERVIERTEMPERATUR** 13 °C |

Das schwarze Schaf ist Paul Theakston, der mit seiner Familie ob des Verkaufs ihrer berühmten Brauerei in Streit geriet und im selben Ort, Masham, eine eigene Brauerei eröffnete. Sein Ale weist Aromen von Anis, Zeder und Hopfen sowie eine große, trockene, sanfte und stabile Malzigkeit auf. Mehrere Hefestämme und steinerne Gärbottiche tun ein Übriges.

# BLACK SHEEP RIGGWELTER

| | |
|---|---|
| 🛡 **HERKUNFT** | Nordengland, UK |
| 🍾 **TYP** | Old Ale |
| % **ALKOHOLGEHALT** | 5,7 Vol.-% |
| 🍶 **IDEALE SERVIERTEMPERATUR** | 10–13 °C |

B

Die Wollerzeugung ist die Grundlage des Reichtums der Klöster, die die Braukunst wahrscheinlich in die Täler von Yorkshire brachten, weshalb das Schaf hier ein gern genutztes Symbol ist. Das »riggwelter« ist ein Schaf, das auf seinen Rücken gefallen ist und nicht mehr allein aufstehen kann. Der Begriff stammt aus dem Altnorwegischen, genauso wie der Name der Stadt York: Jorvik. Das starke Bier zeichnet sich aus durch einen mittleren bis vollen Körper, einen deutlichen Malzgeschmack, süßliche Toffeearomen und ein Pfefferminzbonbonaroma im Abgang.

# BLACK SHEEP
# YORKSHIRE SQUARE ALE

B

🛡 **HERKUNFT** Nordengland, UK

🍾 **TYP** Pale Ale

％ **ALKOHOLGEHALT** 5,0 Vol.-%

🍺 **IDEALE SERVIERTEMPERATUR** 13°C

Der Begriff Yorkshire Square bezeichnet ein bestimmtes Gärgefäß. Der echte Yorkshire-Gärbottich besitzt zwei Ebenen, die durch eine zentrale Öffnung miteinander verbunden sind. Während des Gärvorgangs im unteren Teil des Gärbottichs steigt der Schaum in den oberen Teil. Das entstehende Bier ist sauber und hat einen vollen Körper und eine Malzbetonung. Das Blacksheep Yorkshire Square Ale besitzt ein feines Malzaroma und einen festen, leicht sirupartigen Körper und ist im Abgang kräuterwürzig hopfig. Es ist trocken, appetitanregend und sehr geschmacksintensiv.

*Schaf im Quadrat*
*Das stilvolle Etikett ist von schrägem Humor*
*und spiegelt damit etwas vom eher hintersinnigen*
*Witz der Bewohner von Yorkshire wider.*

# BLACKSTONE
# ST CHARLES PORTER

🛡 **HERKUNFT** Süden der USA

🍾 **TYP** Porter

％ **ALKOHOLGEHALT** 5,0 Vol.-%

🍺 **IDEALE SERVIERTEMPERATUR** 10–13 °C

Brauerei mit Restaurant der neuen Generation, seit Mitte der neunziger Jahre in Nashville. Die Biere schuf Starbrauer Dave Miller. »Sankt« Charles ist der Sohn eines der Besitzer. Das Porter seines Namens hat einen festen Körper und schmeckt wie ein Biss in eine Cremepraline. Diese Reichhaltigkeit rundet Bitterschokolade weiter ab. Das Bier ist weich, gesellig und im Abgang trocken genug für eine zweite Runde.

# BOLTEN UR-ALT

| | | |
|---|---|---|
| 🛡 | **HERKUNFT** | Korschenbroich, Deutschland |
| 🍾 | **TYP** | Altbier |
| % | **ALKOHOLGEHALT** | 4,7 Vol.-% |
| 🍺 | **IDEALE SERVIERTEMPERATUR** | 9 °C |

Eine wahrhaft »alte« Brauerei in Korschenbroich, westlich von Düsseldorf, deren Geschichte bis in das Jahr 1266 zurückreicht. Früher wurden Biere der Region mit torfgeräuchertem Malz gebraut, gewürzt und mit wilder Hefe vergoren. Der Begriff »Altbier« wurde in den 1890er-Jahren eingeführt. Der Geschmack des Bolten Alt ist kräftig, komplex, trocken und malzig. Die als Ur-Alt bezeichnete Variante ist filtriert, sämiger und fruchtiger im Geschmack.

# Boon Framboise

⬦ **Herkunft** Flämisch-Brabant, Belgien

🍶 **Typ** Himbeer-Lambic

⊘ **Alkoholgehalt** 6,2 Vol.-%

🍺 **Ideale Serviertemperatur** Bei 10–13 °C lagern.
Vor dem Trinken zwei bis drei Stunden leicht kühlen. Bei 8 °C servieren.

D er Brauer, wiewohl Flame, zog das französische
Wort »framboise« (Himbeere) dem flämischen
»frambozen« vor. Er braut sein Lambic-
Bier direkt in Lembeek. Die Brauerei
aus dem 17. Jahrhundert stand 1977
vor der Schließung, als der junge
Frank Boon den Betrieb erwarb. An
den Ufern der Senne produziert er
nun eine Reihe von Lambic-Bieren.
Von den wilden Hefen des Senne-
tales stammt die blumig-duftige,
chardonnayartige Trockenheit. Die
Reifung in Eichenfässern sorgt für
einen Hauch Vanille als Ausgleich für
die Himbeermarmeladensüße dieses
frischen, delikaten Bieres. Obwohl
leicht gesüßt, entwickelt sich im Abgang
zitronige Säure. Pro Liter Bier werden
200 Gramm Himbeeren und ein paar
Kirschen verwendet.

*Partykleid*
*Champagnerflaschen, in Folie gehüllt, verleihen*
*etlichen belgischen Bieren, besonders dem Lambic,*
*eine elegante Note. In Belgien braut man fürs*
*Auge ebenso wie für Nase und Gaumen.*

B

# Boon Geuze

🛡 **Herkunft** Flämisch-Brabant, Belgien

🍾 **Typ** Gueuze-Lambic

% **Alkoholgehalt** 6,0 Vol.-%

🥛 **Ideale Serviertemperatur** 13 °C

Frank Boon bevorzugt die verkürzte Schreibweise für Gueuze, eine Mischung junger und alter Lambic-Biere, die in der Flasche gären und Kohlensäure entwickeln. Das Bier ist sehr elegant und hat ein weiches Blumenaroma (Rhabarber?), zeitweilig Ingwersüße und einen lang anhaltenden, trockenen, eichenen, leicht salzigen Abgang.

# BOON KRIEK »MARIAGE PARFAIT«

🛡 **HERKUNFT** Flämisch-Brabant, Belgien

🍶 **TYP** *Kriek-Lambic*

％ **ALKOHOLGEHALT** 6,0 Vol.-%

🍺 **IDEALE SERVIERTEMPERATUR** 10–13 °C

Ein klassisches Beispiel für ein Kirschbier mit fruchtiger Herbheit und einer weinartigen, an trockenen Sherry erinnernden, toastigen Komplexität. Der Charakter fällt jedoch von Jahr zu Jahr verschieden aus. Das Bier wird in Holzbottichen auf der Grundlage frisch geernteter Kirschen sehr kunstvoll gebraut. In jedem Winter, wenn die niedrigen Temperaturen das Entgleisen der Gärung verhindern, braut die Brauerei in ihrem Mischbottich eine so genannte »Mariage Parfait« (eine perfekte Hochzeit). Das Produkt besteht aus dem jeweiligen Jahres-Lambic und einem etwas größeren Anteil an den besten Bieren, die achtzehn Monate bis zwei Jahre zuvor gereift sind. Die Mischung wird in Flaschen gefüllt und darf zwei Jahre reifen.

# BORVE ALE

🛡 **HERKUNFT** Highlands, Nordschottland, UK

🍾 **TYP** Schottisches Ale

% **ALKOHOLGEHALT** 10,0 Vol.-%

🍺 **IDEALE SERVIERTEMPERATUR** 10 13 °C

Ein sehr eigenständiges, charaktervolles und vielschichtiges Bier einer Minibrauerei, die im ehemaligen Schulgebäude von Ruthven bei Huntley in den Grampian Mountains residiert. Borve Ale reift in Fässern, in denen zuvor Bourbon und dann Scotch Whisky lagerte. Es bezieht daraus ein eichenes »Hopfensack«-Aroma, einen relativ leichten, aber haftenden Körper und Orangengeschmack. Der große Abgang schmeckt nach Holzkohle, Pfeffer und sogar Salz.

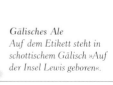

*Gälisches Ale*
*Auf dem Etikett steht in*
*schottischem Gälisch »Auf*
*der Insel Lewis geboren«.*

# BOSCOS FLAMING STONE

- **HERKUNFT** Süden der USA
- **TYP** Steinbier
- **ALKOHOLGEHALT** 4,8 Vol.-%
- **IDEALE SERVIERTEMPERATUR** 10 °C

Das amerikanische Pionier-Steinbier. Brauerei und Restaurant Bosco wurden 1992 in einem Vorort von Memphis (Tennessee) eröffnet. Zum Brauen wird Granit aus Colorado in einem Pizzaholzofen erhitzt. Das Bier basiert auf einem Weizen-Ale. Es hat eine helle Farbe und schmeckt nussig nach Toffee; sehr spät entwickelt sich eine erfrischende, leicht säuerliche, rauchige Trockenheit.

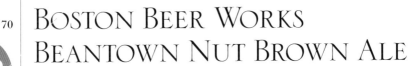

# Boston Beer Works
# Beantown Nut Brown Ale

| | | |
|---|---|---|
| 🛡 | **Herkunft** | Nordosten der USA |
| 🍾 | **Typ** | Brown Ale |
| % | **Alkoholgehalt** | 5,5 Vol.-% |
| 🥛 | **Ideale Serviertemperatur** | 10 °C |

Gebackene weiße Bohnen mit Schweine-fleisch und Melasse (manchmal Bier) sind ein traditionelles Bostoner Gericht, daher der Name Beantown. Dieses Bier passt gut zu einfacheren Gerichten. Es fängt süßlich an, mit kirschiger Fruchtigkeit, wird aber zum Ende hin trocken, mit einem Hauch von Zedern und Zimt. Das Bier hat einen leichten bis mittleren Körper, eine sanfte Struktur und einen wunderbaren Geschmack.

# Boston Beer Works Buckeye Oatmeal Stout

- ⌖ **Herkunft** Boston, USA
- 🍶 **Typ** Hafermehl-Stout
- ⦵ **Alkoholgehalt** 5,5 Vol.-%
- ▮ **Ideale Serviertemperatur** 13 °C

Dies ist eines der energischen Biere der Boston Beer Works mit vollem Körper und reichem, öligem Hafergeschmack. Die Brauerei produziert im Wechsel 30 bis 40 Biersorten, darunter auch Porter und Stout. Unter diesen findet sich auch ein sahniger, pfefferiger Imperial Stout; ein halbsüßer Stout mit Milchschokolade wird speziell für den Valentinstag hergestellt.

B

# BRAINS IPA

🛡 **HERKUNFT** Wales, UK

🍾 **TYP** India Pale Ale

％ **ALKOHOLGEHALT** 4,5 Vol.-%

🍺 **IDEALE SERVIERTEMPERATUR** 10–13 °C

»It's Brains You Want«, erklärt der Werbeslogan so doppeldeutig wie selbstbewusst. Die 1713 gegründete und 1882 von den Gebrüdern Samuel und Joseph Brain übernommene Brauerei im Zentrum der walisischen Hauptstadt Cardiff ist noch immer in Familienbesitz. Ihre Biere sind für ihre Malzigkeit bekannt, das IPA hat jedoch einen hopfigen Duft. Sein Hintergrund ist süßlich und leicht malzig, der Abgang erneut hopfig und anregend, voller Anspielungen auf Orangen und geriebene Zitronenschalen.

*Drachenbräu*
*India Pale Ales tragen oft indische Symbole, Brains dagegen zieht den roten walisischen Löwen vor.*

# BRAINS SA

| | |
|---|---|
| **HERKUNFT** | Südwales, UK |
| **TYP** | Bitter/Pale Ale |
| **ALKOHOLGEHALT** | 4,2 Vol.-% |
| **IDEALE SERVIERTEMPERATUR** | 10–13°C |

Die Abkürzung SA steht für Special Ale. Dieses Bier ist in seiner Heimatstadt, wo es sehr gerne getrunken wird, vor allem unter dieser Abkürzung bekannt. Im Untertitel wird es als Best Bitter bezeichnet und als Alltagsgetränk genossen, das nichtsdestotrotz über einen reichhaltigen Geschmack verfügt. Wie viele walisische Biere ist es sehr malzbetont. Es ist sehr würzig und hat einen leichten Mandelgeschmack.

*Stärkung für Rugbyspieler*
*An den Nationalsport*
*Wales', Rugby, erinnert das*
*jerseyartige Karodesign.*

# BRAKSPEAR SPECIAL

| | |
|---|---|
| 🛡 **HERKUNFT** | Mittelengland, UK |
| 🍾 **TYP** | Bitter Ale |
| ⑧ **ALKOHOLGEHALT** | 4,3 Vol.-% |
| 🍶 **IDEALE SERVIERTEMPERATUR** | 10–13 °C |

Reimt sich auf Shakespeare. Die alteingesessene Brauerei steht in Henley, der Regattastadt an der Themse. Brakspear Special ist sehr schön ausgewogen, leicht, sanft und trinkbar, spät entwickelt sich etwas Bitterkeit. Die auf dem Etikett verzeichnete »zweifache« Gärung bezieht sich auf die traditionellen zwei Kessel. Der erste produziert die vielfältigen Geschmacksnoten, die sich im zweiten Kessel weiter entwickeln dürfen.

*Heilige Biene*
*Die Biene ist auch ein papistisches*
*Symbol. Ein Brakspear war der*
*einzige englische Papst.*

# BRAND DUBBELBOCK

| | |
|---|---|
| HERKUNFT | Provinz Limburg, Niederlande |
| TYP | Doppelbock |
| ALKOHOLGEHALT | 7,5 Vol.-% |
| IDEALE SERVIERTEMPERATUR | 9 °C |

Das älteste niederländische Brauhaus ist Brand's, gegründet 1341. Der Familie Brand gehört die Brauerei seit 1871 bis heute – allerdings war sie zwischenzeitlich zehn Jahre lang im Besitz von Heineken. Brand's braut ein hoch geachtetes Pilsner und drei Bockbiere. Das Dubbelbock (in niederländischer Schreibweise) weist die Sahnigkeit und fruchtige, »wärmende« Malzigkeit eines schottischen Lowland-Whiskeys auf.

*Triple Dutch*
*Außer dem Doppelbock*
*braut Brand's verschiedene*
*Maibiere und übers Jahr*
*verteilt Bockbiere.*

# BRAND IMPERATOR

B

> ⬦ **HERKUNFT** Provinz Limburg, Niederlande
>
> 🍶 **TYP** Bock
>
> % **ALKOHOLGEHALT** 6,5 Vol.-%
>
> 🍷 **IDEALE SERVIERTEMPERATUR** 9 °C

Der Name spielt auf einen traditionellen Fasten-doppelbock wie das berühmte Salvator an *(siehe S. 355)*, dessen Farbe allerdings besser zu einem starken Maigebräu passt. In jüngster Zeit hat die Brauerei spezielle Produkte für das Frühjahr und als Fastenbier auf den Markt gebracht. Das Imperator ist jedoch ein seit langem bekanntes Gebräu, das das ganze Jahr über erhältlich ist. Das delikate Lager hat einen cremigen Geschmack, einen großen, festen Körper, frische, marshmellowartige Aromen und im vollen und trockenen Abgang leichte Anklänge an Ahornsirup.

# BRAND OUD BRUIN

HERKUNFT Limburg, Niederlande

TYP Altes Braunes Lagerbier

ALKOHOLGEHALT 3,5 Vol.-%

IDEALE SERVIERTEMPERATUR 8–9 °C

V on einer Brauerei in Wijlre bei Maastricht stammt dieses weiche und malzige Bier mit dem Abgang, der an saccharingesüßten Kaffee erinnert. Ein Bier alten Stils scheint der ältesten Brauerei der Niederlande angemessen zu sein. Als die Brauerei noch eine Braukneipe auf einem Herrengut war, braute sie würziges, mit wilder Hefe vergorenes Bier. Nachdem sich der Pfarrer darüber beschwerte, dass die Bauern die Kneipe der Kirche vorzogen, wurde die Brauerei an die Familie Brand verkauft.

*Das Bier des Herrn*
*Der Gutsbesitzer von Wijlre bean-*
*spruchte ein lokales Biermonopol für*
*sich. Das Etikett auf dem Fla-*
*schenhals erinnert daran.*

B

# BRECKENRIDGE AUTUMN ALE

🛡 **HERKUNFT** Südwesten der USA

🍾 **TYP** Brown Ale/Old Ale

％ **ALKOHOLGEHALT** 6,8 Vol.-%

🥛 **IDEALE SERVIERTEMPERATUR** 10–13 °C

Breckenridge, einst für Goldsucher und jetzt für Wintersportler interessant, beherbergt seit 1990 die in 2.926 Metern Meereshöhe wohl am höchsten gelegene Braukneipe der USA. Sie hat Ableger unter anderem in Denver und und braut eine breite Palette von Bieren. Das Herbst-Ale hat die Farbe von Kastanien und einen festen, sahnebonbonartigen Körper mit einem Hauch Sirup und Kakao: ein köstliches Bier. In dem schönen Ziegelsteinbau aus dem Jahr 1928 befindet sich neben dem eigentlichen Brauhaus auch eine Kneipe. Besucher können sich das Braugeschehen aus nächster Nähe ansehen.

# Brick Bock

| | |
|---|---|
| **Herkunft** | Ontario, Kanada |
| **Typ** | Bock |
| **Alkoholgehalt** | 7,0 Vol.-% |
| **Ideale Serviertemperatur** | 9 °C |

Jim Brickman gründete 1984 diese stattliche neue Brauerei in der alten Bier- und Whiskey-Stadt Waterloo (Ontario). Auch wenn sich das Bockbier jährlich ändert, hat es doch ein charakteristisches, kräftiges Malzaroma, es schmeckt leicht und fest, in der Tiefe dunkel-malzig, und entwickelt lakritzartige, wurzelige, moorige, röstige Whiskeynoten. Das Bier reift angeblich drei Monate lang.

*Stärkesiegel*
*Einige Brick-Bock-Flaschen*
*sind mit einem attraktiven*
*Wachssiegel versehen.*

# BridgePort ESB

B

| | |
|---|---|
| ⬡ **Herkunft** | Nordwesten der USA |
| 🍾 **Typ** | Amerikanisches Ale/ESB |
| ⑳ **Alkoholgehalt** | 5,8 Vol.-% |
| **Ideale Serviertemperatur** | 10–13 °C |

Die Brücken von Portland (Oregon) verbinden die Stadt an den Flüssen Columbia und Willamette, die beide in Hopfenanbaugebieten entspringen. Bridge-Port, 1984 als Columbia River Brewing gegründet, ist die älteste Braukneipe in dieser Hochburg »kleiner« Biere. Ihr ESB ist duftig und fruchtig, abgerundet von anregend trockener hopfiger Säure.

*Eine Brücke über den Atlantik Extra Special Bitter ist zu einem anerkannten Biertyp in den USA geworden. Es ist von Fuller's ESB aus London (siehe S. 177) beeinflusst.*

# BRIDGEPORT INDIA PALE ALE

| | |
|---|---|
| **HERKUNFT** | Nordwestküste, USA |
| **TYP** | India Pale Ale |
| **ALKOHOLGEHALT** | 5,5 Vol.-% |
| **IDEALE SERVIERTEMPERATUR** | 10–13 °C |

Beispielhaft für die vielen fruchtig-trockenen Pale Ales aus der Region. Dieses flaschenvergorene Bier aus Portland (Oregon) umfasst geschmacklich einen ganzen Obstladen mit Zitronen, Grapefruits, Rosinen, Vanilleschoten, Orangen und Pfirsichen. Im Abgang dominiert die Herbheit von Zedernholz und Minze. Gleich fünf Hopfensorten stimmen in das Geschmackskonzert mit ein: Cascade, Chinook, Golding, Crystal und Northwest Ultra.

*Ale mit Initialen*
*In den USA ist das ESB ein rundes, mittelstarkes Ale. Als IPA hingegen bezeichnet man eine viel hopfigere Biersorte.*

B

# BRIDGEPORT OLD KNUCKLEHEAD

| | |
|---|---|
| **HERKUNFT** Nordwestküste, USA |
| **TYP** Barley Wine |
| **ALKOHOLGEHALT** 9,1 Vol.-% |
| **IDEALE SERVIERTEMPERATUR** 13 °C |

Ein von Kennern gepriesener Barley Wine aus der bahnbrechenden Braukneipe in Portland (Oregon). Die energische, köstlich saftige Malzigkeit wird durch frische, würzige Hopfentöne akzentuiert und in einem wärmenden Abgang abgerundet. Die Flaschenfüllungen werden jährlich im November in Umlauf gebracht; jeder Jahrgang wird vom Konterfei einer lokalen Berühmtheit geziert.

# BROOKLYN BLACK CHOCOLATE STOUT

**HERKUNFT** New York, USA

**TYP** Schokoladen-/Imperial Stout

**ALKOHOLGEHALT** 8,3 Vol.-%

**IDEALE SERVIERTEMPERATUR** 13 °C

Brooklyn war einst der Braubezirk der Stadt New York. Dem letzten Kessel schien 1970 jedoch die Arbeit auszugehen, bis dann 1988 die Brooklyn Brewery gegründet wurde. Deren kräftige Biere wurden ursprünglich im Auftrag weiter im Norden produziert. Erst 1996 wurde in Brooklyn selbst eine Brauerei eröffnet. Das Black Chocolate Stout ist das Lieblingsbier des Braumeisters Garrett Oliver. Es hat einen erstaunlichen Schokoladengeschmack, der nur vom Malz herrührt. Es ist reich, würzig, sämig und fruchtig – eine flüssige Version der Sachertorte.

B

# BROUGHTON
# BLACK DOUGLAS

🛡 **HERKUNFT** Nordengland, UK

🍾 **TYP** Schottisches Ale

％ **ALKOHOLGEHALT** 5,2 Vol.-%

🌡 **IDEALE SERVIERTEMPERATUR** 10–13 °C

Diese jüngere Brauerei steht in Broughton. Zu Ehren des dort geborenen Schriftstellers John Buchan nannte sie ihr erstes Bier Greenmantle. Es wirkt englisch hopfig im Geschmack. Dieses neuere Ale, nach einem schottischen Patrioten benannt, verfügt über die typisch schottische Farbe und Malzigkeit. Es hat ein Aroma wie Malzmilch, schmeckt leicht nach Sirup und zeigt im Abgang die Bitterkeit von Block-schokolade.

# BROUGHTON GREENMANTLE

🛡 **HERKUNFT** Schottisches Grenzland, UK

🍾 **TYP** Schottisches Ale

% **ALKOHOLGEHALT** 3,9 Vol.-%

🍺 **IDEALE SERVIERTEMPERATUR** 10 13 °C

Das erste Bier der Brauerei wurde nach einer Novelle des Schriftstellers John Buchan, »Greenmantle«, benannt. Zu den Firmeninhabern gehörten ursprünglich die Verlegerfamilie Collins und die Braudynastie Younger. Das Bier liegt auch im Stil zwischen einem englischen Bitter und einem schottischen 80/-. Das Broughton Greenmantle hat einen Tupfer schottischer honigsüßer Malzigkeit im Hintergrund, allerdings erinnert es durch seine Bernsteinfärbung, die sanfte Öligkeit und die blumige Hopfigkeit eher an englische Biere.

# BROUGHTON
# SCOTTISH OATMEAL STOUT

B

🛡 **HERKUNFT** Schottisches Grenzland, UK

🍶 **TYP** Hafermehl-Stout

⅏ **ALKOHOLGEHALT** 4,2 Vol.-%

🥂 **IDEALE SERVIERTEMPERATUR** 13 °C

Diese Biersorte ist nicht typisch schottisch. Allerdings ist die Getreideart, der Hafer, der hier verwendet wird, typisch für Schottland. David Younger, der am Aufbau der Brauerei 1979 beteiligt war, war ein allseits bekannter Liebhaber von Stout. Das Etikett ist mit einem Bild seines Urgroßvaters Robert Younger versehen, der die Brauerei 1844 gründete. Ein weiterer Urgroßvater, George, lieh seinen Namen einer Brauerei, die er 1770 gründete. Das Stout, das den beiden zu Ehren gebraut wird, ist seidig und cremig, aber relativ leicht und trocken für diesen Stil und im Geschmack von leichten Spuren von Ingwer und Pfeffer geprägt. Das Bier wird manchmal unter der Bezeichnung Kinmount Willie verkauft, nach einem schottischen Wegelagerer, der ein Vorfahre des US-Astronauten Armstrong gewesen sein soll.

# BUDELS ALT

**HERKUNFT** Provinz Nordbrabant, Niederlande

**TYP** Altbier

**ALKOHOLGEHALT** 6,0 Vol.-%

**IDEALE SERVIERTEMPERATUR** 9 °C

Wenige europäische Brauereien sind, was ihre Biere betrifft, so eklektisch wie das Haus Budels. Zur Produktpalette des Unternehmens gehört nicht nur ein Kölsch, sondern auch dieses Alt, dessen Alkoholgehalt höher ist als der eines typischen Altbiers. Es ist eher hell und zeichnet sich durch einen frischen, würzigen Hopfengeschmack, ein malziges Aroma, eine Ingwer-Note sowie einen festen, trockenen Abgang aus.

*Toast mit Alt*
*Auf dem Etikett posiert der Brabanter König Jan Primus als mythischer Bierkönig Gambrinus, der den Trinkspruch erfunden haben soll.*

# BUDELS PAREL KÖLSCH

| | |
|---|---|
| **HERKUNFT** | Provinz Nordbrabant, Niederlande |
| **TYP** | Kölsch |
| **ALKOHOLGEHALT** | 6,0 Vol.-% |
| **IDEALE SERVIERTEMPERATUR** | 8–9 °C |

Dieses Bier entstammt nicht der Kölner Region, es wird nicht einmal in Deutschland gebraut und ist auch etwas stärker als das Original. Vom Typ her ist es aber durchaus ein Kölsch. Es kommt aus dem niederländischen Ort Budel. Eine unternehmungslustige, ortsansässige Brauerei brachte es 1985 als Neuheit auf den Markt. »Parel« ist niederländisch und bedeutet »Perle«. Das Bier besticht durch ein sehr gutes, harziges Hopfenaroma und einen festen, eleganten Körper. Es ist trocken und hat einen Hauch von Himbeer- und Vanillefruchtigkeit sowie einen reizvollen Abgang.

# BUDWEISER BUDVAR

| | |
|---|---|
| HERKUNFT | Böhmen, Tschechien |
| TYP | Helles Lager |
| ALKOHOLGEHALT | 5,0 Vol.-% |
| IDEALE SERVIERTEMPERATUR | 9 °C |

In Tschechien dürfen nur Biere aus Pilsen den Namen dieser Stadt tragen. Während Pilsener hopfenbetont ist, geht das Bier aus der Stadt Budweis (tschechisch České Budějovice) mehr in Richtung leichterer Malzigkeit. Die Stadt an der Moldau hat ihre Wurzeln im 13. Jahrhundert und war eine der südlichen Festungen des Königreichs Böhmen. Die 1795 gegründete Brauerei Budweiser Burgerbräu produzierte 1853 das erste Lager der Stadt. 1895 kam das Budweiser Budvar dazu. Vor der Zeit der Handelsmarken wurden alle Biere aus Budweis Budweiser genannt. Erstmals als US-Marke ließ der Deutsch-Amerikaner Adolphus Busch sein in den Staaten gebrautes »Budweiser« eintragen. Die beiden tschechischen Budweiser sind stärker in Malz- und Hopfengehalt, jedoch nicht alkoholreicher als der US-amerikanische Namensvetter.

# BURRAGORANG BOCK BEER

B

| | |
|---|---|
| ▧ **HERKUNFT** | New South Wales, Australien |
| ▯ **TYP** | Bock |
| ◎ **ALKOHOLGEHALT** | 6,4 Vol.-% |
| ▮ **IDEALE SERVIERTEMPERATUR** | 9 °C |

Wie der Name schon andeutet, ist dies ein australisches Bier. Es kommt aus Picton in der Nähe des Burragorang Sees, etwa 80 Kilometer südwestlich von Sidney, und dürfte das geschmackvollste australische Bier sein.

1978 beantragte Geoff Sharer, ein Australier mit Züricher Vorfahren, zum ersten Mal eine Braulizenz. Neun Jahre später durfte er schließlich brauen, damals beraten von Otto Binding, dem deutschen Braukneipen-Pionier. Burragorang Bock wird mit drei Malzsorten und Spalter Hopfen gebraut, es hat eine riesige Krone, einen seidigen Körper und einen duftigen, anregenden Malzcharakter. Etwas Sirup schmeckt durch, es ist ausgewogen harzig und hopfig. Die Brauerei braut auch ein sehr hopfiges Pils.

*Das Wasser machts*
*Das Bild auf dem Etikett zeigt einen Landstrich im Burragorang Valley, der dem Brauereibesitzer gehört. Aus diesem Tal kommt der überwiegende Teil des Wassers für Sydney. Das Gemälde gaben die Wasserwerke beim Maler Robin Collier in Auftrag.*

# Burton Bridge
# Bramble Stout

| | |
|---|---|
| 🛡 **HERKUNFT** | Trent Valley, England, UK |
| 🍺 **TYP** | Fruchtiges Dry Stout |
| % **ALKOHOLGEHALT** | 5,0 Vol.-% |
| 🌡 **IDEALE SERVIERTEMPERATUR** | 10–13°C |

In der Bridge Street von Burton, der Brauhauptstadt Großbritanniens, findet man eine der aufregendsten neuen Kleinstbrauereien des Landes mit einer angeschlossenen Kneipe. Die Burton Bridge Brewery wurde 1982 gegründet. Zum breiten Spektrum von Spezialitäten gehört auch dieses flaschengegorene Stout, das mit konzentriertem Brombeersaft versehen ist, was dem teerartigen Stout mit seiner gebrannten Note einen Hauch Säure und Erdigkeit verleiht. Es ist bekannt für seinen hohen Alkoholgehalt.

*Amselbräu*
*Als einer der Brauereileiter in seinem Garten Amseln bemerkte, die Äpfel aßen, nahm er an, dass die Vögel wohl auch Brombeeren mögen. Darauf weist das Bild auf dem Etikett hin.*

# Burton Bridge
# Empire Pale Ale

| | HERKUNFT Trent Valley, England |
| --- | --- |
| | TYP India Pale Ale |
| | ALKOHOLGEHALT 7,5 Vol.-% |
| | IDEALE SERVIERTEMPERATUR 10–13 °C |

Pale Ale, so heißt es, erblickte das Licht der Welt in London, trat seinen Siegeszug aber von Burton aus an, der mittelenglischen Kleinstadt, die als »britische Bierhauptstadt« gilt. Die junge Brauerei Burton Bridge versucht, die IPA-Tradition mit neuem Leben zu erfüllen. Empire Pale Ale hat ein unverkennbares »Hopfensack«-Aroma und einen lebhaft-natürlichen, würzigen Geschmack von bitteren Orangen.

*Biertrinken gehen*
*Bier gehört bestimmt nicht zu den größten britischen Errungenschaften in Indien, anders als Cricket, die englische Sprache und die parlamentarische Demokratie.*

# BURTON BRIDGE PORTER

🛡 **HERKUNFT** Trent Valley, England, UK

🍾 **TYP** Porter

% **ALKOHOLGEHALT** 4,5 Vol.-%

🍺 **IDEALE SERVIERTEMPERATUR** 13 °C

Die britische Braumetropole Burton in den Midlands beherbergt auch eine der lebhaften modernen Braukneipen. Die Burton Bridge Brewery in der Bridge Street entstand 1982 und brachte wieder Porter auf den Markt, Jahrzehnte nachdem die Großbrauereien den Typ vom Markt genommen hatten. Zur Palette der Brauerei gehört auch ein feines Porter von angenehmer Stärke. Burton Bridge Porter ist rubinrot bis schwarz und hat eine feste Krone. Im Aroma finden sich etwas Zucker und rauchige, fruchtige Noten. Der Abgang ist saftig bis trocken.

B

# Bush 12 %

🛡 **HERKUNFT** Provinz Hainaut, Belgien

🍾 **TYP** Barley Wine

⊛ **ALKOHOLGEHALT** 12,0 Vol.-%

🍺 **IDEALE SERVIERTEMPERATUR** 10 °C

Das stärkste Bier Belgiens erinnert an englische Barley Wines. Es zeichnet sich durch ein pfirsich-artiges, cremiges Aroma, einen nuss-artigen Geschmack von fülliger Konsis-tenz und einen langen, erdigen, trocken-orangen-schalenartigen Abgang aus.

*Auf den Busch klopfen*
*Der Name hat nichts mit*
*dem Amerikaner Bush zu*
*tun. In den USA wird das*
*Bush 12 % unter dem Namen*
*Scaldis verkauft.*

# BUSH DE NOËL

| | |
|---|---|
| **HERKUNFT** | Flämisches Brabant, Belgien |
| **TYP** | Starkes Gewürz-Ale |
| **ALKOHOLGEHALT** | 9,0 Vol.-% |
| **IDEALE SERVIERTEMPERATUR** | 10 °C |

B

Das Benediktiner-
kloster Affligem
(westlich von Brüssel)
wurde 1074 gegründet.
Während des Ersten
Weltkrieges wurde das
Brauen aufgegeben,
eine örtliche Brauerei
stellt im Auftrag
gutes Bier her. Das
granatrote Weih-
nachtsbier ist viel-
fältig, mit einem
Hauch Backpflaume,
von Würzigkeit und
kräftiger Trockenheit.

*Nöel oder Noël?*
*Das Bier trägt die beiden*
*Punkte des französischen*
*Wortes »Noël« auf dem »Ö«.*

# CAINS FORMIDABLE ALE

| | |
|---|---|
| 🛡 **HERKUNFT** | Nordwestengland, UK |
| 🍾 **TYP** | Bitter Ale |
| ⌀ **ALKOHOLGEHALT** | 5,0 Vol.-% |
| 🍺 **IDEALE SERVIERTEMPERATUR** | 10 13 °C |

D er eindrucksvolle Robert Cain aus dem irischen Cork gründete diese viktorianische Brauerei in Liverpool, auf der anderen Seite des Meeres. Auch das nach ihm benannte Bier besitzt eine beeindruckende Struktur. Der Brauer gründete auch einige der architektonisch kunstvollen Pubs der Stadt, von denen viele noch heute in Betrieb sind. Nach vielen Besitzerwechseln besann sich die Brauerei 1990 wieder auf den Traditionsnamen Cains. Das helle Formidable Ale schmeckt zunächst nach Röststoffen um dann eine ingwerartige Bitterkeit aufzubauen. Zu den Produkten dieser Brauerei gehören unter anderem auch das weichere malzigere Traditional Bitter und das dunklere und vollere Dragon Heart sowie das Chocolate Ale.

# CALEDONIAN DEUCHARS IPA

| | |
|---|---|
| 🛡 **HERKUNFT** | Südschottland, UK |
| 🍾 **TYP** | India Pale Ale |
| % **ALKOHOLGEHALT** | 4,4 Vol.-% |
| 🍺 **IDEALE SERVIERTEMPERATUR** | 10 °C |

Diese kleine kaledonische Brauerei in Edinburgh produziert die malzigsten Biere Schottlands. Dieses IPA jedoch ist anders – dem Typ entsprechend nämlich eher hopfig. Die Brauerei Robert Deuchar's schloss ihre Pforten schon in den Sechzigern. Der Name wurde in den Neunzigern von der Brauerei Caledonian für dieses spezielle Bier wiederbelebt. Der Name war sicher verkaufsfördernd, aber auch das Bier wurde von den Kunden angenommen. Das helle IPA ist zwar ein alter Typ, aber von moderner Interpretation. Es besitzt ein intensives orangen- und rosenartiges Aroma, ist fest und herb und von ölig-hopfiger Bitterkeit. In Schottlands Pubs und angesagten Bars wird es gerne getrunken.

# CALEDONIAN FLYING SCOTSMAN

⬦ **HERKUNFT** Südschottland, UK

🍶 **TYP** Schottisches Ale

% **ALKOHOLGEHALT** 5,1 Vol.-%

🍺 **IDEALE SERVIERTEMPERATUR** 10–13 °C

Die 1869 gegründete kleine Brauerei liegt an der Bahnlinie Edinburgh–London. Die Braukessel werden hier immer noch direkt mit Feuer beheizt. Das rubinrote Bier wurde nach dem Flying Scotsman, einem legendären Zug dieser Route, benannt. Es enthält ein kleines bisschen Roggen, besitzt einen umfassenden Malzgeschmack, ist sehr abgerundet, hat einen Hauch rosinenartige Würze und eine toastige Trockenheit. Noch malziger, aber weniger trocken ausbalanciert ist das stärkere Edinburgh Strong Ale.

*Markenzeichen*
*Das Logo auf dem Glas zeigt eine Darre, in der Malz getrocknet wird. Whiskey-Destillerien verwenden gelegentlich ein ähnliches Symbol.*

# CALEDONIAN MERMAN

| | |
|---|---|
| **HERKUNFT** | Südschottland, UK |
| **TYP** | Schottisches Ale |
| **ALKOHOLGEHALT** | 4,8 Vol.-% |
| **IDEALE SERVIERTEMPERATUR** | 10–13 °C |

Die Fans freuen sich, dass das Bier so »umwerfend« schmeckt. Das Merman gehört nicht zu den stärksten Bieren, aber zu denen, die den reichsten und »schottischsten« dunklen Malzcharakter der Biere aus der Brauerei Caledonian besitzen. Es weist einen leichten Fruchtgeschmack auf (reife Pflaumen?), mehrere Lagen saubere Malzigkeit im Korpus und einen langen Abgang mit Tupfern von Anis in einem ausgewogenen Hopfencharakter. Die Brauerei wurde 1869 gegründet. Das Bier basiert auf einem Export Ale, das um 1890 gebraut wurde.

*Ale-Hafen*
*Das Etikett ist eine Neuauflage des Symbols, das die Brauerei 1896 als Firmenlogo verwendete und das sich auf eine Felsformation in der Nähe von Leath, dem Hafen von Edinburgh, bezog.*

# CANTILLON GUEUZE-LAMBIC

**HERKUNFT** Brabant, Belgien

**TYP** *Gueuze-Lambic*

**ALKOHOLGEHALT** 5,0 Vol.-%

**IDEALE SERVIERTEMPERATUR** 13 °C

In der Nähe des Brüsseler Bahnhofs, von dem der Eurostar abfährt, befindet sich die Cantillon, eine Art Museumsbrauerei. Sie verkauft ihren Besuchern auch Geschenkpakete mit einer Auswahl ihrer fantastischen Biere. Das Unternehmen gehört zu den ausgesprochenen Traditionalisten unter den Produzenten von Lambic, einem Weizenbier, das mit Hilfe wilder Hefen aus der Region gebraut wird. Man nimmt an, dass die Betreiberfamilie schon zu Beginn des 18. Jahrhunderts im nahe gelegenen Städtchen Lembeek Bier braute, bevor sie in den 30er Jahren des 20. Jahrhunderts die Brauerei in Brüssel eröffnete.

*Wenn man eine Erinnerung benötigt …*
*Der Biergenuss kann abrupt getrübt werden, wenn die Blase voll ist. Die Statue des Manneken Pis ist ein Symbol der Stadt Brüssel, deren Brauereien sehr berühmt sind.*

# CANTILLON GUEUZE VIGNERONNE

🛡 **HERKUNFT** Brabant, Belgien

🍺 **TYP** Frucht-Lambic

🍷 **ALKOHOLGEHALT** 5,0 Vol.-%

🥃 **IDEALE SERVIERTEMPERATUR** 8–9 °C

Diesem Gueuze wurden während der Reifung einige Trauben beigefügt. Es ist leicht und sehr trocken und hat ein leichtes Traubenschalenaroma im Hintergrund, Spuren einer scharfen, an Nelken erinnernden Würzigkeit sowie Ingwer und Honig im Geschmack, die sich mit dem limonenartigen Aromen mischen, die typisch für Cantillon sind. Im Abgang findet man einen Hauch trockenes Tannin. Die frühen Biere dieser Sorte wurden mit elsässischen Muskatellertrauben verfeinert, die in jüngster Zeit jedoch durch eine italienische Sorte ersetzt wurden, die ein volleres Aroma erzeugt. Die Trauben werden dem in Fässern reifenden Bier beigefügt, sobald dieses mindestens 18 Monate alt ist.

*Sternenbier*
*Die Trauben, das Getreide und der Hopfen winden sich um einen sechszackigen Stern, einem internationalen Symbol der Braukunst.*

# CANTILLON KRIEK LAMBIC

**HERKUNFT** Flämisch-Brabant, Belgien

**TYP** Frucht-Lambic

**ALKOHOLGEHALT** 5,0 Vol.-%

**IDEALE SERVIERTEMPERATUR** 8–9 °C

Das Kriek-Lambic gehört zu den Kirschbieren mit dem herbsten Geschmack. Im Juli oder August werden dem seit 18 Monaten reifenden Bier frisch gepflückte Kirschen beigefügt. In Flaschen abgefüllt wird es dann im folgenden Winter. Das komplexe Bier entfaltet ein bemerkenswertes Aromaspektrum mit intensiv duftendem Aroma und öligen, mandelartigen Komponenten, die von den Kirschsteinen herrühren. Der Geschmack ist herb, aber ausgewogen, weinartig mit einer frischen, cabernetartigen Fruchtigkeit, die auch an Himbeeren erinnert, und im Abgang tanninartig und nach Kirschenschalen sowie trockenem Sherry schmeckend.

# CANTILLON ROSÉ DE GAMBRINUS

🛡 **HERKUNFT** Brabant, Belgien

🍾 **TYP** Frucht-Lambic

%  **ALKOHOLGEHALT** 5,0 Vol.-%

🍺 **IDEALE SERVIERTEMPERATUR** 8–9 °C

Dieses Bier sieht aus wie ein Rosé. Mit seinen feinen, perlenden Bläschen gehört es möglicherweise zu den Champagnern unter den Bieren. In Belgien wird es sogar in einem Champagnerglas serviert. Das Bier ist nach Jan Primus (Johann dem Ersten), benannt, der im 13. Jahrhundert über Brabant herrschte. Er gilt weltweit als legendärer Bierkönig. Nach ihm sind einige Biere in unterschiedlichen Ländern benannt. Das Rosé de Gambrinus weist ein ausgeprägtes Fruchtaroma auf, das auf der Zunge erhalten bleibt, während es nach und nach eine delikate Milchsäure entwickelt. Es besteht aus einer Mischung von größeren Anteilen Himbeer-Lambic framboise und einem kleinen Anteil von Kirsch-Lambic kriek. Mit diesem Bier kann man Partygäste begrüßen!

*Das umstrittene Etikett*
*Manche halten das Etikett für anzüglich oder gar sexistisch. Man kann sich sicher darüber streiten und es gefällt nicht jedem, aber das Bier dahinter ist sehr delikat.*

# CARLSBERG 47

🛡 **HERKUNFT** Dänemark

🍺 **TYP** Wiener Lagerbier

% **ALKOHOLGEHALT** 7,0 Vol.-%

🍺 **IDEALE SERVIERTEMPERATUR** 9 °C

Die 1847 in Kopenhagen gegründete Brauerei Carlsberg gehörte zu den ersten, die in Nordeuropa Lager herstellten. Die Zuchtwahl der Hefe ermöglichte 1883 die Isolierung der ersten einzelligen Hefekultur. Seit diesem Zeitpunkt werden Lager-Hefen als *Carlsbergensis* bezeichnet. Das Carlsberg 47 wurde zum 125. Jahrestag der Brauerei auf den Markt gebracht. Es erinnert in seinem vollen Geschmack, der rötlich-bernsteingelben Farbe und der köstlichen malzigen, nussigen, aprikosenartigen Trockenheit an einen älteren Lager-Typ, der in den 1840ern in der Brauerei Vienna und danach von Carlsberg produziert wurde.

*Königliches Gebräu*
*Die Krone auf dem Etikett weist darauf hin, dass Carlsberg auch die dänische königliche Familie beliefert.*

# CARLSBERG GAMLE

**HERKUNFT** Dänemark

**TYP** Münchner Lagerbier

**ALKOHOLGEHALT** 4,3 Vol.-%

**IDEALE SERVIERTEMPERATUR** 9 °C

Das dänische Wort für »alt« lautet *gamle*. Hier beschreibt es den ältesten Lager-Typ. Die ersten in München gebrauten Lager waren dunkelbraun. Der Begriff »Lager« bezieht sich auf eine Hefe, die eine lange Fermentationszeit benötigt. Der dunkle Biertyp ist immer noch als Münchner Lager bekannt. Das Carlsberg Gamle weist eine heu- und wurzelartige, leicht kaffeebetonte Trockenheit auf. Die Farbe ist lebhafter als der Korpus des Bieres. Das toastige Aroma und die Mahagonifarbe rühren von Münchner Malzen her, die im Vergleich zu den stark gerösteten Malzen in einem Stout viel milder sind.

### Ekstatisches Gebräu?
*Mit »Øl« wird das dänische Bier bezeichnet. Das Wort hat dieselben Wurzeln wie das englische »Ale«. Beide lassen sich möglicherweise auf ein angelsächsisches Wort für Ekstase zurückführen.*

# CARLSBERG GAMMEL PORTER

**HERKUNFT** Dänemark

**TYP** Imperial Stout

**ALKOHOLGEHALT** 7,8 Vol.-%

**IDEALE SERVIERTEMPERATUR** 13–18 °C

Ursprünglich benutzte man die Bezeichnung »Porter« für eine große Bandbreite an dunklen, toastig schmeckenden Bieren, die in Großbritannien mit Ale-Hefen produziert wurden. Als man begann die starken Biere als wärmende Wintergetränke in kalte Regionen zu exportieren, regte man die dortigen Brauer an, ihr eigenes Porter zu produzieren. Das »Old Carlsberg Porter«, auch als Imperial Stout bezeichnet, wurde erstmals 1885 gebraut. Die Reinheit des Getränks wird von öligen und teerartigen Strukturen und Aromen überlagert, die einen Hauch von Jute, Eiche, Zeder und Kaffeebohnen aufweisen.

# CARNEGIE STARK PORTER

- ⬗ **HERKUNFT** Schweden
- 🍶 **TYP** Baltisches Porter
- ⊛ **ALKOHOLGEHALT** 3,5 Vol.-% und 5,5 Vol.-%
- 🍶 **IDEALE SERVIERTEMPERATUR** 10–13 °C

Ein Schotte namens Carnegie braute dieses Bier in den 30er-Jahren des 19. Jahrhunderts in Göteborg (Schottland und Schweden pflegten von jeher intensive Handelsbeziehungen). Ärzte haben früher stillenden Müttern Porter mit Eigelb verschrieben. Es gibt zwei Stärken: Das schwächere eignet sich eher für eine gesellige Runde, das stärkere geht in Richtung Imperial Stout. Carnegie Stark Porter ist sahnig, hat einen Lakritzgeschmack und einen langen trockenen Abgang.

*Jahrgangsporter*
*Carnegie wird in Jahrgängen*
*ausgegeben. Die leichten*
*Unterschiede im Geschmack*
*verschmelzen mit der Zeit.*

# CASTELAIN CH'TI BRUNE

🛡 **HERKUNFT** Nordfrankreich

🍾 **TYP** Bière de Garde

Ⓐ **ALKOHOLGEHALT** (beide Biere) 6,4 Vol.-%

🍺 **IDEALE SERVIERTEMPERATUR** 10–13 °C

Die Brauerei liegt bei Lens, Ch'ti bezieht sich auf die dortigen Kohlekumpel. Ch'ti Brune hat einen reichen Körper, schmeckt nach Port und vanilleartig nussig. Es passt gut zu einem reichhaltigen Lammeintopf. Ch'ti Blonde schmeckt frisch nach Aprikose und ist im Abgang herb-malzig. Beide Biere sind nicht pasteurisiert. Eine neuere, stärkere Version, das Ch'ti Triple (7,5 Vol.-%) besitzt ein blumiges Blütenaroma und hat einen Geschmack nach Gras und Getreide, einen nussig-sanften Körper und eine kirschige Fruchtigkeit in einem ziemlich bitteren Abgang.

# CASTLE EDEN SPECIAL ALE

🛡 **HERKUNFT** Nordostengland, UK

🍾 **TYP** Bitter/Pale Ale

％ **ALKOHOLGEHALT** 5,5 Vol.-%

🍺 **IDEALE SERVIERTEMPERATUR** 10–13°C

Die Brauerei, die im 18. Jahrhundert oder noch früher im englischen Dorf Castle Eden gegründet wurde, hat sich stets gegen alle Widrigkeiten behaupten können. Das Special Ale weist ein äußerst malziges Aroma, einen festen, trockenen Geschmack, komplexe, geranienartige englische Hopfenaromen und einen langen Abgang auf. Dank des Verzichts auf jegliche Pasteurisierung können sich die Aromen voll entfalten.

CASTLE EDEN
SPECIAL ALE

CASTLE EDEN
BREWERY

Alc 5.5% vol

*Retro-Ale*
*Das Etikett zeigt einen den*
*50er-Jahren nachempfundenen*
*Retro-Look. Die Gebäude-*
*ansicht hat sich seit 1820*
*allerdings nicht verändert.*

# CELIS GRAND CRU

**HERKUNFT** Südwesten der USA

**TYP** Starkes, gewürztes Ale belgischer Art

**ALKOHOLGEHALT** 8,8 Vol.-%

**IDEALE SERVIERTEMPERATUR** 7–10 °C

Als Pierre Celis die belgische Brauerei Hoegaarden eröffnete, braute er ein starkes helles Ale, Grand Cru genannt, mit Orangenschale und Koriander, einem Hauch von Pfirsich und Honigmelonen, blumig und trocken. Als er nach Texas auswanderte, braute er das ähnlich schmeckende Celis Grand Cru. Das Bier ist würzig (Sauerampfer) und weniger zart, vielmehr robuster, grasiger und mit mehr Zitrone.

# CELIS PALE BOCK

| | |
|---|---|
| HERKUNFT | Südwesten der USA |
| TYP | Starkes, gewürztes Ale im belgischen Stil |
| ALKOHOLGEHALT | 3,9 Vol.-% |
| IDEALE SERVIERTEMPERATUR | 7–10 °C |

Deutsch-amerikanische Brauereien hielten auch schon vor der Renaissance des Bockbiers vor 25 Jahren an der Bockbiertradition fest. Im späten Winter oder im frühen Frühjahr brauten sie ihr Bier allerdings ein klein wenig stärker als sonst. In manchen US-amerikanischen Staaten existieren strenge Auflagen bezüglich des Alkoholgehalts in Getränken. Hier ist ein Bockbier meist kaum stärker als ein normales Bier. Die örtliche Brauerei in der ursprünglich tschechischen Siedlung Shiner in Texas hat in der Familie Celis, Brauerei Austin, einen Nachfolger gefunden. Diese Brauerei einer neuen Generation besann sich wieder auf das »Texas Bock«. Der Geschmack ist nicht ganz der eines Bockbiers, aber sanft, leicht toffeeartig, ausgewogen und von holzartiger Trockenheit im Abgang.

# CELIS WHITE

**HERKUNFT** Südwesten der USA

**TYP** Belgisches Weizenbier

**ALKOHOLGEHALT** 4,9 Vol.-%

**IDEALE SERVIERTEMPERATUR** 9–10 °C

Nach Gründung und Verkauf der Hoegaarden-Braue-rei wanderte Pierre Celis nach Austin (Texas) aus, wo belgische Freunde wohnten und er eine wunderbar gele-gene Brauerei eröffnete. Sein Celis White ist seinem belgischen Bier sehr ähnlich, vielleicht etwas weicher, weniger blumig und mit fruchtige-rer Säure. Die Familie Celis betreibt die Brauerei Austin, die zu Miller ge-hört. Celis White wird in Lizenz auch von De Smedt in Belgien produziert.

*Wie alles begann*
*Das Bild auf dem Etikett zeigt Celis*
*(zweiter von rechts) als jungen*
*Mann, der in Hoegaardens letzter*
*alter Weißbierbrauerei mithilft.*

# CERES DANSK DORTMUNDER

**HERKUNFT** Dänemark

**TYP** Starkes dänisches Dortmunder Export

**ALKOHOLGEHALT** 7,7 Vol.-%

**IDEALE SERVIERTEMPERATUR** 9 °C

Nach Ceres, der Fruchtbarkeitsgöttin in der römischen Mythologie, nannte sich diese Brauerei im dänischen Aarhus. Sie braut ein starkes »Dänisches Dortmunder«. Das Bier ist butterig malzig und leicht fruchtig. Weitere Produkte sind ein nach dem Seefahrer Bering (der an Skorbut starb) benanntes Bier mit Rum- und Zitronengeschmack sowie ein pfefferiges, »phonetisches« Stowt.

# CHARLES WELLS BOMBARDIER

| | |
|---|---|
| **HERKUNFT** | Ostengland |
| **TYP** | Bitter Ale |
| **ALKOHOLGEHALT** | 4,3 Vol.-% |
| **IDEALE SERVIERTEMPERATUR** | 10–13 °C |

Alteingesessene Regionalbrauerei von beträchtlicher Größe in Bedford, noch immer in Familienbesitz. Ihr bekanntestes Bier erinnert an den Boxer Bombardier Billy Wells, von 1911 bis 1919 britischer Schwergewichtsmeister. Das gefällige, weiche Bier mit Malzakzent hat ein leicht schwefeliges Wurzelaroma, einen fruchtigen Kirschkuchengeschmack und eine zwiebackene Trockenheit im Abgang. Wells Farge heißt das festere, trockenere und stärkere Ale des Hauses.

*Frühes Bild*
*In der Brauerei feiert man zu Anlässen aller Art. Der Herr, der uns auf dem Etikett zuprostet, stammt jedoch aus einer früheren Zeit als die Brauerei.*

# CHELSEA OLD TITANIC

**HERKUNFT** New York

**TYP** Barley Wine

**ALKOHOLGEHALT** 8,0 Vol.-%

**IDEALE SERVIERTEMPERATUR** 13 °C

Wäre der Titanic nicht ein Eisberg in die Quere gekommen, hätte ihre Jungfernfahrt am Pier 59 des New Yorker Hudson River geendet. Heutzutage gehen hier Yachten vor Anker – und Bierkenner, denn in dem Viertel namens Chelsea steht auch die gleichnamige Braukneipe. Ihr Barley Wine hat ein Whiskey- und Malzaroma und mit dem warmen, würzigen Abgang anders als der Taufpate ein echtes Happyend.

*Eisfrei!*
*Trotz der Eisberge auf dem Etikett trinkt man dieses Ale bei normaler Kellertemperatur.*

# CHILTERN JOHN HAMPDEN'S ALE

**HERKUNFT** Südostengland

**TYP** Bitter Ale

**ALKOHOLGEHALT** 4,8 Vol.-%

**IDEALE SERVIERTEMPERATUR** 10–13 °C

Nördlich der Chiltern Hills, in Aylesbury, einer historischen Stadt in Buckinghamshire, ließ die 1980 gegründete Brauerei nach 40 Jahren Pause die Brautradition wieder aufleben. Das ländlich geprägte Unternehmen verkauft auch Gewürze und Käse mit Biergeschmack sowie Kosmetik auf Hopfenbasis. John Hampden's Ale ist strohfarben, hat ein Zitronen- und Ingweraroma und eine trockene, keksartige Malzigkeit.

JOHN HAMPDEN'S ALE

550 ml e     4,8% vol

The Chiltern Brewery
TERRICK, BUCKINGHAMSHIRE, ENGLAND

# CHILTERN THREE HUNDREDS OLD ALE

**HERKUNFT** Südengland, UK

**TYP** Old Ale

**ALKOHOLGEHALT** 5,0 Vol.-%

**IDEALE SERVIERTEMPERATUR** 10–13 °C

Ein »hundred« (Hunderter) war ein altes englisches Maß zur Angabe der Größe einer Grafschaft. Chiltern Hills war in drei solche Einheiten aufgeteilt. Das entsprechende Bier wird in der Brauerei Chiltern in Aylesbury gebraut. Das Bier weist zwar einen geringen Alkoholgehalt auf, gehört jedoch zu den typischen Beispielen eines Old Ale. Es ist von frischem, malzigem Aroma, einer nussigen Süße mit einem Hauch Vanille im Geschmack, feinem Schaum und einer leicht fruchtigen Herbheit im Abgang.

# CHIMAY CINQ CENTS

🛡 **HERKUNFT** Hennegau, Belgien

🍺 **TYP** Abtei (Echt Trappisten)

🔸 **ALKOHOLGEHALT** 8,0 Vol.-%

🥃 **IDEALE SERVIERTEMPERATUR** Lagern bei rund 14 °C, servieren nicht unter 10 °C

Die bekannteste Trappisten-Klosterbrauerei wurde um die Mitte des 19. Jahrhunderts gegründet. Ursprünglich für dunkle, süßliche Biere bekannt, kam in den 60er-Jahren ein helles, trockeneres Bier hinzu. Zunächst wurde der weiße Flaschenverschluss ein Begriff; zum 500. Jahrestag der Gründung von Chimay wurde ein Cinq Cents in Flaschen mit Champagnerkorken in Umlauf gebracht. Es hat einen bemerkenswert flauschigen Körper, eine leichte, aber feste Malzigkeit und einen späten, trockenen Abgang.

*Unverkorkst*
*In den Originalflaschen scheint Chimay-Bier nicht so sanft zu reifen wie in dieser größeren Flasche mit Korkverschluss.*

# CHIMAY GRANDE RÉSERVE

🛡 **HERKUNFT** Hennegau, Belgien

🍶 **TYP** Abteibier (Echt Trappisten)

🍷 **ALKOHOLGEHALT** 9,0 Vol.-%

🍺 **IDEALE SERVIERTEMPERATUR** 15–18 °C

Das dem Portwein ähnliche Grande Réserve wird vom Trappistenkloster Notre Dame bei Chimay im Süden Belgiens hergestellt. Der Portweingeschmack entwickelt sich, wenn das Bier fünf oder mehr Jahre gelagert wird. Das lebhafte, reiche Ale hat eine halbsüße Mitte mit einem Anflug von Thymian, Pfeffer, Sandelholz und Muskat im Abgang. Es ist ein vielfältiger Klassiker und eine Freude zu jedem Roquefort.

# CHRISTIAN MERZ
# SPEZIAL RAUCHBIER

| | |
|---|---|
| HERKUNFT | Franken, Deutschland |
| TYP | Bamberger Rauchbier |
| ALKOHOLGEHALT | 5,3 Vol.-% |
| IDEALE SERVIERTEMPERATUR | 9 °C |

Franken und hier besonders Bamberg ist die Hochburg des deutschen Rauchbiers. Das Malz dafür wird mit Birkenholz aus nahen Wäldern geräuchert. Dieses Märzen-Rauchbier, ein Flaschenbier, hat ein zuckriges Karamellaroma. Es schmeckt sauber, trocken und sahnig und zart rauchig im Abgang und passt ideal zu bayerischem Räucherschinken.

# CHRISTOFFEL BLOND

**HERKUNFT** Limburg, Niederlande

**TYP** Pilsner

**ALKOHOLGEHALT** 5,0 Vol.-%

**IDEALE SERVIERTEMPERATUR** 9 °C

Eines der hopfigsten Biere der Welt kommt aus dem limburgischen Roermond nahe der deutschen Grenze. St. Christophorus ist der Schutzheilige der Stadt. Die Brauerei wurde erst 1986 von Leo Brand gegründet. Ihr »Blondes« hat ein würziges Aroma von Hopfen und Fichten, lebhafte Geschmacksnoten und einen anregend derben, herben Abgang. Niederländisches »Pils« kann eine wässrige Angelegenheit sein, die Brauerei vermeidet daher diese Bezeichnung.

# CHRISTOFFEL ROBERTUS

🛡 **HERKUNFT** Limburg, Niederlande

🍺 **TYP** Dunkles Lagerbier

% **ALKOHOLGEHALT** 6,0 Vol.-%

🌡 **IDEALE SERVIERTEMPERATUR** 10 °C

Neben dem bekannten, trockenen Blond der Pilsner Art *(siehe S. 126)* braut diese holländische Brauerei auch dieses unfiltrierte, unpasteurisierte rubinrote Lager. Das Robertus liegt etwa zwischen Wiener und Münchner Lager und einem Bock. Der Zusatz »Doppelmalz« hat keine Bedeutung. Das Bier hat ein frisches, körniges Aroma, einen festen, sanften Körper, einen vielfältigen, nussigen Malzgeschmack und einen trockenen Abgang.

# CLIMAX ESB

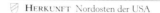

🛡 **HERKUNFT** Nordosten der USA

🍾 **TYP** Amerikanisches Ale/Extra Special Bitter

% **ALKOHOLGEHALT** 5,5 Vol.-%

🌡 **IDEALE SERVIERTEMPERATUR** 10–13 °C

D er Name steht für den Moment höchster Erregung«, verlautete aus Führungskreisen dieser bemerkenswerten, 1996 in Roselle Park eröffneten Ale-Brauerei, einer der ersten jungen Brauereien New Jerseys. Ihre Produkte reichen vom trockenen, duftigen Cream Ale bis zum Indian Pale Ale mit wurzeliger, fast artischockenartiger Bitterkeit. Dazwischen liegt das fruchtigere, malzigere und saubere, sanfte ESB von leckerem Geschmack.

# COBBOLD IPA

| | |
|---|---|
|  **HERKUNFT** Ostengland, UK | |
| **TYP** India Pale Ale | |
| **ALKOHOLGEHALT** 4,2 Vol.-% | |
| **IDEALE SERVIERTEMPERATUR** 10 13 °C | |

Gebraut in Ipswich, mitten im englischen Gerstenland und unweit der Küste. Die Brautradition der Brauerei geht auf eine Gründung von Landedelleuten im Jahr 1723 zurück; 1990 erwarb das Management die Kleinbrauerei um sie weiterzuführen. Das IPA hat eine feste Schaumkrone, ein würzig-scharfes, »englisches« Hopfenaroma und ist von geschmeidiger, schlanker Statur. Es schmeckt leicht nach Apfelblüten und wird beinahe brüskierend herb im Abgang. Anregend verliert sich eine gewisse Bitterkeit.

*Königliche Verbindung*
*Das Etikett zeigt den in Ipswich geborenen Kardinal Wolsey, den Lordkanzler Heinrichs VIII. Das Bild zeigt ihn bei Wolsey's Gate.*

# COOPERS BEST EXTRA FOOD STOUT

| | |
|---|---|
| **HERKUNFT** | Südaustralien |
| **TYP** | Trockenes Stout |
| **ALKOHOLGEHALT** | 6,8 Vol.-% |
| **IDEALE SERVIERTEMPERATUR** | 10–13 °C |

Fast alle australischen Brauereien haben ein Stout im Angebot; dieses äußerst charaktervolle Bier braut die bekannt traditionsverhaftete Brauerei Cooper in Adelaide. Cooper Stout ist holzig, ölig und stark, aber sehr süffig zu Austern und Muscheln.

# COOPERS SPARKLING ALE

🛡 **HERKUNFT** Südaustralien

🍾 **TYP** Golden Ale

⊗ **ALKOHOLGEHALT** 5,8 Vol.-%

🍺 **IDEALE SERVIERTEMPERATUR** 10 °C

Thomas Cooper war ein Methodistenprediger aus Yorkshire im Norden Englands, der 1852 nach Australien auswanderte und in Adelaide eine Brauerei gründete. Coopers ist die letzte der alteingesessenen australischen Brauereidynastien. Das Sparkling Ale (das dank seiner Hefe sehr trübe sein kann) war ursprünglich von bronzener Farbe. Seit etwa 1980 ist es goldfarben und als Durstlöscher ein Klassiker: fruchtig, bananenartig und herb mit langem Abgang.

*Eigenwillige Schreibung*
*Die Verpackung ist so eigenwillig wie das Bier. Cooper's wird manchmal mit und manchmal ohne Apostroph geschrieben. Das in der Mitte des Etiketts dargestellte Fass trägt den Schriftzug »Kensington Brewery«, ein Hinweis auf die Umgebung von Adelaide.*

# COTTAGE NORMAN'S CONQUEST

🛡 **HERKUNFT** Westengland, UK

🍾 **TYP** Barley Wine

％ **ALKOHOLGEHALT** 7,0 Vol.-%

🥛 **IDEALE SERVIERTEMPERATUR** Lagern bei 13 °C, servieren bei 10–13 °C

D er ehemalige Pilot Chris Norman gründete 1993 mit Ehefrau Helen als Kopilotin seine Brauerei. Startrampe war zunächst die Garage des Wohnhauses im westenglischen Little Orchard; schon zwei Jahre später wurde »Norman's Conquest« auf dem Great British Beer Festival zum »Champion« gekrönt. Für ein so mächtiges Bier ist es erstaunlich delikat, mit Obertönen von frischem Zimt, Rosinen und Apfel. Es schmeckt sauber und sahnig und ist im Abgang würzig, pfefferig und trocken.

# COURAGE IMPERIAL RUSSIAN STOUT

| | |
|---|---|
| 🛡 **HERKUNFT** | London, UK |
| 🍾 **TYP** | Imperial Stout |
| % **ALKOHOLGEHALT** | 10,0 Vol.-% |
| 🍺 **IDEALE SERVIERTEMPERATUR** | 13–18 °C |

Scottish Courage ist die größte Brauerei Großbritanniens. Sie produziert dieses mächtige Bier nur zeit- und jahrgangsweise. Die Marke stammt von der früheren Londoner Brauerei Barclay, die dieses Bier zu Zeiten von Zarin Katherina II. in die baltischen Länder exportierte. Sie förderte nachdrücklich die Einführung von Porter englischen Stils, dem ausgefeiltesten Bier jener Zeit, in Russland. Das heutige Courage Imperial Russian Stout ähnelt Wein oder Sherry und schmeckt nach Rosinen, Holz und Saft.

*»Berühmtes« Bier*
*Auf dem teilweise russischsprachigen Etikett wird die Zarin Katharina II. erwähnt. Es erinnert an eine 200 Jahre alte Exporttradition.*

# CREEMORE SPRINGS PREMIUM LAGER

| | |
|---|---|
| 🛡 **HERKUNFT** Ontario, Kanada | |
| 🍾 **TYP** Helles Lager/Pilsner | |
| ⊘ **ALKOHOLGEHALT** 5,0 Vol.-% | |
| 🥃 **IDEALE SERVIERTEMPERATUR** 9 °C | |

Creemore Springs ist ein Wintersportort nördlich von Toronto. Dort wurde 1987 ein Gründerzeitladen in eine Kleinbrauerei umgewandelt. Ihr Premium Lager hat ein wohlschmeckendes, frisches Malzaroma, einen weichen, sauberen, sämigen, leicht nussigen Körper und eine elegante, trockene Hopfenbalance.

# CRISTAL ALKEN

HERKUNFT Limburg, Belgien

TYP Pilsner

ALKOHOLGEHALT 4,8 Vol.-%

IDEALE SERVIERTEMPERATUR 9 °C

K ristall« nennen viele Brauer ihr helles Lagerbier. Dieses besonders feine wird in Alken gebraut und war 1928 das erste belgische Pilsner. Dem Namen entsprechend schmeckt es zuerst fast wie Quellwasser, setzt aber mit einem sauberen Schlag hopfiger Trockenheit nach; der Abgang ist erfrischend und knackig.

# CROWN BUCKLEY BROWN ALE

| | |
|---|---|
| ⬚ **HERKUNFT** | Südwales, UK |
| **TYP** | Brown Ale |
| **ALKOHOLGEHALT** | 3,4 Vol.-% |
| **IDEALE SERVIERTEMPERATUR** | 10–13 ℃ |

Der königliche Name »Crown« (Krone) mutet bei einer Brauerei, die ursprünglich nur Arbeiterklubs mit ihrem Bier belieferte, sehr merkwürdig an. Die Brauerei Crown Pontyclun in Südwales wurde 1989 von der Brauerei Buckley aus Llanelli aufgekauft, die wiederum später von Brain übernommen wurde. Der Name »Crown« überlebte im Namen dieses Brown Ale, einem traditonellen dunklen, süßlichen Biertyp mit geringem Alkoholgehalt. Das Bier ist nussig, toastig und sehr angenehm im Geschmack und hat einen delikaten Hauch von ausgewogener, trockener Hopfigkeit im Abgang.

# DALESIDE MOROCCO ALE

🛡 **HERKUNFT** Nordengland, UK

🍾 **TYP** Gewürztes Dunkles Ale

% **ALKOHOLGEHALT** 5,5 Vol-%

🍺 **IDEALE SERVIERTEMPERATUR** 13 °C

Das Original-Morocco wurde möglicherweise nach den dunkelhäutigen Dienern von König Charles II. benannt und von einem Höfling in Levens Hall, bei Kendal in Cumbria, eingeführt. Um 1870 soll dort ein Morocco serviert worden sein, das 21 Jahre reifen durfte. Das heutige Morocco jedoch ist ein nach Ingwer, Orangen, Toast und Kuchen schmeckendes Ale, das von der Kleinstbrauerei Harrogate in Yorkshire gebraut wird.

*Ale-Geschichten*
*Die Insignien auf dem Etikett weisen auf die Zusammen-hänge zwischen dem Bier und der königlichen Familie hin.*

# DAS FEINE HOFMARK
# DUNKLE WEISSE

- 🛡 **HERKUNFT** Bayern, Deutschland
- **TYP** Dunkles Weißbier
- **ALKOHOLGEHALT** 5,6 Vol-%
- **IDEALE SERVIERTEMPERATUR** 9–12 °C

Wenn man von Nürnberg aus zur tschechischen Grenze fährt, trifft man an einem Bergabhang bei Loifling, in der Nähe von Cham, auf die im Familiensitz befindliche Brauerei Das Feine Hofmark. Hier wird zum Bierbrauen das gleiche, aus einer Quarz-Granit-Quelle stammende Brauwasser wie im nahe gelegenen tschechischen Pilsen verwendet. Die Familienbrauerei ist bekannt für ihre feinen, goldfarbenen Lager-Biere, hat jedoch auch ein breites Weizenbierspektrum (Weiße) im Angebot. Das Bier ist naturtrüb, das heißt ungefiltert, mit Heferesten. Die Dunkle Weiße weist nur einen dezenten Weizencharakter auf. Aber sie hat ein delikates Sahnearoma und einen Geschmack nach dunklem Malz, der an Nusstoffee erinnert.

# DAS FEINE HOFMARK ÖKO PREMIUM

| | |
|---|---|
| 🛡 **HERKUNFT** | Bayern, Deutschland |
| 🍺 **TYP** | Pilsner |
| % **ALKOHOLGEHALT** | 5,6 Vol.-% |
| 🥛 **IDEALE SERVIERTEMPERATUR** | 9 °C |

Das Etikett weist darauf hin, dass wir es hier mit einem echten Öko-bier aus reinen und natürlichen Zutaten zu tun haben. Das Bier hat ein sehr schönes blumiges Hopfenaroma. Der Geschmack tendiert zu einer sanften, sahnigen Malzigkeit, die jedoch von einer sehr feinen, zurückhaltenden hopfigen Trockenheit und einem spritzigen Abgang gestützt wird. Es ähnelt dem Würzig Mild, einem Lager aus derselben Brauerei. Außerdem braut man hier ein Würzig Herb, ein etwas trockeneres, hopfigeres Bier, das mehr dem klassischen Pilsener gleicht. Die Brauerei braut auch ein goldfarbenes Lager für das Londoner Kaufhaus Harrods, ein äußerst sanftes, malzbetontes Bier mit einem Hauch von frisch gemähtem Heu.

# Das Feine Hofmark Premium Weisse

D

🛡 **HERKUNFT** Bayern, Deutschland

🍾 **TYP** Weizenbier

% **ALKOHOLGEHALT** 5,6 Vol.-%

🥛 **IDEALE SERVIERTEMPERATUR** 9–12 °C

Während dunkle Malze dem dunklen Weizenbier einen dominanten Toffee-Charakter verleihen, weist der helle Bruder dieses Weizens nichts von dessen reichhaltiger Süße auf. Ohne die dunklen Malze scheint der Weizencharakter des Biers deutlich durch: sanfte Nelkenwürzigkeit und Limonen im Aroma und eine noch deutlichere apfel- und bananenartige Fruchtigkeit im Geschmack. Es ist ein leichtes, weiches, besänftigendes und gleichzeitig erfrischendes Getränk. Der Fruchtgeschmack in den deutschen Bieren stammt ausschließlich von der Hefegärung und wird nicht durch den Zusatz von Früchten erzeugt. Dafür sorgt auch das deutsche Reinheitsgebot.

# DE KONINCK

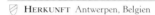

**HERKUNFT** Antwerpen, Belgien

**TYP** Belgisches Ale

**ALKOHOLGEHALT** 5,0 Vol.-%

**IDEALE SERVIERTEMPERATUR** Die Brauerei gibt 7 °C an, doch der Geschmack ist bei einer etwas höheren Temperatur von etwa 12 °C deutlicher.

Der Name dieses Biers (»Der König«) bezieht sich auf einen Mann, der einst einen Biergarten in Antwerpen besaß. Der Biergarten ist längst verschwunden, die Brauerei jedoch existiert noch heute und braut Antwerpens Hausmarke, das De Koninck. Das Bier ist auch aus der Flasche wohlschmeckend, die frische, hefige, staubige, zimtene Würze kommt allerdings am besten zur Geltung, wenn es aus dem Fass gezapft wird. Es hat eine dichte Krone und ist leicht trocken, ausgewogen, toastig und sanft.

*Zweideutigkeiten*
*Der geschwungene Kelch des De Koninck wird in Antwerpen als »bolleke« (Bällchen) bestellt. Bei der »weiblichen« Alternative »klein Flöte« (auf Flämisch »fluitje«) schwingt auch Phallisches mit.*

# DE LEEUW DORTMUNDER

| | |
|---|---|
| **HERKUNFT** | Provinz Limburg, Niederlande |
| **TYP** | Starkes Dortmunder Export |
| **ALKOHOLGEHALT** | 6,5 Vol.-% |
| **IDEALE SERVIERTEMPERATUR** | 9 °C |

Im Namen wird auf den König der Tiere, den Löwen (De Leeuw), angespielt. Die alte Löwenbrauerei steht in Valkenburg östlich von Maastricht im Dreiländereck der Niederlande, Belgiens und Deutschlands. Die Brauerei befindet sich in einer der wenigen etwas bergigeren Regionen dieses flachen Landes und verweist stolz auf das besonders gute Quellwasser, das hier zum Brauen verwendet wird. Es gibt hier einige Brauereien, die ein sehr gutes helles Lager brauen, das vom Dortmunder Stil beeinflusst ist. Das De Leeuw hat ein erdiges Aroma, einen vollen, toffeeartigen, an Marshmallows erinnernden, weichen Geschmack und einen halbtrockenen Abgang.

# DE LEEUW VALKENBURGS WIT

🛡 **HERKUNFT** Limburg, Niederlande

🍾 **TYP** Belgisches Weizenbier

% **ALKOHOLGEHALT** 4,8 Vol.-%

🍺 **IDEALE SERVIERTEMPERATUR** 9–10 °C

Die Brauerei De Leeuw wurde 1886 von einem deutschen Brauer aus dem nahe gelegenen Aachen in einer alten Munitionsfabrik von Valkenburg gegründet. Sie kam 1920 unter holländische Oberhoheit. Wie die meisten Brauereien aus dieser Gegend ist sie vor allem für ihre guten Lager-Biere bekannt. 1993 brachte De Leeuw jedoch ein Weizenbier auf den Markt. Das Valkenburgs Wit ist weich, malzig und leicht fruchtig mit einem trockenen, ingwerartigen Abgang. Es ist ein ungefiltertes, gewürztes Bier. Zum Würzen wurde früher in erster Linie die herbe und trockene Orange aus Curaçao benutzt, die heute nur noch in einigen Likören und einigen belgischen Bieren verwendet wird.

# De Leeuw Winter Wit

D

| | |
|---|---|
| 🛡 **Herkunft** | Provinz Limburg, Niederlande |
| 🍾 **Typ** | Belgisches Weizenbier |
| 🍷 **Alkoholgehalt** | 5,8 Vol.-% |
| 🍺 **Ideale Serviertemperatur** | 9–10 °C |

Das Weizenbier-Revival in den Niederlanden und Belgien führte in den Neunzigerjahren des 20. Jahrhunderts zu einer richtigen Modeerscheinung. Die meisten Biersorten besitzen einen durchschnittlichen Alkoholgehalt von etwa 5,0 Vol.-%, womit sie sich ideal als sommerliches Erfrischungsgetränk eignen. Einige Brauereien experimentierten jedoch auch mit vollmundigeren Varianten, die einen höheren Alkoholgehalt aufweisen und teilweise auch mit dunkleren Malzen gebraut werden. Hierzu gehört das Valkenburgs Winter Wit. Es besitzt einen vergleichsweise vollen Körper, eine kräftige Körnigkeit, Süße und Würze und einen zarten Hauch jener fruchtigen Säure, die für ein Weizenbier typisch ist. Schmeckt perfekt zu einem holländischen Apfelpfannkuchen!

# DE RIDDER MALTEZER

| | |
|---|---|
| ⬡ **HERKUNFT** | Provinz Limburg, Niederlande |
| 🍾 **TYP** | Starkes Dortmunder Export |
| % **ALKOHOLGEHALT** | 6,5 Vol.-% |
| 🍺 **IDEALE SERVIERTEMPERATUR** | 9 °C |

Das Bier verweist in seinem Namen auf einen Ritter des Malteserordens (»Malteserordensritter«). Im Konferenzraum der Brauerei steht eine Rüstung, auf den Buntglasfenstern finden sich ritterliche Szenen. Die Firma wurde 1857 von den Brüdern van Aubel gegründet und, da kein Erbe vorhanden war, 1982 von Heineken übernommen. Das Bier hat einen blumigen Hopfenton, eine trockene Malzigkeit im Aroma und einen festen, sanften Körper und einen buttertoffeeartigen Malzgeschmack, gestützt von ausgewogener Trockenheit. Es ist ein für den Dortmunder Typ in den Niederlanden typisches Bier.

# DE RIDDER WIECKSE WITTE

| | |
|---|---|
| **HERKUNFT** | Limburg, Niederlande |
| **TYP** | Belgisches Weizenbier |
| **ALKOHOLGEHALT** | 5,0 Vol.-% |
| **IDEALE SERVIERTEMPERATUR** | 9–10 °C |

»Wieck« ist der Stadtteil, in dem die Brauerei De Ridder liegt, am linken Ufer der Meuse (Maas) im Herzen Maastrichts, der historischen Stadt im holländischen Limburg. Die von kleinen Brauereien umgebene Stadt ist bekannt für ihre vielen Cafés. De Ridder im Zentrum ist seit 1852 ein Wahrzeichen des Ortes. Die Weiße schmeckt nach Melonen und hat einen trockenen, ingwerartigen und wurzeligen Abgang. De Ridder gehört zu Heineken.

*Cooles Bier*
*Das Etikett schlägt eine Serviertemperatur von 6–8 °C vor. Dies tun auch andere Brauer, diese tiefe Temperatur beeinträchtigt jedoch den Geschmack.*

# DE TROCH CHAPEAU PÊCHE

**D**

🛡 **HERKUNFT** Flämisch-Brabant, Belgien

🍾 **TYP** Pfirsich-Lambic

％ **ALKOHOLGEHALT** 3,0 Vol.-%

🍺 **IDEALE SERVIERTEMPERATUR** 9–10 °C

Die Landbrauerei De Troch braut ein knackiges Gueuze-Lambic in der belgischen Stadt Wambeek, darunter auch das süßere Chapeau. Dieses Pfirsichbier ist sehr süß, hat aber den Geschmack frischer Äpfel der Lambic-Biere und einen trockenen »Sherry-fino«-Abgang.

# Dinkel Acker Volksfest Bier

🛡 **HERKUNFT** Baden-Württemberg, Deutschland

🍺 **TYP** Märzen/Festbier

％ **ALKOHOLGEHALT** 5,5 Vol.-%

🍺 **IDEALE SERVIERTEMPERATUR** 9 °C

Fast zur selben Zeit wie das Oktoberfest findet in Stuttgart auf dem Cannstatter Wasen ebenfalls ein Volksfest statt. Die Brauereien der Stadt brauen dafür eigene Festbiere. Das der Brauerei Carl Dinkelacker ist ein lebhaftes Bier mit großem, malzigem Auftakt und fein ausgewogenem Hopfen. Die Stuttgarter Schwabenbräu hat ein ähnliches Märzen mit delikatem Hopfenaroma und süßem Malzcharakter.

# DOCK STREET GRAND CRU

**HERKUNFT** Nordosten der USA

**TYP** Flämisches Rotes Ale

**ALKOHOLGEHALT** 7,5 Vol.-%

**IDEALE SERVIERTEMPERATUR** 10 °C

Auf dieses Bier wird auch in der US-Kultserie *Thirty-somethings* regelmäßig angespielt. Die Braukneipe im Zentrum Philadelphias produziert jedes Jahr 45 verschiedene Biersorten. Dieser Grand Cru ist eine Reverenz an Rodenbach *(siehe S. 386–388)*. Dies gelingt auch hervorragend, obwohl es weniger säuerlich aggressiv ist. Dock Street Grand Cru wird in Weinfässern gelagert und hat feste, pflanzlich schmeckende Noten mit einem Hauch von Schlehengin und einen kirschartigen süß-sauren Abgang.

# DOCK STREET ILLUMINATOR

🛡 **HERKUNFT** Nordosten der USA

🍾 **TYP** Doppelbock

% **ALKOHOLGEHALT** 7,2 Vol.-%

🍺 **IDEALE SERVIERTEMPERATUR** 9 °C

D as deutsche Fastenbier Paulaner Salvator hat weltweit viele Biere beeinflusst. Ein hintersinniges Verständnis der Salvator-Tradition offenbaren manche nordamerikanische Brauer mit ihrem Hibernator, Terminator oder Liberator. Ein erfreuliches Beispiel ist der Illuminator der Dock Street Braukneipe in Philadelphia, ein dunkel bernsteinfarbener Doppelbock: sahnig mit Vanille- und Pflaumennote.

*Unheiliger Bock*
*Das Symbol des Bockbiers ist oft der Ziegenbock, ein Tier das in der Regel als sehr lüstern gilt.*

# DOCK STREET
# MILK STOUT

**HERKUNFT** Nordosten der USA

**TYP** Milch-Stout

**ALKOHOLGEHALT** 4,6 Vol.-%

**IDEALE SERVIERTEMPERATUR** 13 °C

Dieser Stout-Typ schmeckt sehr gut zu Schokoladendesserts. Der Begriff »milk« (Milch) oder »cream« (Sahne) bezeichnet auf dem Etikett lediglich die ausgeprägte Süße des Getränks. Tatsächlich geht der Begriff hier jedoch sehr viel weiter: Neben den dunklen, gerösteten Malzen wird diesen Bieren auch Milchzucker (Lactose) zugegeben. Die nicht gärbare Lactose verleiht dem Bier einen sahnigen Körper und Geschmack. Auch das Dock Street Milk Stout enthält Lactose. Es ist ausgesprochen sanft und hat schokoladige und schmelzende Anklänge.

# DOM KÖLSCH

- ⬚ **HERKUNFT** Köln, Deutschland
- 🍺 **TYP** Kölsch
- ⊗ **ALKOHOLGEHALT** 4,8 Vol.-%
- 🥤 **IDEALE SERVIERTEMPERATUR** 9 °C

Der Dom ist das Warenzeichen dieser mittelgroßen Brauerei an der Kreuzung von Tacitus- und Goltsteinstraße im südlichen Stadtkern Kölns. Der einflussreiche französische Gastronomieführer Gault-Millau bezeichnete die Tacitus-Kneipe, in der einheimische Gerichte angeboten werden, als »beste Küche der Stadt«. Das Bier ist frisch, sauber und ausgewogen und hat eine sanfte Malzigkeit und eine zitronige, trockene Hopfigkeit. Dom, 1894 gegründet, gehört zur selben Gruppe wie Stern in Essen.

*Lange Reifezeit*
*Der Dom wurde erst im 19. Jahrhundert*
*vollendet. Er ist wie das Bier ein Wahr-*
*zeichen der Stadt.*

# DOMUS CON DOMUS

🛡 **HERKUNFT** Flämisch-Brabant, Belgien

🍾 **TYP** Pilsner

% **ALKOHOLGEHALT** 5,0 Vol.-%

🍺 **IDEALE SERVIERTEMPERATUR** 9 °C

So zweifelhaft wie der Kalauer im Namen, so unzwei-
felhaft ist die Klasse des Biers, das von der Brauerei
Domus im belgischen Löwen gebraut wird. Es hat ein
ölig-blumiges Aroma, einen üppig gemalzten Boden und
einen Abgang voll würziger Minze. Es ist ein sehr trockenes Bier und daher ein exzellenter
Aperitif: ein freches Pilsner, gebraut
von Domus im Schatten der
Großbrauerei Stella Artois.

*Hopfnungsvoller Nachwuchs*
*An der Katholischen Universität Löwen*
*(Leuven), gegründet 1425, wo auch Erasmus*
*und Mercator studierten, kann man es im*
*Fach Brauwesen zum Doktor bringen.*

# DOMUS
# LEUVENDIGE WITTE

**HERKUNFT** Flämisch-Brabant, Belgien

**TYP** Belgisches Weizenbier

**ALKOHOLGEHALT** 5,0 Vol.-%

**IDEALE SERVIERTEMPERATUR** 9–10 °C

Leuven östlich von Brüssel ist die Heimat von Stella Artois und gleichzeitig das größte Brauzentrum Belgiens. Leuvens Weizenbiertradition hält die Brauerei und die Gaststätte Domus aufrecht. Sie braut unter anderem das Leuvendige Witte, ein Bier mit frischem, orangecremigem Aroma, dem Geschmack von Zitronenlimonade und würzig ausgewogener Trockenheit. Die Universitätsstadt ist bekannt für ihre vielen Studentenkneipen, unter denen Domus als Klassiker gilt.

D

# DORTMUNDER UNION EXPORT

| 🛡 | **HERKUNFT** Dortmund, Deutschland |
| 🍾 | **TYP** Dortmunder Export |
| % | **ALKOHOLGEHALT** 5,3 Vol.-% |
| 🍺 | **IDEALE SERVIERTEMPERATUR** 9 °C |

Dortmunder Union-Brauerei (DUB) ist die bekannteste Brauerei der Stadt. Ihr Export hat einen festen,
fülligen Körper, eine zurückhaltende malzige Süße und
einen leicht trockenen, runden Abgang. Die DUB hat die
Ritterbrauerei übernommen, die ebenfalls ein Export
braut. Die Biere sind sich ähnlich,
das Ritter erscheint weicher und
energischer. Angestammter Lokal-
rivale ist die Dortmunder Actien-
Brauerei (DAB), die ein leichtes
Export sowie ein ähnliches Bier
namens Hansa herstellt. Die DAB
erwarb vor ein paar Jahren die
Kronenbrauerei und damit auch
deren klares, sanftes Export.

*Das Original*
*Dortmunder Bier wurde einst weltweit ver-*
*kauft, daher »Export«. Heute wird in*
*Dortmund überwiegend Pils gebraut.*

# DUVEL

> **HERKUNFT** Provinz Antwerpen, Belgien

> **TYP** Starkes Helles belgisches Ale

> **ALKOHOLGEHALT** 8,5 Vol.-%

> **IDEALE SERVIERTEMPERATUR** 10 °C

Der sonderbare Fall eines dunkelbraunen Biers, das sich zu flüssigem Gold verwandelte. Die Familienbrauerei der Moortgats (bei Breendonk nördlich von Brüssel) passte ihr einstmals populäres schottisches Ale (gebraut mit McEwan-Hefe) einem veränderten Zeitgeschmack an, blieb aber trotz Verwendung hellerer Malze schottischen Hefen und Gärungsmethoden treu. Das Bier entfaltet überaus starke Geruchsreize und ein Geschmacksspektrum von reifen Orangen über Birnenschnaps und grüne Äpfel bis hin zu sanfter, steiniger Herbe.

D

# DUYCK JENLAIN

HERKUNFT  Nordfrankreich

TYP  Bière de Garde

ALKOHOLGEHALT  6,5 Vol.-%

IDEALE SERVIERTEMPERATUR  10–13 °C

Der Name Duyck verweist auf den flämischsprachigen Teil Frankreichs an der Grenze zu Belgien; dort liegt auch diese Landbrauerei im Dorf Jenlain südlich von Valenciennes. Das Bier hat eine gewaltige Krone, es schmeckt zunächst weich und sirupartig und ist im Abgang würzig und herb: ein idealtypisches Bière de Garde.

JENLAIN

JENLAIN
Bière de garde ambrée

# EBULUM

⬦ **HERKUNFT** Südschottland, UK

🍾 **TYP** Holunder-Bier

% **ALKOHOLGEHALT** 6,5 Vol.-%

▮ **IDEALE SERVIERTEMPERATUR** 13 °C

D er Name scheint häufig für einen keltischen Biertyp benutzt worden zu sein, den man in Schottland seit dem 9. Jahrhundert unter Zugabe von Holunderbeeren und Kräutern braute. Ebulum ist das jüngste Produkt innerhalb der breiten Palette von traditionellen schottischen Ales, die aus dem Haus der Brüder Williams kommen *(s. auch S. 17, S. 172, S. 201)*. Das Bier hat eine schieferschwarze Farbe, einen weinartigen, wurzelartigen, lakritzhaften, leicht medizinisch anmutenden Geschmack auf einem toffeeartigen Malzhintergrund. Der Malzcharakter wird zusätzlich durch die Zugabe gerösteten Getreides, darunter Gerste, verstärkt.

*Das Highland-Gebräu*
*Das Rezept für dieses Lowland-Bier stammt aus verschiedenen Quellen des 16. Jahrhunderts zur häuslichen Bierbrauerei in den schottischen Highlands.*

# Echigo Land Brauerei Abbey-style Tripel

🛡 **Herkunft** Honshu, Japan

🍾 **Typ** Abteibier

% **Alkoholgehalt** 9,0 Vol.-%

🍺 **Ideale Serviertemperatur** 10–14 °C

In den letzten Jahren wurden sehr viele Abteibiere in der Neuen Welt hergestellt, die meisten in den USA. Dieses hier stammt aus der japanischen Brauerei Echigo. Ihr Tripel hat ein Himbeeraroma, es schmeckt ölig mit einem Hauch von Schattenmorellen, und hat einen intensiven, nach Mandeln schmeckenden, herben Abgang.

# EKU 28

⬦ **HERKUNFT** Franken, Deutschland

🍾 **TYP** Doppelbock

◯ **ALKOHOLGEHALT** 11,0 Vol.-%

**IDEALE SERVIERTEMPERATUR** 9 °C

Auf dem Glas rühmt es sich als »stärkstes Bier der Welt«. EKU steht für Erste Kulmbach Union. Die Zahl 28 steht für die Stammwürze des Biers (in Grad ausgedrückt), nicht seinen Alkoholgehalt. Eine solch hohe Schwere lässt es wie Sirup werden, sein komplexer Mandarinengeschmack ist jedoch überraschend frisch und sauber.

E

# ELDRIDGE POPE ROYAL OAK

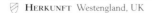

| | |
|---|---|
| 🛡 **HERKUNFT** | Westengland, UK |
| 🍾 **TYP** | Barley Wine/Old Ale |
| ⅏ **ALKOHOLGEHALT** | 12,0 Vol.-% |
| 🍺 **IDEALE SERVIERTEMPERATUR** | 10–13 °C |

Das Bier trägt den Namen des Dichters Thomas Hardy, der in einem seiner Bücher das Eldridge-Pope-Bier bewunderte. 1968 wurde anlässlich eines Literaturfestivals zu Ehren des Dichters in Hardys Heimatstadt Dorchester dieses Bier als »Gedenkbier« aus der Taufe gehoben. Thomas Hardy's Ale reift in der Flasche. Als junges Bier ist es sämig, sahnig und voll muskulöser Kraft. Mitunter schmeckt man sogar die rauchige Würze von Apfelholz. Nach etwa fünf Jahren entwickelt es ein sattes Madeira-Aroma, nach 25 Jahren ist es schlank, schnittig und voll souveräner Eleganz.

# ELDRIDGE POPE THOMAS HARDY COUNTRY BITTER

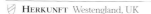

🛡 **HERKUNFT** Westengland, UK

🍾 **TYP** Bitter Ale

％ **ALKOHOLGEHALT** 4,2 Vol.-%

🥤 **IDEALE SERVIERTEMPERATUR** 10–13 °C

Der poetische Vers des Dichters Thomas Hardy, der auf diesem Etikett verewigt ist, mahnt uns nicht zu viel zu trinken, da unmäßiger Alkoholgenuss uns direkt in die Hölle führt. Dieses Bier scheint sich an den Aufruf des Dichters zur Mäßigung zu halten und weist dementsprechend einen nur geringen Alkoholgehalt auf. Es hat einen Hopfenakzent und erinnert in seiner Fruchtigkeit an Äpfel mit einem Hauch von Bananen. Dabei weist es eine sehr ausgewogene, nussige Malzigkeit auf. Hopfige Säure und malzige Süße ergänzen sich ideal: ein besänftigendes Getränk, das nach mehr schmeckt.

# ELDRIDGE POPE
# THOMAS HARDY'S ALE

| | |
|---|---|
| 🛡 **HERKUNFT** | Westengland, UK |
| 🍾 **TYP** | Barley Wine/Old Ale |
| % **ALKOHOLGEHALT** | 12,0 Vol.-% |
| 🍺 **IDEALE SERVIERTEMPERATUR** | Bei 13 °C lagern |

Das ideale Bier zur Gutenachtgeschichte. Thomas Hardy schrieb begeistert über die Biere, die Eldridge Pope in Dorchester braute. Zum 40. Todestag des Dichters, an dem ein Festival zu seinen Ehren stattfand, wurde auch dieses nach ihm benannte Bier auf den Markt gebracht. Das flaschengereifte Bier schmeckt in jungen Jahren sahnig und manchmal ganz leicht nach Fleischbrühe. Auch eine apfelbaumholzartige Rauchigkeit ist möglich. Nach fünf Jahren entwickelt es Madeira-Aromen; 25-jährige Exemplare können mager, elegant und wärmend sein.

# ELGOOD'S FLAG PORTER

🛡 **HERKUNFT** Ostengland, UK

🍾 **TYP** Porter/Trockenes Stout

％ **ALKOHOLGEHALT** 5,0 Vol.-%

🥛 **IDEALE SERVIERTEMPERATUR** 10–13 °C

Schmecken Sie das Meer in diesem Bier? Es wird teilweise mit Hefe aus Flaschen vergoren, die man 1825 aus einem Schiffswrack auf dem Grund des Ärmelkanals geborgen hat. Flag Porter wird von der Brauerei Elgood in Wisbech gebraut. Es ist lebhaft und fruchtig mit holzigen, rußigen, ledernen und öligen Noten. Es passt ideal zu eher pikanteren Austernsorten.

# EMERSON'S 1812 INDIA PALE ALE

| | |
|---|---|
| 🛡 **HERKUNFT** Neuseeland | |
| 🍶 **TYP** India Pale Ale | |
| % **ALKOHOLGEHALT** 4,9 Vol.-% | |
| 🍺 **IDEALE SERVIERTEMPERATUR** 12 °C | |

Die junge Brauerei steht im neuseeländischen Dunedin, dem alten schottischen Namen für Edinburgh, und braut einige der feinsten Biere des Landes. Emerson's 1812 India Pale Ale ist anregend aromatisch und hat ein würziges Hopfenbouquet. Seine Hopfigkeit darf nicht mit schierer Bitterkeit verwechselt werden. Die Hopfennoten akzentuieren sich klar und frisch gegen den angenehm weichen und süffigen Malzhintergrund. Die Geschmacksnoten sind fein aufeinander abgestimmt; der frische, trockene Abgang erinnert an Zitronen.

*Bravouröse Bitterkeit*
*Der Name 1812 soll etwas neckisch die »Ouverture« zum Hopfenaroma suggerieren.*

# ENVILLE ALE

🛡 **HERKUNFT** Mittelengland, UK

🍾 **TYP** Honig-Ale

％ **ALKOHOLGEHALT** 4,5 Vol.-%

🍺 **IDEALE SERVIERTEMPERATUR** 10 13 °C

Ein echtes Honigbier, ein Met, wird aussschließlich aus Honig gebraut. Aber Honig wird auch einem normalen Bier gerne zugegeben. Schon die Mesopotamier experimentierten damit. Der Honig gärt sehr leicht, weshalb seine Geschmacksstoffe sich auch schnell verflüchtigen, allerdings bleiben Spuren immer im Bier zurück. Zusätzlich lässt die Verbindung von Hefe und Honig während des Gärvorgangs neue, blumige, sahnige Aromen entstehen. Die Enville-Brauerei wurde 1993 von einem Bienenzüchter gegründet. Die Bienen fliegen für die Honigproduktion unter anderem Linden, Walnussbäume, Weißdorn und blühende Tannen an, was den ausgeprägten Blütengeschmack des Enville Ale erklärt.

E

# EVERARDS DAREDEVIL

**HERKUNFT** Mittelengland, UK

**TYP** Starkes Ale

**ALKOHOLGEHALT** 7,1 Vol.-%

**IDEALE SERVIERTEMPERATUR** 10–13 °C

Der Name des Biers soll darauf hinweisen, dass es eine Mutprobe ist, ein solch starkes Bier zu trinken. Die Brauerei ist bekannt für die oft martialischen Namen, die sie ihren Bieren gibt. Die Brauereifamilie hat einige Militärangehörige in ihrem Stammbaum zu verzeichnen, der sich bis auf das Jahr 1507 in der Stadt Leicester zurückführen lässt, wo die Familie 1849 ihr erstes Bier braute. Die Biere sind vollmundig im Geschmack. Das Daredevil, ein Winterbier, ist sehr kräftig, von süß-sahnigem Aroma, einem ausgeprägten Körper und Anklängen von Toffee, Marmelade und Pfeffer, mit einem raschen Abgang.

*Die alten Teufel*
*Teufelsbilder und nach Teufeln benannte Biere findet man weltweit sehr häufig, von diesem Daredevil über die belgischen Biere wie Duvel, Lucifer und Satan bis zu französischen Belzebuth.*

# EVERARDS TIGER BEST BITTER

| | |
|---|---|
| HERKUNFT | Mittelengland, UK |
| TYP | Bitter Ale |
| ALKOHOLGEHALT | 4,5 Vol.-% |
| IDEALE SERVIERTEMPERATUR | 10–13 °C |

Dieses Bier wurde einst in der britischen Bierhauptstadt Burton upon Trent hergestellt, kommt aber heute aus der modernen Familienbrauerei Everard bei Leicester. Everards' Tiger heißt so nach einem lokalen Regiment, das lange in Indien stationiert war. Beim klassischen Burton Ale spürt die Nase einen Hauch Schwefel. Der Geschmack ist rund, nussig, ölig und etwas orangeartig, der Abgang trocken.

*Zeit für ein Tiger*
*Das Tiger-Bier, eine in Großbritannien mittlerweile sehr bekannte Marke, wurde erst in den Siebzigerjahren als Tiger auf den Markt gebracht, davor hieß es schlicht Bitter.*

F

# FARSONS LACTO
# TRADITIONAL STOUT

| | |
|---|---|
| **HERKUNFT** | Malta |
| **TYP** | Süßes Stout |
| **ALKOHOLGEHALT** | 3,4 Vol.-% |
| **IDEALE SERVIERTEMPERATUR** | 13 °C |

Wie der Name schon andeutet, enthält dieses Stout Milchzucker und wird tatsächlich als Krafttrunk vermarktet. Dem Bier wird zudem Vitamin B zugesetzt. Es wird auf der Mittelmeerinsel Malta hergestellt, wo es bei stillenden Müttern sehr beliebt ist. Dunkles Malz sorgt für Süße, Kristallmalz für das Eichenaroma. Der Körper ist leicht, sahnig und weich und hat Noten von Ingwer, dunkler Schokolade und Johannisbeere.

*Meer-Stout*
*Neptun, der römische Meeresgott,*
*erhebt sich wie ein Hüne aus einer*
*Girlande von Hopfen und Malz*
*auf dem Etikett von Lacto.*

# FISCHERSTUBE UELI REVERENZ

| | |
|---|---|
| HERKUNFT | Schweiz |
| TYP | Helles Lager |
| ALKOHOLGEHALT | 5,4 Vol.-% |
| IDEALE SERVIERTEMPERATUR | 9 °C |

Eine der ersten der neuartigen Braukneipen in Europa war das 1975 in Basel eröffnete Café Fischer. Der Eigner, ein Arzt, benannte seine Brauerei spaßeshalber nach der Hanswurstfigur Ueli. Unter den Bieren gibt es ein ernsthaft Reverenz genanntes Helles, leicht und malzig in Aroma und Geschmack, mit keksartigen Noten in der Mitte und einem Hauch hopfiger Herbheit im trockenen Abgang.

# FISH TALE MUD SHARK PORTER

| | |
|---|---|
| 🛡 **HERKUNFT** | Nordwesten der USA |
| 🍾 **TYP** | Porter/Stout |
| ⓧ **ALKOHOLGEHALT** | 5,5 Vol.-% |
| 🍺 **IDEALE SERVIERTEMPERATUR** | 10–13 °C |

Küstenflair führt diese Brauerei im Namen, die seit 1993 in Olympia, der Haupstadt des US-Staates Washington, existiert. Brauer Crayne Horton wurde im Sternzeichen Fische geboren und hielt früher selbst welche. Seine Biere sind groß und robust. Mud Shark Porter hat ein pfefferiges Aroma mit Spuren von Sahnepfirsich und reicher, dunkler Schokolade im Geschmack. Der Abgang ist toastig, röstig und trocken.

*Sooo groß …*
*Das Kleingedruckte über der Illustration*
*vermischt Anglerlatein mit Biergenuss.*

# Flatlander's Eighty Shilling Ale

🛡 **Herkunft** Mittlerer Westen der USA

🍴 **Typ** Schottisches Ale

% **Alkoholgehalt** 3,7 Vol.-%

🍺 **Ideale Serviertemperatur** 10–13 °C

Die Leute aus den Prärien des Mittleren Westens der USA nennen sich scherzhaft gerne Flachländler. Diese Hausbrauerei gehört zu einem großen, im Prärie-Stil gehaltenen Restaurant in Lincolnshire (Illinois). Trotz des englisch klingenden Namens braut man dort ein sehr authentisches schottisches Ale: typisch voll in Farbe und Körper, mit trockener, leicht torfiger Malzigkeit.

*Lebensweisheiten …*
*… aus den Prärien liest man auf*
*dem Etikett: »Trink gutes Bier –*
*sei nett – sag die Wahrheit.«*

F

# FRANKENHEIM ALT

| | |
|---|---|
| **HERKUNFT** | Düsseldorf |
| **TYP** | Altbier |
| **ALKOHOLGEHALT** | 4,8 Vol.-% |
| **IDEALE SERVIERTEMPERATUR** | 9 °C |

Dieses leichte, trockene, würzige Altbier kommt von einer bedeutenden Düsseldorfer Privatbrauerei. Seit der Gründung 1870 ist sie im Besitz der Familie Frankenheim. Eine andere im Familienbesitz befindliche Brauerei, Diebels in Issum, produziert das meistverkaufte Alt Deutschlands: ein elegantes, kräftiges, malziges Bier. Privatbrauereien sind auch Rhenania (süßes, etwas stark schmeckendes Altbier) und Gatzweiler (sehr fruchtig).

*Privatstolz*
*»Privatbrauerei« auf deutschen Bier-*
*etiketten bedeutet, dass private Eigen-*
*tümer zum eigenen Ruhm und nicht*
*zum Nutzen von Anteilseignern brauen.*

# FRANZISKANER
# DUNKEL HEFE-WEISSBIER

F

🛡 **HERKUNFT** München, Deutschland

🍾 **TYP** Dunkles Weizenbier

🍺 **ALKOHOLGEHALT** 5,0 Vol.-%

🍺 **IDEALE SERVIERTEMPERATUR** 9–12 °C

Die Franziskanerlinie im Stammbaum der Spaten-Brauerei wird durch eine Reihe leichter, schmackhafter Weizenbiere wie diesem hier vertreten. Auch Spaten-Franziskaner verwendet die sich scheinbar widersprechenden Adjektive »dunkel« und »weiß« im Namen. Das Bier schmeckt nach Karamellmalz und sahnig nach Getreide. Im Abgang ist es würzig und hat einen Hauch von Zimt und Pfeffer.

F

# FREEDOM PILSENER

🛡 **HERKUNFT** London, UK

🍾 **TYP** Pilsner

◎ **ALKOHOLGEHALT** 5,0 Vol.-%

🍺 **IDEALE SERVIERTEMPERATUR** 9 °C

Britische Brauer betrachten Lager oft als billiges Bier für Menschen, denen Werbung wichtiger ist als Geschmack. Eines der wenigen mit einer gewissen Ernsthaftigkeit gebrauten britischen Lager ist das Freedom Pilsener einer Londoner Kleinbrauerei. Das Bier ist unbeständig, schwingt sich aber zu weicher Malzigkeit und später, trockener, blumiger Hopfigkeit auf.

# FREEMINER TRAFALGAR IPA

| | |
|---|---|
| HERKUNFT | Westengland, UK |
| TYP | India Pale Ale |
| ALKOHOLGEHALT | 6,0 Vol.-% |
| IDEALE SERVIERTEMPERATUR | 10–13°C |

F

Die winzige Klein-brauerei Freeminer wurde 1992 in der Nähe einer aufgelassenen Eisenmine in der Nähe von Coleford gegründet. Golding-Hopfen aus dem nahe gelegenen Worcestershire bringen eine blütenartige, zedern-hafte, an Zitronenschalen erinnernde Note in das Bier. Es zeichnet sich durch eine lang anhaltende erdige und anregende Trockenheit aus.

*Großbritannien unter Segeln*
*Das India Pale Ale ist ein mariti-mer Typ. Das Trafalgar weist in seinem Etikett auf die gleich-namige berühmte Seeschlacht hin.*

F

# Fraoch Heather Ale

🛡 **Herkunft** Schottland, UK

🍺 **Typ** Heidekraut-Ale

⊘ **Alkoholgehalt** 5,0 Vol.-%

🥛 **Ideale Serviertemperatur** 13 °C

Das purpurne Heidekraut der Berge Schottlands würzte dort, lange vor dem Hopfen, auch das Bier. Anfang der Neunzigerjahre nahmen die Brauer Bruce und Scott Williams diesen Brauch mit ihrem Fraoch (gälisch für »Heide«) wieder auf. Das Bier ist von sonniger Bernsteinfarbe, hat ein blumiges Bouquet, einen leicht öligen Körper und einen würzigen, nach Apfel und entfernt nach Wein schmeckenden Abgang. Heidekraut wird im Juli geerntet, Fraoch gibt es ab August/September.

*Keramikkelch*
*Das von den Brauern*
*empfohlene Gefäß verbirgt*
*die Farbe des Fraoch.*

# FRÜH KÖLSCH

F

| | |
|---|---|
| 🛡 **HERKUNFT** | Köln, Deutschland |
| 🍶 **TYP** | Kölsch |
| % **ALKOHOLGEHALT** | 4,8 Vol.-% |
| 🍺 **IDEALE SERVIERTEMPERATUR** | 9 °C |

Die um die Jahrhundertwende an der Straße Am Hof (des Erzbischofs) gegenüber dem Dom eröffnete Wirtschaft von P. J. Früh ist die bekannteste Anlaufstelle für Besucher, die Kölsch trinken wollen. Bis in die Achtzigerjahre wurde hier auch gebraut. P. J. Früh ist eine klassische Kölner Kneipe mit der typischen Stehfläche, die scherzhaft »Schwemme« genannt wird. Wenn das Lokal voll ist, mag einem die Schwemme wie ein Schwimmbad vorkommen, doch der Name bezog sich ursprünglich auf einen Ort, an dem Pferde getränkt wurden. Im hinteren Teil des Gastraums stehen gescheuerte Holztische, an denen das Bier mit Käse, Blut- oder Mettwurst genossen wird. Es zeichnet sich durch ein schwaches, erdbeerfruchtiges Aroma aus, einen sahnigen Malzgrundton und elegante, ausgewogene Trockenheit im Hopfen.

# FULL SAIL ENDEAVOUR AMBER ALE

🌿 **HERKUNFT** New South Wales, Australien

🍶 **TYP** Amber/Brown Ale

％ **ALKOHOLGEHALT** 4,9 Vol.-%

🍺 **IDEALE SERVIERTEMPERATUR** 10–13°C

Das Bier ist nach der in Oregon in den USA, gelegenen Kleinbrauerei Full Sail benannt. Bob Wessler arbeitete eine Zeit lang in dieser und einer weiteren Brauerei in Oregon, bevor es ihn zurück nach Australien zog. Dort gründete er zusammen mit seiner Partnerin Jennifer Colosi die Brauerei Sydney Harbour und nannte sein erstes Bier Full Sail. Das robuste Ale ist fest, hat eine Malz-Betonung und ist nach einem Hauch von Süße verhältnismäßig trocken. Außerdem entwickelt es zurückhaltende Orangenaromen mit einem Anklang an Früchten-in-Sahne (ein Hauch von Vanille?) und im Abgang Ingwer- und Bitterschokoladenoten.

# Full Sail Wassail Winter Ale

🛡 **Herkunft** Pazifischer Nordwesten der USA

🍾 **Typ** Old Ale

% **Alkoholgehalt** 6,5 Vol.-%

🍺 **Ideale Serviertemperatur** 10–13 °C

Windsurfer auf dem Columbia River standen Pate für dieses Bier einer jungen Brauerei in Oregon. Die Kleinbrauerei steht an der Mündung des Hood River in den Columbia, die Braukneipe in Portland. Full Sail Wassail Winter Ale ist nicht nur eine triumphale Kombination von Alliteration und Reim, sondern auch ein eindrucksvolles Ale, scharf und gewaltig. Es ist granatrot, von würzigem Aroma und öliger Struktur und hat einen sehr trockenen, saftigen, weinbrandigen Abgang.

# FULLER'S 1845 STRONG ALE

**HERKUNFT** London, UK

**TYP** Starkes Ale

**ALKOHOLGEHALT** 6,3 Vol.-%

**IDEALE SERVIERTEMPERATUR** 13 °C

In einigen Gegenden auf der Welt haben die Biere der Brauerei Fuller einen wahren Kult ausgelöst. Innerhalb Großbritanniens wird der größte Teil dieses Biers jedoch nur lokal verkauft, in der Regel in den rund um die Brauerei gelegenen Stadtteilen in der Nähe des Flughafens London Heathrow. Die Flaschengärung dauert einige Monate und verleiht dem Bier einen runden Geschmack. Es schmeckt nach Sorbet und Orangen, hat einen sanften, likörartigen Körper und leicht schokoladige, toastige Malzaromen sowie einen herben, sehr trockenen Abgang.

*Kurzmeldung*
*Die kurze Meldung in der Ecke des Etiketts weist auf den Preis hin, den das Bier 1998/99 als bestes britisches Flaschengärungsbier erhalten hat.*

# FULLER'S ESB

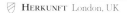

🛡 **HERKUNFT** London, UK

🍶 **TYP** Starkes Bitter

🔳 **ALKOHOLGEHALT** vom Fass: 5,5 Vol.-%, Flaschenbier: 5,9 Vol.-%

🍺 **IDEALE SERVIERTEMPERATUR** 10–13 °C

Dieses berühmte Bier wurde 1969 als Winter Bitter auf den Markt gebracht und 1971, als man es als Ganzjahresbier produzierte, in ESB (Extra Special Bitter) umbenannt. Das Bier ist so bekannt, dass einige Klein-brauereien in den USA ihre Biere mit ESB kennzeichnen um da-mit auf den zugrunde liegenden Braustil auf-merksam zu machen. Der Klassiker hat einen deutlichen Malzakzent und eine robuste Aus-gewogenheit der hopfi-gen Bitterkeit, beides von honigartigen Estern zusammengehalten.

*Der Fuller-Geschmack*
*Das ESB der Brauerei Fuller kennt*
*man vor allem als nicht pasteurisiertes*
*Fassbier. Die Flaschenbiere werden*
*stärker gebraut, da durch die Pasteu-*
*risierung der Flaschenbiere Geschmack*
*und Struktur leiden können.*

# FULLER'S LONDON PRIDE

| | **HERKUNFT** London, UK |
| | **TYP** Bitter Ale |
| | **ALKOHOLGEHALT** Flasche: 4,7 Vol.-%, Fass: 4,1 Vol.-% |
| | **IDEALE SERVIERTEMPERATUR** 10–13 °C |

In manchen Teilen der Welt hat Fuller-Bier Kultstatus. In Großbritannien wird Bier zumeist am Ort der Brauerei verkauft. Fuller braut drei Bitter-Biere. Das schwächste ist das Chiswick Bitter, nach dem Stadtteil der Brauerei benannt und von erfrischend blumigem Hopfencharakter.

Typisch englische Art: geschmackvolles Bier, leicht an Körper und Alkohol, von dem am Abend mehrere Gläser getrunken werden können. Das mittlere Bier ist London Pride, wunderbar kombinierte Geschmacksnoten von leichtem, sanft nussigem Malz, frisch-bitterem Hopfen und leicht honigartiger Hefe: ein befriedigendes, ja tröstliches Bitter.

*Starke Flasche*
*London Pride ist in Flaschen stärker als vom Fass. Es kommt nicht selten vor, dass Fassbier weniger stark ist.*

# GAFFEL KÖLSCH

| | |
|---|---|
| 🛡 **HERKUNFT** | Köln, Deutschland |
| 🍺 **TYP** | *Kölsch* |
| % **ALKOHOLGEHALT** | 4,8 Vol.-% |
| 🍶 **IDEALE SERVIERTEMPERATUR** | 9 °C |

Im Namen Gaffel werden die mittelalterlichen Zünfte gefeiert, die mittelalterlichen Wegbereiter der Demokratie. Die berühmte Brauerei Gaffel kann ihre Geschichte als Braukneipe bis ins Jahr 1302 zurückverfolgen. Seit 1908 ist sie im Besitz der heutigen Betreiberfamilie. Sie befindet sich im Kölner Zentrum, direkt hinter dem Bahnhof. Der Geschäftsführer der Brauerei besitzt ein sehenswertes Museum mit Steinkrügen, Biergläsern und Bierwerbung, das man allerdings nur nach Absprache besichtigen kann. Die Brauerei betreibt in der Altstadt, am Alten Markt, eine nette Kneipe, wo man dieses typische Kölner Bier trinken kann. Es hat eine verhaltene Fruchtigkeit im Aroma, einen leichten, aber trocken-nussigen Geschmack und einen frisch-blumigen, hopfigen Abgang.

# GAMBRINUS BÍLÉ

| | |
|---|---|
| 🛡 **HERKUNFT** Tschechien | |
| 🍾 **TYP** Hefeweizen | |
| % **ALKOHOLGEHALT** 5,1 Vol.-% | |
| 🍺 **IDEALE SERVIERTEMPERATUR** 9–12 °C | |

Der Name Gambrinus ist wahrscheinlich eine sprachliche Verballhornung von Jan Primus, dem ersten Herzog Flanderns und legendären Bierkönig. Tatsache ist, dass Jan Primus in die böhmische Königsfamilie einheiratete und diese Gambrinus-Brauerei in Pilsen in der Tschechei liegt. Sie steht direkt neben der Urquell Brauerei. Wie auch sein Nachbar ist Gambrinus bekannt für sein Bier Pilsner Art. Seit ein paar Jahren braut man hier dieses duftige, nach Pfirsich schmeckende, herbe, leichte Weizenbier.

*Endlich wieder Weizenbier*
*Das Wort »Bílé« auf dem Etikett bedeutet »Weizen«. In der Vergangenheit war Böhmen vor allem für seine Weizenbiere berühmt. Als man in den 1840ern helle Lager-Sorten entwickelte, verschwanden die Weizenbiere aus der Produktion. Mit Gambrinus sind sie wieder auferstanden.*

# GAMBRINUS PILSNER

| | |
|---|---|
| ⬙ **HERKUNFT** | Pilsen, Böhmen, Tschechien |
| ⬙ **TYP** | Pilsner |
| ⬙ **ALKOHOLGEHALT** | 5,0 Vol.-% |
| ⬙ **IDEALE SERVIERTEMPERATUR** | 9 °C |

In Tschechien dürfen nur Brauereien aus der Stadt Pilsen ihre Biere Pilsner nennen. Die originale Brauerei Pilsner Urquell *(siehe S. 366)*, eine mittlerweile stillgelegte Anlage namens World Brew und Gambrinus wurden in enger Nachbarschaft zueinander in einem Tal, das sich aus dem Stadtzentrum heraus einen Berg hinaufzieht, gebaut. In Tschechien wird das hopfige Gambrinus sehr gerne getrunken. Es ist nicht leichter als das Pilsner Urquell, aber im Typ ähnlich. Die aktuellen, in Deutschland als Gambrinus »Helles Export Lager von Pilsen« verkauften Flaschenbiere haben einen leicht sahnigen Geschmack und einen minzig-hopfigen Abgang.

# GAMBRINUS PURKMISTR

**HERKUNFT** Pilsen/Domazlice, Böhmen, Tschechien

**TYP** Dunkles Lager

**ALKOHOLGEHALT** 4,7 Vol.-%

**IDEALE SERVIERTEMPERATUR** 9 °C

Dieses Bier wurde ursprünglich in einer alten Brauerei in Domazlice, südlich von Pilsen, gebraut. Sie wurde im Jahr 1341 gegründet, schloss ihre Tore jedoch 1996 endgültig. Die Produktion des Purkmistr wurde von Gambrinus übernommen. Das Wort »Purkmistr« entspricht dem deutschen »Bürgermeister«. Tschechische Dunkle Lager, wie auch das Purkmistr, haben in der Regel eine sattere Farbe und einen weicheren, volleren Geschmack als die deutschen Pendants. Die tschechischen Biere erinnern vielleicht mehr an die dunklen Versionen, die man früher in Deutschland braute, ähnlich dem Schwarzbier. Auf den Etiketten der Flaschen für den Export nach Deutschland wird das Bier als »Das Echte Schwarz-Bier aus Böhmen« bezeichnet. Das Aroma ist anisartig mit einem Geschmack nach Feigen und Kaffeebohnen, einem leichten, sanften Körper und einer schokoladiger Bitterkeit im Abgang.

# GARDE KÖLSCH

**HERKUNFT** Dormagen, Deutschland

**TYP** Kölsch

**ALKOHOLGEHALT** 4,8 Vol.-%

**IDEALE SERVIERTEMPERATUR** 9 °C

Das erste helle Bier der Region, etwas schwerer als das heutige Kölsch, soll nach 1898 von Garde gebraut worden sein. Das heutige Garde Kölsch ist sehr weich und frisch und hat ein leichtes, sauberes Apfelaroma und einen trockenen Abgang. Es ist ein sehr gutes Beispiel für diesen Typ, dazu eines der im Geschmack volleren Biere. Es wird in Flaschen abgefüllt, in der Kneipe Bei d'r Tant in der Cäcilienstraße aber auch frisch gezapft. Garde Kölsch wird vor allem im Norden der Stadt gern getrunken.

*Wacht am Rhein*
*Die Brauerei Garde, benannt nach der kaiserlichen Garde, residiert am Rand des fest umrissenen Kölsch-Gebietes.*

G

# GEARY'S PALE ALE

| | |
|---|---|
| **HERKUNFT** | Nordosten der USA |
| **TYP** | Pale Ale |
| **ALKOHOLGEHALT** | 4,5 Vol.-% |
| **IDEALE SERVIERTEMPERATUR** | 10–13 °C |

Der Amerikaner David Geary ging in England in die
Lehre, bevor er 1986 in Portland (Maine) eine Brauerei
eröffnete. Dieses klassische Bier schmeckt vollmundig und
energisch. Anfangs sanft und
malzig, kommt danach
harmonische Orangen-
fruchtigkeit auf; der
Abgang ist prickelnd
hopfenherb.

# GILDEN KÖLSCH

🛡 **HERKUNFT** Köln, Deutschland

🍾 **TYP** Kölsch

% **ALKOHOLGEHALT** 4,8 Vol.-%

🍺 **IDEALE SERVIERTEMPERATUR** 9 °C

Sehr blumig im Aroma – ein Kennzeichen für gutes Kölsch. Der Geschmack ist leicht und erinnert etwas an Wein. Es wird von der zur Brau und Brunnen AG gehörenden Bergischen Löwenbrauerei in Mülheim, am anderen Rheinufer jenseits des Zentrums von Köln, gebraut. Sie produziert auch Sion Kölsch, ein malzigeres Bier mit birnenbrandiger Fruchtigkeit und trockenem, hopfigem Abgang. Sion hat eine Altstadtkneipe in der Straße »Unter Taschenmacher«.

*Gilde im Glas*
*Gilden ist nach den Handwerkszünften benannt. Heute wacht der Brauerverband in Köln über das rechte Kölsch.*

# GINDER ALE

| | |
|---|---|
| 🛡 **HERKUNFT** | Flämisch-Brabant, Belgien |
| 🍾 **TYP** | Belgisches Ale |
| % **ALKOHOLGEHALT** | 5,1 Vol.-% |
| 🍶 **IDEALE SERVIERTEMPERATUR** | 10 °C |

Nicht »Ginger«: Der Brauer hieß Van Ginderachter. Er kreierte eine lebhafte, appetitanregende Sorte mit einem leichten Anklang von Apfelbranntwein, der durch eine besondere Hefe entsteht. Ginder Ale kommt aus der Brauereistadt Löwen von Interbrew, wo neben Stella Artois auch das Horse Ale, ein elegantes Bier mit leichtem Anisgeschmack, und das rauchige Vieux Temps gebraut werden.

# GOLDEN HILL EXMOOR GOLD

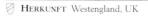

| | |
|---|---|
| ⬡ **HERKUNFT** Westengland, UK | |
| 🍶 **TYP** Helles Ale | |
| % **ALKOHOLGEHALT** 5,0 Vol.-% | |
| 🍾 **IDEALE SERVIERTEMPERATUR** 10 °C | |

Die Brauerei in Wiveliscombe (Somerset) wurde 1980 nach zwanzig Jahren wieder eröffnet. Sechs Jahre später gehörte sie zu den Pionieren des hellen Ales in England. Das Bier wird mit nur einer Sorte Gerste gebraut: Pipkin, gemälzt im benachbarten Newton Abbot. Das Bier schmeckt frisch, fest, sahnig und herb, mit einem Hauch von Dessertäpfeln.

*Ruhm per Etikett*
*Als »Single Malt Beer«*
*brüstet sich das rückwär-*
*tige Etikett.*

# Gordon Biersch Märzen

- **Herkunft** Kalifornien, USA
- **Typ** Märzen-Oktoberfest Lagerbier
- **Alkoholgehalt** 5,8 Vol.-%
- **Ideale Serviertemperatur** 9 °C

Die bierfreundlichste Speisekarte der USA findet sich in der kleinen Kette von Brauereirestaurants in Palo Alto, 1988 von Dan Gordon und Dean Biersch gegründet. Gordon studierte Brauwesen in Weihenstephan. Das bronze-rote Märzen hat einen leich-ten, aber weichen Körper, einen würzigfruchtigen, malzigen Charakter und einen trockenen, dem Whiskey ähnlichen Abgang.

# GORDON HIGHLAND SCOTCH ALE

- **HERKUNFT** Südschottland
- **TYP** Starkes Schottisches Ale
- **ALKOHOLGEHALT** 8,6 Vol.-%
- **IDEALE SERVIERTEMPERATUR** 10–13 °C

Zum Weihnachtsbier von Gordon gibt es dieses ganzjährig erhältliche Gegenstück mit etwas weniger Alkohol, aber großer, frischer, reicher Malzigkeit und toastiger Balance. Beide werden von Courage für den belgischen Markt gebraut. Ein ähnliches Bier, etwas weniger stark (7,3 Vol.-%), aber mit dem Reichtum einer fruchtgefüllten Schokopraline, kam 1998 als McEwan's No. 1 Champion Ale auf den englischen Markt.

# GORDON XMAS

| | |
|---|---|
| 🛡 **HERKUNFT** | Schottland, UK |
| 🍾 **TYP** | Starkes Schottisches Ale |
| % **ALKOHOLGEHALT** | 8,8 Vol.-% |
| 🍺 **IDEALE SERVIERTEMPERATUR** | 13 °C |

Schottland feiert eher Neujahr als Weihnachten, doch als Land des Nordens kennt es auch die reichen, wärmenden Biere, die von britischen Truppen in zwei Weltkriegen auch nach Belgien gebracht wurden. Dieses hier wird in Schottland für den belgischen Markt gebraut. Es ist rubinrot, fast schwarz, und hat eine beachtliche Krone. Seine klare, süße Malzigkeit ist toastig trocken im Abgang. Ein fast identisches Bier wird als »Douglas« für Frankreich gebraut.

# GOSE OHNE BEDENKEN

HERKUNFT Niedersachsen, Deutschland

TYP Gose

ALKOHOLGEHALT 4,8 Vol.-%

IDEALE SERVIERTEMPERATUR 9–10 °C

Von Goslar soll der Name dieses Weizenbiertyps abgeleitet sein. Das Bier wurde kürzlich durch eine Kneipe mit Biergarten namens »Ohne Bedenken« in Leipzig zu neuem Leben erweckt. Gose wird leicht mit Salz gewürzt. Es besitzt eine Koriandernote und schmeckt zitronensäuerlich. Nach alter Tradition reift es in schmalhalsigen Flaschen, wobei die hefige Schaumkrone als Spund dient um die Bildung von Kohlensäure zu fördern. Gose trinkt man zu Camembert, gern mit einem Allasch als Digestif, einer nach Mandel schmeckenden Art Kümmelkorn.

# GOUDEN CAROLUS

**HERKUNFT** Provinz Antwerpen, Belgien

**TYP** Starkes Braunes Ale

**ALKOHOLGEHALT** 7,5 Vol.-%

**IDEALE SERVIERTEMPERATUR** 13 °C

Gouden Carolus ist ein starkes Dunkles Ale (7,5–8,2 Vol.-%) aus dem belgischen Mechelen, benannt nach Kaiser Karl V. Sein Toffee-Orangen-Geschmack passt gut zu Petit Fours und Schokolade. Die Süßigkeiten hier stammen aus der Straßburger Patisserie von Christian Meyer. Die Hopfenblüten aus Marzipan haben ein verwirrend echtes Aroma (das von Hopfenölen stammt). Die Krüglein werden mit Bier gewürzt, die Pralinen mit Malzstaub. Bier jedenfalls scheint den Patisseur zu inspirieren … vielleicht, weil sich sein Geschäft gegenüber von einem bekannten Bierlokal befindet, den Zwölf Aposteln.

# GRANITE BREWERY PECULIAR

🛡 **HERKUNFT** Nova Scotia, Kanada

🍾 **TYP** Old Ale/Starkes Ale

% **ALKOHOLGEHALT** 5,6 Vol.-%

🍺 **IDEALE SERVIERTEMPERATUR** 10–13 °C

Inspiriert von Theakstons Old Peculier, aber in neuzeitlicher Schreibung, ähnelt dieses kanadische Bier zwar dem Original, ist aber etwas heller und leichter im Körper. Es hat eine lebhafte, schaumige Krone, ein frisches, minziges Hopfenaroma und schmeckt sehr nussig, sahnig und karamellig, im Abgang blättrig trocken. Es stammt aus der Braukneipe Granite im bergigen Nova Scotia. Weitere Kleinbrauereien gibt es dort in Halifax.

*Ein fester Fels*
*Die erste Granite-Brewery war in einem Granitfelsen untergebracht. Der Name (»Granite«) bezieht sich jedoch mehr auf den Wunsch der Betreiber ein solides Geschäft aufzubauen.*

G

# GREAT LAKES DORTMUNDER GOLD

| | | |
|---|---|---|
| 🛡 | **HERKUNFT** | Mittlerer Westen der USA |
| 🍺 | **TYP** | Dortmunder Export |
| % | **ALKOHOLGEHALT** | 5,6 Vol.-% |
| 🍺 | **IDEALE SERVIERTEMPERATUR** | 9 °C |

Die hinsichtlich Fülligkeit von Farbe und Körper traditionellsten Biere vom Typ Dortmunder Export gibt es heute in den USA. Dieses hier ist eventuell zu großzügig in Farbe und Malzigkeit, die körnige Trockenheit und die Note frischen Heus dagegen sind vorbildlich. Die Braukneipe Great Lakes residiert in 2516 Market St, Cleveland (Ohio), wo man echte Einschusslöcher aus der Prohibitionszeit findet.

*Reisen bildet*
*Der Great-Lakes-Mitbegründer Patrick Conway, ein Anhänger C. G. Jungs, ließ sich beim Studium in Europa vom deutschen Bier inspirieren.*

# GREAT LAKES THE EDMUND FITZGERALD PORTER

🛡 **HERKUNFT** Mittlerer Westen der USA

🍾 **TYP** Starkes Porter

🍷 **ALKOHOLGEHALT** 6,25 Vol.-%

🍺 **IDEALE SERVIERTEMPERATUR** 9 °C

Während der Sanierungsarbeiten in der Great Lakes Brewery und der zugehörigen Kneipe wurde eine alte Werbung freigelegt: »Kennett Ales und Porter aus dem Fass, das ideale Bier für den Haushalt und zu medizinischen Zwecken«. Die heutige Kneipe stellt keine solchen Behauptungen auf, allerdings wird dort ein Schokoladenkuchen serviert, der unter anderem auch dieses große, reichhaltige Bier enthält. Das Bier ist sanft, sahnig, leicht und toastig und hat eine kaffeeartige Trockenheit. Trotz seiner Stärke ist es ausgewogen und lässt sich gut trinken. Sein Name erinnert an ein Schiff, das auf dem Großen See versank, das »Wrack von Edmund Fitzgerald«.

# GREAT LAKES THE ELIOT NESS

G

> 🛡 **HERKUNFT** Mittlerer Westen der USA
>
> 🍾 **TYP** Lagerbier Wiener Art
>
> ⊘ **ALKOHOLGEHALT** 5,6 Vol.-%
>
> 🌡 **IDEALE SERVIERTEMPERATUR** 9 °C

Das Great-Lakes-Braupub – stolz auf die Einschus-slöcher aus den Tagen von Eliot Ness – nannte nach ihm ihr Lagerbier der Wiener Art. Es ist reich, sahnig und malzig in Aroma und Geschmack; die späte Balance von Eichengeschmack und Säuerlichkeit erinnert an Whiskey – großartig zur Pizza à la Chicago oder Focaccia.

# GREENE KING ABBOT ALE

🛡 **HERKUNFT** Ostengland, UK

🍾 **TYP** Pale Ale

🌢 **ALKOHOLGEHALT** 5,0 Vol.-%

🍺 **IDEALE SERVIERTEMPERATUR** 10–13 °C

Die Brauerei befindet sich in dem Örtchen Bury St Edmund in Suffolk. Der Ort ist nach König Edmund von Anglia benannt, der von den Wikingern ermordet wurde. Dort, wo er begraben wurde, entstand später ein mächtiges Kloster. Die Brauerfamilie Greene, zu der auch der Schriftsteller Graham Greene gehört, taucht kurz nach 1799 das erste Mal namentlich auf. Das Abbot Ale hat ein hopfiges Aroma, einen festen, trockenen Geschmack mit leicht würzigen, duftigen Hopfenelementen und einen langen, trockenen, anregenden Abgang.

*Aristokratisches Ale*
*Ein Künstler entwarf das Bild des alten Bischofs für das 1955 auf den Markt gebrachte Bier. Als Vorlage diente ihm ein altes Bild von Herbert Henry Asquith, dem First Earl of Oxford, der jedoch weder etwas mit Bier noch mit Klöstern zu tun hatte.*

# GREENE KING STRONG SUFFOLK

| | |
|---|---|
| 🏷 **HERKUNFT** | Ostengland, UK |
| 🍾 **TYP** | Old Ale |
| % **ALKOHOLGEHALT** | 6,0 Vol.-% |
| 🍺 **IDEALE SERVIERTEMPERATUR** | 10–13 °C |

Als letzte englische Brauerei lagert Greene King Bier in Holzfässern und verschneidet altes mit neuem Bier. Hauptbestandteil dieses Biers ist ein starkes Ale, das ein bis fünf Jahre in Holzfässern lagert. Es ist weniger säuerlich als das von jenseits der Nordsee, schmeckt nach Eisen, ist saftig und hat einen Wein- und Pfeffergeschmack.

*Königlicher Einfluss*
*Als Heinrich VIII. im 16. Jahrhunde die Klöster »auflöste«, versteckten sic die Mönche in Tunnels. Möglicherweise führte das zu den Kellern, in denen das Bier heute reift.*

# GROLSCH BAZUIN

🛡 **HERKUNFT** Östliche Niederlande

🍶 **TYP** Gewürztes Ale

% **ALKOHOLGEHALT** 6,5 Vol.-%

🌡 **IDEALE SERVIERTEMPERATUR** 9 °C

Die Brauerei Grolsch, die ihre Bierflaschen mit den besonderen Schnappverschlüssen versieht, liegt in Grolle in den Niederlanden. Die Geschichte der Brauerei lässt sich bis ins Jahr 1676 zurückverfolgen. Zu ihren berühmtesten Produkten gehören ein leicht hopfiges, im Pilsner-Stil gebrautes Bier und eine Reihe von Spezialitäten. Das Wort »Bazuin« bezieht sich auf den Bassklang einer Trompete. Es soll an die traditionellen Biere der Brauerei erinnern. Das Bazuin ist mit Kardamom, Zimt, Nelken, Ingwer, Süßholz, Muskatblüte, Muskatnuss und Piment gewürzt. Es schmeckt toffeeartig, hat einen deutlichen Süßholzgeschmack und entwickelt dann eine zitronenartige Säure. Der Abgang ist warm, trocken, bitter und würzig.

# GROLSCH WINTERVORST

G

| | |
|---|---|
| **HERKUNFT** | Osten der Niederlande |
| **TYP** | Gewürztes Ale |
| **ALKOHOLGEHALT** | 7,5 Vol.-% |
| **IDEALE SERVIERTEMPERATUR** | 10 °C |

»Winterfrost« ist das unverwechselbare und geschmackvolle starke Ale der »Vier-Jahreszeiten«-Reihe dieser holländischen Brauerei. Es ist mit Klee, Honig und Orangenschalen gewürzt, hat eine große, feste, dauerhafte Krone und ein aromatisches Malzbouquet und schmeckt reich, süß, anregend und nach Lakritz. Der Körper ist weich und wohltuend, der Abgang sanft und blumig.

*Vorst beider Welten*
*»Frost« und »Fürst« klingen auf*
*Deutsch sehr ähnlich. Der winterliche König auf dem Etikett könnte*
*dieses Wortspiel bestätigen.*

# GROZET GOOSEBERRY & WHEAT ALE

- ⬡ **HERKUNFT** Schottland, UK
- 🍶 **TYP** Gooseberry Ale
- ⊚ **ALKOHOLGEHALT** 5,0 Vol.-%
- 🍺 **IDEALE SERVIERTEMPERATUR** 13 °C

D er Name enthält das schottische und englische Wort
für Stachelbeere. Literarische Hinweise inspirierten
die Brauer-Brüder Williams zur Wiedererweckung dieses
Typs. Das Bier ist mit Gagel
und Mädesüß gewürzt. Es
ist duftig und spritzig, hat
einen würzigen Hauch
von Stachelbeerschalen
und wird ab September
ausgeschenkt.

*Ehrliche Haut*
*Trinkgefäße aus Leder wie*
*dieses waren einst sehr*
*gebräuchlich.*

# GUERNSEY MILK STOUT

| | |
|---|---|
| 🛡 **HERKUNFT** Guernsey | |
| 🍺 **TYP** Süßes Stout | |
| **ALKOHOLGEHALT** 3,3 Vol.-% | |
| **IDEALE SERVIERTEMPERATUR** 13 °C | |

Milch-Stout« war nach dem Zweiten Weltkrieg ein beliebter umgangssprachlicher Ausdruck. Die britischen Behörden hielten diese Bezeichnung schließlich für irreführend, aber auf den Kanalinseln hat dies keine Geltung. Kein Wunder also, dass es dort noch immer ein Milch-Stout gibt. Enttäuschend ist, dass dieses Bier keinen Milchzucker enthält. Es schmeckt dennoch lecker sahnig, im Abgang trocken und zäh nach Lakritztoffee.

**Polo-Pint**
*Das Markenzeichen ist ein Polopferd – ein früherer Besitzer war Poloenthusiast.*

# GUEUZE GIRARDIN

G

🛡 **HERKUNFT** Flämisch-Brabant, Belgien

🍾 **TYP** Gueuze-Lambic

% **ALKOHOLGEHALT** 5,0 Vol.-%

🍺 **IDEALE SERVIERTEMPERATUR** 13 °C

K ommt aus einer adeligen Gutsbrauerei, die jetzt von der Familie Girardin geführt wird. Die Brauerei in St.-Ulriks-Kapelle in der traditionellen Gueuze-Region baut eigenen Weizen an und besitzt noch immer eine Steinmühle für das Getreide. Gueuze Giradin ist elegant, schlank und komplex, duftig und trocken; es entwickeln sich Noten von Zedern, Heu und Honig.

*Hervorragender Jahrgang*
*Die Brauerei wurde 1845 gegründet und ist seit 1882 im Besitz der derzeitigen Betreiberfamilie. Drei Jahre Flaschenreifung machen aus dem Bier einen Klassiker.*

# GUINNESS EXTRA STOUT

| | | |
|---|---|---|
| 🛡 | **HERKUNFT** | Irland |
| 🍾 | **TYP** | Trockenes Stout |
| % | **ALKOHOLGEHALT** | 4,2 Vol.-% |
| 🍺 | **IDEALE SERVIERTEMPERATUR** | 10–13 °C |

1770 begann man in der ursprünglich auf Ale speziali-
sierten Brauerei Stout zu brauen. In Irland und Großbritannien ist die Brauerei Guiness auch mehr wegen
ihrer Stouts als wegen des Guinness-Biers bekannt. Die
Flaschenvariante des Extra Stout betont die eichene
Trockenheit, die für Guiness
typisch ist, wohl am besten.
Neben vielen weiteren
weltweit verbreiteten Stout-
Varianten weltweit muss
man hier auch das in Dub-
lin gebraute Foreign Extra
Stout mit seinen 7,5 Vol.-%
Alkoholgehalt nennen. Es
ist leicht gesäuert, was das
Bier davor bewahrt, bei all
seiner Reichhaltigkeit zu
überladen zu wirken.

# GULPENER DORT

🛡 **HERKUNFT** Provinz Limburg, Niederlande

🍾 **TYP** Starkes holländisches Dortmunder Export

％ **ALKOHOLGEHALT** 6,5 Vol.-%

🍺 **IDEALE SERVIERTEMPERATUR** 9 °C

Gulpen liegt südlich von Maastricht in den Niederlanden an der Grenze zu Belgien und Deutschland. Die Gulpener Brauerei braut dieses Dort, eine kürzere, dunklere und stärkere Variante des Typs. Seine süßliche Malzigkeit wird durch den gränen Hopfenabgang aufgewogen. In der Nähe brauen Leeuw ein etwas trockeneres Dortmunder, Alfa ein sahniges, noch stärkeres Super Dortmunder und De Ridder das ausgewogene Maltezer.

# GULPENER KORENWOLF

| | | |
|---|---|---|
| 🛡 | **HERKUNFT** | Limburg, Niederlande |
| | **TYP** | Belgisches Weizenbier |
| 🍷 | **ALKOHOLGEHALT** | 5,0 Vol.-% |
| 🍺 | **IDEALE SERVIERTEMPERATUR** | 9–10 °C |

Ein »Kornwolf« ist ein Hamster, ein Tier, das im Sommer Korn sammelt und es für den Winter lagert. Die Holländer, die ja in einem kleinen, leicht angreifbaren Land leben, mögen alles Kleine, Fleißige und Umsichtige. Korenwolf ist ein Weizenbier belgischer Art mit einem erdigen Geschmack und einem starken, fruchtigen Eindruck. Es ist auch stark im Geschmack: erfrischend, sättigend und appetitanregend. Das Bier wird von der angesehenen Gulpener Brauerei in der Nähe von Maastricht hergestellt.

# HACKER-PSCHORR MÜNCHNER DUNKEL

**HERKUNFT** München, Deutschland

**TYP** Dunkles Münchner Lagerbier

**ALKOHOLGEHALT** 5,2 Vol.-%

**IDEALE SERVIERTEMPERATUR** 9 °C

Der Komponist Richard Strauss war der Sohn von Josephine Pschorr und widmete seinen berühmten »Rosenkavalier« der Brauerfamilie, die ihn finanzierte. Hacker-Pschorrs Münchner Dunkel hat ein sahniges Aroma mit Untertönen von Zimt und einen leichten, sirupähnlichen Körper. Versuchen Sie es zu Weißwurst!

*Holzhacker-Bier*
*Hacker-Pschorr hat eine eigene*
*Produktlinie, obwohl es lange zur*
*Brauerei Paulaner gehörte und*
*inzwischen nicht einmal mehr eine*
*eigene Brauerei betreibt.*

# HAECHT WITBIER

⬚ **HERKUNFT** Flämisch-Brabant, BelgienWW

🍾 **TYP** Belgisches Weizenbier

（%） **ALKOHOLGEHALT** 4,8 Vol.-%

🍺 **IDEALE SERVIERTEMPERATUR** 9–10 °C

So schrieb man einst Haecht, das zwischen Brüssel, Leuven und Mechelen liegt. Dieses Unternehmen begann in den 80ern als Molkerei und eröffnete später die Brauerei. Das wunderbar restaurierte Brauhaus stammt aus den 30ern. Haecht ist bekannt für ein an Pilsner ange-lehntes Bier. Gebraut wird auch diese trockene, körnige Weiße, die in Aroma und Geschmack eher den Weizen als Frucht und Gewürze betont.

# HAIR OF THE DOG ADAM

| | |
|---|---|
| 🛡 **HERKUNFT** | Nordwesten der USA |
| 🍶 **TYP** | Adam-Bier |
| % **ALKOHOLGEHALT** | 10,0 Vol.-% |
| 🌡 **IDEALE SERVIERTEMPERATUR** | 10–14 °C |

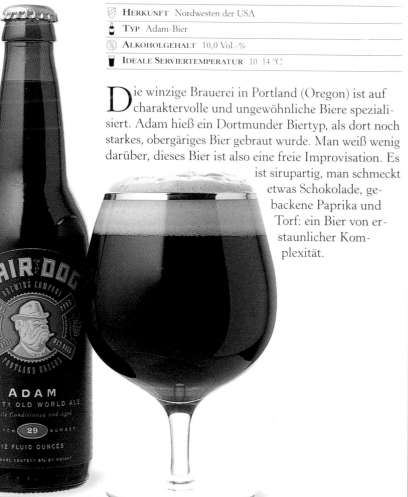

Die winzige Brauerei in Portland (Oregon) ist auf charaktervolle und ungewöhnliche Biere spezialisiert. Adam hieß ein Dortmunder Biertyp, als dort noch starkes, obergäriges Bier gebraut wurde. Man weiß wenig darüber, dieses Bier ist also eine freie Improvisation. Es ist sirupartig, man schmeckt etwas Schokolade, gebackene Paprika und Torf: ein Bier von erstaunlicher Komplexität.

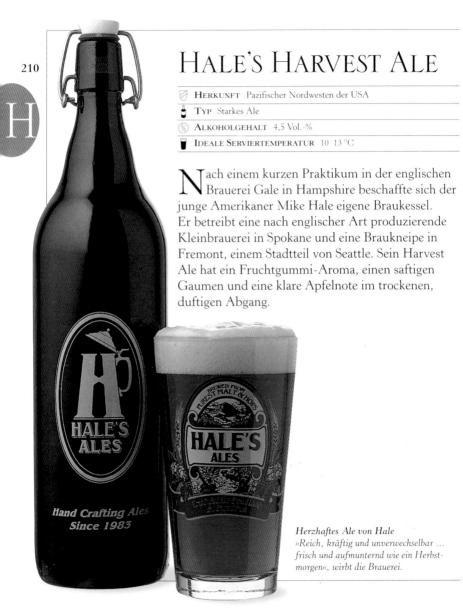

# HALE'S HARVEST ALE

- ⌖ **HERKUNFT** Pazifischer Nordwesten der USA
- 🍷 **TYP** Starkes Ale
- ⏣ **ALKOHOLGEHALT** 4,5 Vol.-%
- 🍺 **IDEALE SERVIERTEMPERATUR** 10–13 °C

Nach einem kurzen Praktikum in der englischen Brauerei Gale in Hampshire beschaffte sich der junge Amerikaner Mike Hale eigene Braukessel. Er betreibt eine nach englischer Art produzierende Kleinbrauerei in Spokane und eine Braukneipe in Fremont, einem Stadtteil von Seattle. Sein Harvest Ale hat ein Fruchtgummi-Aroma, einen saftigen Gaumen und eine klare Apfelnote im trockenen, duftigen Abgang.

**HALE'S ALES**

**Hand Crafting Ales Since 1983**

*Herzhaftes Ale von Hale*
*»Reich, kräftig und unverwechselbar …*
*frisch und aufmunternd wie ein Herbst-*
*morgen«, wirbt die Brauerei.*

# HALE'S SPECIAL BITTER

211

- **HERKUNFT** Pazifischer Nordwesten der USA
- **TYP** Englisches Bitter
- **ALKOHOLGEHALT** 4,7 Vol.-%
- **IDEALE SERVIERTEMPERATUR** 10–13 °C

Mike Hale braut in seinen Kleinbrauereien in Seattle und Spokane (Washington) außer beachtlichen saisonalen Bieren auch eine solide Palette von Standardbieren. Hale's Special Bitter hat ein große, feste Krone und ist von dunkler, rötlicher Bernsteinfarbe. Es ist voller Geschmack: malzig und rund, mit fruchtigen Noten von kandierter Kirsche und Orangeat. Der Abgang ist spritzig trocken. Hale ließ und lässt sich von der Brauerei Gale im englischen Horndean inspirieren.

*Hale's oder Gale's?*
*Steht das H des stilisierten Kruges (und in HSB) für Hale's oder Horndean?*

# HALLERTAU AUER PILS

| | |
|---|---|
| **HERKUNFT** | Oberbayern, Deutschland |
| **TYP** | Pilsner |
| **ALKOHOLGEHALT** | 4,9 Vol.-% |
| **IDEALE SERVIERTEMPERATUR** | 9 °C |

Deutschlands bekanntestes Hopfenanbaugebiet ist die Hallertau nördlich von München. Im Zentrum der Region, im Dörfchen Au, gibt es seit 1590 eine Schlossbrauerei. Heute braut man dort ein lebendiges, spritziges Pils mit frischem Aroma, sämigem Malzcharakter und harmonischen Geschmacksnuancen von trockenem Hopfen: ein Klassiker aus dem Hopfenland.

*Weniger majestätisch?*
*Dies ist das klassische Etikett. Die jüngeren Biertrinker werden jedoch mit einem anderen Label, dem Becco, geködert.*

# HANSA URBOCK

🛡 **HERKUNFT** Namibia

🍾 **TYP** Maibock

％ **ALKOHOLGEHALT** 6,0 Vol.-%

🌡 **IDEALE SERVIERTEMPERATUR** 9 °C

Der Name der Brauerei erinnert an die alte Händlergilde, die Hanse. Dieser traditionelle Maibock wird in Namibia hergestellt, dem früheren Deutsch-Südwestafrika. Es ist sicher die entlegenste Variante dieses Typs. Hansa Urbock wird nach dem deutschen Reinheitsgebot gebraut und hat eine helle gelbbraune Farbe, ein süßes Sahnearoma, einen sanften Körper und einen weinbrandigen Abgang.

# HARVEYS 1859 PORTER

| | | |
|---|---|---|
| ⬗ | **HERKUNFT** | Südostengland, UK |
| 🍾 | **TYP** | Porter/Stout |
| ⬡ | **ALKOHOLGEHALT** | 4,8 Vol.-% |
| 🍺 | **IDEALE SERVIERTEMPERATUR** | 10–13 °C |

Die Traditionsbrauerei in der Hafenstadt Lewes (East Sussex). Die Firma existiert seit dem 18., die Brauerei seit dem 19. Jahrhundert. Seit 1993 wird dieses Porter nach Rezepten von 1859 mit traditionellem braunem Malz wieder gebraut. Im Aroma finden sich Hopfen und Zeder, im Geschmack »medizinische« Bitterschokoladenoten und im Abgang eine kräftige, röstige Trockenheit.

*Beste Flaschenbiere*
*Harveys Porter wird gelegentlich*
*in Flaschen abgefüllt. Es ist dann*
*zwar weniger stabil, entwickelt*
*aber eine großartige Komplexität.*

# HARVEYS TOM PAINE
# STRONG PALE ALE

| | |
|---|---|
| 🛡 **HERKUNFT** | Südengland, UK |
| 🍾 **TYP** | Pale Ale |
| 🍾 **ALKOHOLGEHALT** | 5,5, Vol.-% |
| 🌡 **IDEALE SERVIERTEMPERATUR** | 10 13 °C |

Der amerikanische Publizist und Politiker Thomas Paine hatte mit seinen Flugblättern großen Einfluss auf die amerikanische Unabhängigkeitsbewegung. Er lebte auch einige Zeit im englischen Lewes, der Heimat der Brauerei Harvey. In den Neunzigerjahren des 20. Jahrhunderts brachte die Brauerei für einen Debattierklub der örtlichen Kneipe das Tom Paine Strong Porter heraus. Das Bier wird jährlich zum amerikanischen Unabhängigkeitstag in Fässern auf den Markt gebracht. Es besitzt einen vollen Geschmack, hat die sanfte Würzigkeit des Sussexer Hopfens und ein deutliches Aroma von frischen Orangenschalen. Eine besondere Würze verleiht zusätzlich die hauseigene Hefe.

H

# HB Mai-Bock

| | |
|---|---|
| ⌀ **HERKUNFT** | München, Deutschland |
| 🍶 **TYP** | Maibock |
| % **ALKOHOLGEHALT** | 7,2 Vol.-% |
| 🍺 **IDEALE SERVIERTEMPERATUR** | 9 °C |

Die Initialen stehen für das Hofbräuhaus. Der berühmteste Bierausschank der Welt steht am Platzl mitten in München, die Brauerei ist am Stadtrand angesiedelt. Beide sind im Besitz des Freistaates Bayern. Auf dem Etikett behauptet das Bier Münchens ältestes Bockbier zu sein. Zumindest für den Maibock stimmt das nicht ganz. Wie auch immer, es ist ein gutes Bier mit intensivem Malzaroma, nussigem Geschmack und einem warmen, pfefferigen Abgang.

*Verborgene Qualität*
*Hinter dem Steinkrug*
*verbirgt das Bier seine*
*tiefrote Farbe.*

# HB OKTOBERFESTBIER

| | |
|---|---|
| 🛡 **HERKUNFT** | München, Deutschland |
| 🍶 **TYP** | Märzen |
| % **ALKOHOLGEHALT** | 5,7 Vol.-% |
| 🍺 **IDEALE SERVIERTEMPERATUR** | 9 °C |

A uch für das Hofbräuhaus spielt das Hochzeitsfest des Kronprinzen eine besondere Rolle. Das Bieretikett zeigt Pferde und Bierwagen des Umzuges zur Theresienwiese. Das Oktoberfestbier hat eine Krone mit alpinen Ausmaßen und eine cremig-malzige Würzigkeit, die an Lakritze oder Anissamen erinnert.

*Danke für die Blume*
*Vollmalz-Biere zeichnen*
*sich durch festen Schaum,*
*eine »schöne Blume«, aus.*

# HB Schwarze Weisse

🛡 **Herkunft** München, Deutschland

🍺 **Typ** Dunkles Weizenbier

% **Alkoholgehalt** 5,1 Vol.-%

🍺 **Ideale Serviertemperatur** 9–12 °C

Die königliche Familie Bayerns besaß zwischen dem 16. und dem frühen 18. Jahrhundert das Braumonopol für Weizenbier. Das Münchner Hofbräuhaus war einst auf diesen Biertyp spezialisiert. Zunehmendes Interesse an Weizenbieren in den späten 70er-Jahren half diesem Bier auf den Markt. Es ist sehr lebhaft und hat einen würzigen, lakritzartigen festen Malzgeschmack mit süßem Karamell in der Mitte und einem getreidigen, etwas gerbsauren Abgang.

*Schwarz ist schön …*
*Es gab immer dunkle Versionen dieses Biers. Aber erst heute braut man, aufgrund der großen Nachfrage, ein echtes Schwarzes.*

# HEINEKEN KYLIAN

| ⬚ **HERKUNFT** | Niederlande/Frankreich |
|---|---|
| 🍾 **TYP** | Irisches Rotes Ale |
| ⅋ **ALKOHOLGEHALT** | 6,5 Vol.-% |
| 🍺 **IDEALE SERVIERTEMPERATUR** | 10 °C |

Die Abstammung dieses Biers ist vertrackt, eine Rolle spielt unter anderem George Killian Lett's Ruby Ale und dessen Pelforth (unten). Es ist zunächst karg und von fester, klarer Malzigkeit und entwickelt dann zurückhaltende Fruchtigkeit und nussige Süße. Sehr süffig, passt prima zu Erbsensuppe mit Schinken.

H

# HEINEKEN OUD BRUIN

| | |
|---|---|
| HERKUNFT | Nordbrabant, Niederlande |
| TYP | Altes Braunes Lagerbier |
| ALKOHOLGEHALT | 2,5 Vol.-% |
| IDEALE SERVIERTEMPERATUR | 8–9 °C |

Die Ursprünge des Biermultis reichen bis ins Jahr 1592 zurück, zu einer Brauerei im Herzen Amsterdams, wo heute ein bekanntes Steakrestaurant steht. Die ersten Heinekens kamen 1863 mit dem Brauen in Berührung, damals wurden weiße Biere, Faro (ein gesüßtes Bier, das in etwa dem Gueuze entspricht), Oud Bruin, Ale und Porter hergestellt. Dunkelbraune Biere werden seit 1869 gebraut, die heutige Hefekultur wurde 1886 eingeführt. Das Oud Bruin hat ein Kaffeearoma, schmeckt leicht lakritzartig und hat den typischen süßen Abgang.

*Geheimwaffe*
*Die aktuelle Heineken-Typographie wurde so entwickelt, dass der Buchstabe »E« unterschwellig an ein Lächeln erinnert.*

# HEINEKEN TARWEBOK

| | |
|---|---|
| 🛡 **HERKUNFT** | Nordbrabant, Niederlande |
| **TYP** | Weizenbock |
| **ALKOHOLGEHALT** | 6,5 Vol.-% |
| **IDEALE SERVIERTEMPERATUR** | 9–10 °C |

Eines der besten, geschmackvollsten und vielfältigsten Heineken-Biere ist dieser Weizenbock. Nicht weniger als vier Gerstenmalzsorten werden verwendet, außerdem 17 Prozent Weizenmalz. Das Ergebnis ist ein seidenweiches Bier mit einem Hauch Sahne, Kaffee, Schokolade, Pflaumen und Rum. Es kommt ohne die Rauchigkeit und den Fruchtgeschmack des typisch deutschen Weizenbocks aus.

*New Amsterdam*
*Das Bier wurde in einer witzigen Werbeaktion in New York teilweise in holländischer Sprache beworben.*

H

# HELLERS WIESS

**HERKUNFT** Köln, Deutschland

**TYP** Kölsch

**ALKOHOLGEHALT** 4,8 Vol.-%

**IDEALE SERVIERTEMPERATUR** 9 °C

Diese erst in den Achtzigerjahren in einer ehemaligen Kräuterbitter-Destille gegründete Brauereikneipe ist in der Kölner Brauereilandschaft eine Art Außenseiter. Hubert Heller stellt ein Bier namens Ur-Wiess her, die Bezeichnung erinnert an ein »Wiesenbier«, wie es bei Volksfesten ausgeschenkt wird, doch ist in diesem Fall unfiltriertes Bier gemeint. Filtriert wird dieses aromatische, fruchtige, hopfenbittere Bier auch als Kölsch serviert, wobei das Malz dann deutlicher hervortritt und den Hopfengeschmack etwas dämpft. Kölsch ist immer filtriert.

*Wo sich Aromen verbinden*
*Manche Brauer versehen ihre Etiketten mit Abbildungen von Gerste und Hopfen; hier werden die Braukessel gezeigt, in denen sich die Zutaten miteinander verbinden.*

# HERRENHÄUSER PREMIUM PILSENER

| | |
|---|---|
| 🛡 **HERKUNFT** | Niedersachsen, Deutschland |
| 🍾 **TYP** | Pilsner |
| 🍺 **ALKOHOLGEHALT** | 4,9 Vol.-% |
| 🍺 **IDEALE SERVIERTEMPERATUR** | 9 °C |

Die Stadt Hannover und ihre Umgebung werden in der Regel eher mit harten Getränken wie Korn, Schnaps und Steinhäger als mit Bier in Verbindung gebracht. Manchmal serviert man dort auch ein Glas Bier mit einem Klaren, eine so genannte »lüttje Lage«. Bei den Bieren handelt es sich oft um leichte, saubere, sehr trockene Pilsener. Die Hannoveraner Gilde Brauerei braut einige recht blumige Varianten. Von ihrem Konkurrenten, der kleineren Herrenhäuser Brauerei stammt dieses etwas robustere Premium Pilsener mit seinem leichten, grasartigen Aroma, dem sahnigen, malzigen Körper und der frischhopfigen, anregenden Trockenheit.

# HERRENHÄUSER WEIZEN BIER

| | |
|---|---|
| HERKUNFT | Hannover, Deutschland |
| TYP | Hefeweizen |
| ALKOHOLGEHALT | 5,5 Vol.-% |
| IDEALE SERVIERTEMPERATUR | 9–12 °C |

Diese 1868 gegründete Hannoveraner Brauerei ist bekannt für ihr Pils, von dem es auch eine koschere Variante gibt. In Niedersachsen hat man in der Vergangenheit vielleicht ein eher säuerliches, von der Art her nördliches Weizenbier produziert, dieses jüngere Beispiel aber hat mehr vom südlichen Stil. Es besitzt ein süßliches, würziges Aroma, einen weichen, leicht sirupartigen Geschmack und einen etwas herben Abgang.

# HERRNBRÄU
# HEFE-WEISSBIER DUNKEL

H

| | | |
|---|---|---|
| 🛡 | **HERKUNFT** | Oberbayern, Deutschland |
| 🍶 | **TYP** | Dunkles Weizenbier |
| % | **ALKOHOLGEHALT** | 5,3 Vol.-% |
| 🍺 | **IDEALE SERVIERTEMPERATUR** | 9–12 °C |

Das deutsche Reinheitsgebot wurde zum ersten Mal 1516 von Herzog Wilhelm IV. in Ingolstadt verkündet, der Heimat von Herrnbräu. Zu manchen Zeiten war es strafbar, wenn ein Brauer sein Brausoll nicht erfüllte. Trotzdem wurde eine Bierstraße gebaut, die den Nachschub aus dem nahen Kelheim sicherstellte. Das dunkle Weizen hat eine nussige Süße und ist schokoladig und von blumiger, »veilchenhafter« Trockenheit.

*Ein Meisterwerk …*
*… der alten bayerischen Braukunst,*
*behauptet der Slogan auf dem Etikett.*

# HERTOG JAN GRAND PRESTIGE

| | |
|---|---|
| **HERKUNFT** | Limburg, Niederlande |
| **TYP** | Barley Wine |
| **ALKOHOLGEHALT** | 10,0 Vol.-% |
| **IDEALE SERVIERTEMPERATUR** | 13 °C |

Herzog Jan regierte einst Flandern und Brabant. Das nach ihm benannte holländische Ale ist vom Typ her ein Barley Wine. Die Brauerei Arcen wurde in den 80er-Jahren im holländischen Limburg wieder in Betrieb genommen. Das Bier hat eine feste Krone, die Farbe von Granat, ein würziges Malzaroma und ist von überraschend leichter und weicher Substanz. Der Abgang ist süßlich und hat eine Portweinnote.

# HIGHGATE & WALSALL OLD ALE

| | |
|---|---|
| **HERKUNFT** | Mittelengland, UK |
| **TYP** | Old Ale |
| **ALKOHOLGEHALT** | 5,1 Vol.-% |
| **IDEALE SERVIERTEMPERATUR** | 10–13 °C |

Die einhundert Jahre alte Brauerei in den West Midlands gilt als berühmteste Mild-Ale-Spezialbrauerei; sie gehörte lange Zeit zu Bass, ist jetzt aber wieder selbstständig. Das sanft gehopfte, malzbetonte Bier ist ein klassischer Winterwärmer, der im November/Dezember gebraut wird. Es hat einen Hauch von Passionsfrucht im Bouquet sowie einen Hauch von Eisen, Eiche und dunklem Toast. Der Abgang ist karamellig und angenehm.

*Welches Highgate?*
*Dieses hier hat nichts mit dem berühmten Londoner Stadtteil Highgate zu tun, sondern befindet sich in dem Städtchen Walsall.*

# HOEGAARDEN SPECIALE

| | | |
|---|---|---|
| 🛡 | **HERKUNFT** | Flämisch-Brabant, Belgien |
| 🍶 | **TYP** | Belgisches Weizenbier |
| % | **ALKOHOLGEHALT** | 5,0 Vol.-% |
| 🍺 | **IDEALE SERVIERTEMPERATUR** | 9–10 °C |

Die Kleinstadt Hoegaarden östlich von Brüssel und im Herzen des Weizenanbaugebiets beherbergte einst mehr als 30 Weizenbier-Brauereien. Die letzte schloss in den 50ern, als die Biere durch Lagerbier verdrängt wurden. Bierliebhaber Pierre Celis hauchte dieser Brautradition in den 60ern wieder neues Leben ein. In den 80ern wurde seine Brauerei von Interbrew aufgekauft. Das Hoegaarden hat ein würziges und duftiges Aroma mit Honiggeschmack im Hintergrund und einen fruchtigen Abgang. Das neuere Hoegaarden Speciale, für den Winter gedacht, ist etwas fester und nussiger.

# HOEGAARDEN WITBIER

| | |
|---|---|
| HERKUNFT | Flämisch-Brabant, Belgien |
| TYP | Belgisches Weizenbier |
| ALKOHOLGEHALT | 5,0 Vol.-% |
| IDEALE SERVIERTEMPERATUR | 9 10 °C |

Die Stadt Hoegaarden befindet sich inmitten eines Weizenanbaugebiets. Hier hatte es einmal über 30 Brauereien
gegeben, die letzte schloss ihre Pforten in den 50er-Jahren
des 20. Jahrhunderts. In den 60ern wurde die Tradition
jedoch durch den Wei-
zenbierliebhaber
Pierre Celis wieder-
belebt. Seine Lehr-
zeit bei einem der
letzten Weizenbier-
brauer kommt nun
seinem eigenen hefe-
trüben Gebräu zu-
gute, das er mit Kori-
anderkörnern und den
Schalen der Curaçao-
Orange würzt. Es ist
duftig und würzig im
Aroma und mit einem
fruchtigen Geschmack
von Honig unterlegt.

*Warum »weiß«?*
*Mit »weiß/wit« werden u. a.*
*in Deutschland und Belgien*
*Weizenbiere bezeichnet.*

# HOEPFNER BLUE STAR

| | |
|---|---|
| **HERKUNFT** | Karlsruhe, Deutschland |
| **TYP** | Gerauchtes Altbier |
| **ALKOHOLGEHALT** | 5,5 Vol.-% |
| **IDEALE SERVIERTEMPERATUR** | 9 °C |

Dieses Bier wurde zum ersten Mal zu Silvester 1996 gebraut, einem für Schotten bedeutsamen Tag. Es reklamiert nichts Schottisches für sich, ist aber von ähnlichem Typ wie etliche Whiskey-Malz-Biere. Es wird mit einem Teil birkengeräuchertem Malz gebraut und hat eine leicht saftige Trockenheit im Abgang. Es ist ölig, malzig und leicht nussig und hat einen Hauch blumiger Eleganz. Blue Star wird von Hoepfner gebraut.

*Unter dem Sternenhimmel*
*Die Sixpack-Packung des Blue Star weist*
*mehrere Motive aus den Bereichen Weltall*
*und Sternenhimmel auf.*

# HOEPFNER GOLDKÖPFLE

| | |
|---|---|
| HERKUNFT | Baden-Württemberg, Deutschland |
| TYP | Export |
| ALKOHOLGEHALT | 5,6 Vol.-% |
| IDEALE SERVIERTEMPERATUR | 9 °C |

Neben den hellen Lager-Sorten braut die Brauerei Hoepfner in Karlsruhe auch ein Pilsner und drei Exportvarianten. Das schlicht als Export bezeichnete Getränk hat ein wunderbar frisches Aroma (nach frisch gebackenem Brot?), einen sanften, malzigen Körper, einen würzigen Geschmack und eine delikate, ausgewogene Trockenheit im Abgang. Die hier dargestellte Super-Premium-Version hat einen etwas höheren Alkoholgehalt und ist voller im Geschmack. Obwohl es als »mild« bezeichnet wird, besitzt es dennoch einige ölige, besänftigende Hopfen-aromen.

*Kein kleines Bier*
*Das Goldköpfle, wie es hier badisch verniedlichend heißt, ist kein kleines Bier. Es entwickelt beim Einschenken eine feine, aber große Krone.*

# HOEPFNER JUBELBIER

🛡 **HERKUNFT** Karlsruhe, Deutschland

☕ **TYP** Wiener Lager

％ **ALKOHOLGEHALT** 5,6 Vol.-%

🍺 **IDEALE SERVIERTEMPERATUR** 9 °C

Das bemerkenswert aufwändig verzierte Etikett wurde 1906 ursprünglich für die goldene Hochzeit des Großherzogs von Baden entworfen. Zufällig fand man 1982 ein halb volles Fass dieses Biers, als man ein Jubiläumsbier zur Feier des 75. Geburtstags des Vaters des Firmenchefs plante. Dieses immer noch produzierte Jubelbier ist ein im weitesten Sinne im Wiener oder *Märzen*-Stil gebrautes, bronzefarbenes Lager. Zu Beginn nussig-malzig im Charakter und sehr sanft, entwickelt es im Abgang eine leichte, spritzige Trockenheit.

*Ein Hoch auf den Jubilar*
*Man sieht die kleinen Gasbläschen im Bier deutlich. Sie machen es so spritzig im Abgang. Das Bier hat einen ziemlich champagnerartigen Charakter.*

# Hoepfner Pilsner

| | HERKUNFT | Karlsruhe, Deutschland |
| --- | --- | --- |
| | TYP | Pilsner |
| | ALKOHOLGEHALT | 4,8 Vol.-% |
| | IDEALE SERVIERTEMPERATUR | 9 °C |

Ein Höpfner ist ein Hopfenbauer, der Begründer der Karlsruher Brauerdynastie (die Brauerei ist seit 1798 und sechs Generationen im Familienbesitz) war allerdings ein Mann aus dem geistlichen Stand. Hoepfner Pilsner, gebraut in einer 1898 erbauten »Ritterburg«, ist kräftig gehopft, was durch das Aroma sahniger Minze und süßer Malzigkeit ausbalanciert wird. Seine Komplexität verdankt das Bier wohl dem traditionellen Verfahren der offenen Gärung.

# HOOK NORTON OLD HOOKY

| | **HERKUNFT** Süd-/Mittelengland, UK |
| | **TYP** Old Ale/Bitter |
| | **ALKOHOLGEHALT** 4,6 Vol.-% |
| | **IDEALE SERVIERTEMPERATUR** 10–13 °C |

Die Brauerei Hook Norton befindet sich in einem Brauturm aus dem Jahr 1899, wo die Rohstoffe oben eingegeben werden um unten als Bier in die Keller zu fließen. Ihr bekanntestes Produkt ist das Old Hooky, ein Bier von anregenden, an frische Brötchen erinnerndem Malzaroma und Geschmack, sahnig, mit einem Hauch Fruchtigkeit (Banane und Erdbeere) und einer ausgewogenen Trockenheit im dezent hopfigen Charakter, der sich erst spät entwickelt.

*Großes Baby*
*Das Etikett zeigt eine Abbildung der kleinen Brauerei, zwar richtig gezeichnet, aber in der Größe etwas übertrieben.*

| | |
|---|---|
| ⬦ **HERKUNFT** | Südengland, UK |
| **TYP** | Sommer-Ale |
| **ALKOHOLGEHALT** | 5,0 Vol.-% |
| **IDEALE SERVIERTEMPERATUR** | Etwas über 10 °C |

Nach dem Kochen der Würze werden die Hopfendolden mithilfe eines Hopfenseihers (englisch: »hopback«) ausgefiltert. Die Brauerei Hopback in Salisbury wurde 1987 gegründet. Kurz darauf braute sie Summer Lightning, zunächst nur als Festbier. Für ein englisches Ale war die Farbe dieses Bieres ungewöhnlich sonnig. Es ist leicht, frisch und herb und doch voller feiner Aromen: der Süße des Gerstenmalzes von Maris Otter in Wiltshire, dem Duft des Golding-Hopfens aus Kent und der sehr zarten, bananenartigen Fruchtigkeit der hauseigenen Hefe.

# HOPBACK THUNDERSTORM

| | |
|---|---|
| 🛡 **HERKUNFT** | Westengland, UK |
| 🍾 **TYP** | Weizen-Ale |
| ⅌ **ALKOHOLGEHALT** | 5,0 Vol.-% |
| 🍺 **IDEALE SERVIERTEMPERATUR** | Bei 10-14 °C lagern; bei 10 °C servieren |

Diese Brauerei aus Salisbury widmete dem unbeständigen englischen Wetter dieses Weizenbier, dessen Name auf ein Gewitter anspielt. Das flaschengereifte Bier besteht zu fünfzig Prozent aus Weizen und wird ausschließlich mit der Hopfensorte Progress gebraut. Es hat einen leichten, aber festen, saftig-malzigen Hintergrundgeschmack, durchzogen von einem Hauch hefiger Banane, einen anhaltenden, sehr trockenen, zitronenschaligen und wacholderartigen Geschmack und einen frischen Abgang.

*Göttertrank*
*Der alte römische Gott des Rausches, Bacchus, ist auf jedem Etikett dieser Brauerei zu finden.*

# HOPF DUNKLE WEISSE

| | |
|---|---|
| 🛡 **HERKUNFT** | Oberbayern, Deutschland |
| 🍾 **TYP** | Dunkles Weizenbier |
| % **ALKOHOLGEHALT** | 5,0 Vol.-% |
| 🥛 **IDEALE SERVIERTEMPERATUR** | 9–12 °C |

Hans Hopf, der Betreiber der Brauerei, verdankt sogar seinen Namen dem Hopfen. Er hat sich auf die Produktion von Weizenbier spezialisiert, einer Biersorte, die nur schwach gehopft ist. Seine Dunkle Weiße weist nur einen Hauch von Hopfen im Bouquet auf, zusammen mit frischen Birnen und Bananen. Es ist ein lebhaftes Bier, fest und sanft, mit zurückhaltender Trockenheit und erfrischendem Abgang. Die in Miesbach ansässige Brauerei hat in den letzten Jahren einige recht unkonventionelle Weizenbiere produziert, darunter auch ein vom Eisbock inspiriertes. Sie gehört zu den innovativsten deutschen Brauereien.

H

# HOUGAERDSE DAS

| | | |
|---|---|---|
| 🛡 | **HERKUNFT** | Flämisch-Brabant, Belgien |
| | **TYP** | Gewürztes belgisches Ale |
| | **ALKOHOLGEHALT** | 4,0 Vol.-% |
| | **IDEALE SERVIERTEMPERATUR** | 9–10 °C |

Die Stadt Hoegaarden befindet sich in der Nähe der unsichtbaren Grenze zwischen dem französisch- und dem flämischsprachigen Belgien. Der Name der Stadt wurde immer wieder anders geschrieben. Für das Bier hat man sich auf die alte Version besonnen. Zwischen den beiden Weltkriegen braute eine lokale Brauerei ein, wahrscheinlich gewürztes, bernsteinfarbenes Ale, das DAS. Der Name wurde von der Brauerei Hoegaarden *(siehe S. 229)* wieder eingeführt. Das neue DAS ist ein aromatisches, saftiges, fruchtiges (Äpfel?), flaschengereiftes bernsteinfarbenes Ale. Zum Brauen werden Pilsner und Kristallmalz verwendet. Als Gewürze dienen Schalen der Curaçao-Orange und Koriander.

# HÜBSCH
# SUDWERK HELLES

**HERKUNFT** Kalifornien, USA

**TYP** Helles Lager

**ALKOHOLGEHALT** 4,9 Vol.%

**IDEALE SERVIERTEMPERATUR** 9 °C

Eine der besten Brauereien, die in den Staaten Bier im deutschen Stil produzieren. Einer der Gründer heißt Hübsch. Der Begriff Sudwerk, wie Sudhaus oder Brauhaus, stammt ebenfalls aus dem Deutschen. Die Kleinbrauerei mit Wirtschaft steht in Davis in Nordkalifornien. Dieses sanfte Helle beginnt vollmundig und malzig. Der Abgang ist sauber und hat einen frischen Hopfenakzent.

*Das Bier studieren …*
*Die Brauerei steht in Davis, wo sich*
*auch die kalifornische Wein-Universität befindet. Auch das Bierbrauen*
*kann man dort studieren.*

H

# HULL MILD

**HERKUNFT** Nordostengland, UK

**TYP** Mild Ale

**ALKOHOLGEHALT** 3,3 Vol.-%

**IDEALE SERVIERTEMPERATUR** 10–13 °C

Vor allem nordamerikanische Bierliebhaber verehren diese in dem englischen Städtchen Hull gelegene Brauerei. In ihr lernte Peter Austin die überaus fruchtigen Hefen kennen, die er dann in den neuartigen Braukneipen in den USA und Kanada einsetzte. Die Brauerei schloss ihre Pforten in den Siebzigerjahren des 20. Jahrhunderts. Der Name überlebte jedoch in einer 1989 gegründeten Kleinbrauerei, die bei ihrem Hull Mild genau die gleiche fruchtige Hefe einsetzt, die das Bier so weich, toastig, schokoladig, fruchtig und weinartig mild macht.

# Huyghe Delirium Tremens

| | HERKUNFT | Ostflandern, Belgien |
| | TYP | Starkes helles Ale im belgischen Stil |
| | ALKOHOLGEHALT | 9,0 Vol.-% |
| | IDEALE SERVIERTEMPERATUR | 10 °C |

Die Bezeichnung dieses Bieres weist auf exzessive Tendenzen hin. In den USA wurde das Bier aufgrund des Namens sogar verboten. Für den Export in die Staaten benennt man es seitdem in Mateen, nach einem frühen belgischen Bierbrauer, um. Saazer und Steirischer Hopfen sowie drei Hefesorten geben ihm einen besonderen Geschmack. Die Fermentation erfolgt in drei Stufen: zwei im Gärbottich und eine in der Flasche. Das so erzielte Bier ist sehr fruchtig, erinnert leicht an Reineclauden oder Stachelbeeren und hat einen süßlichen Geschmack und einen ziemlich hohen Alkoholgehalt. Der Abgang ist überraschend abrupt.

H

# HUYGHE FLORIS-GAARDEN WITBIER

**HERKUNFT** Ostflandern, Belgien

**TYP** Belgisches Weizenbier

**ALKOHOLGEHALT** 3,5 Vol.-%

**IDEALE SERVIERTEMPERATUR** 9–10 °C

Ein Blumengarten? Das leicht süßliche Weißbier wird von der Brauerei Huyghe, die sich in der Nähe von Gent befindet, produziert. Das Bier dient auch als Ausgangsprodukt für eine ganze Reihe von Fruchtbieren dieser Brauerei. Beim Ninkeberry werden dem Ausgangsprodukt Pfirsich-, Aprikosen- und Mangoaromen und -extrakte beigefügt. Der Name bezieht sich auf die beiden Kinder des Ingenieurs bei Florisgaarden: Floris und Ninke. Für Schleckermäuler ist das ebenfalls aus dem Hause Florisgaarden stammende Floris Chocolat geeignet.

# ICENI FOUR GRAINS

| | |
|---|---|
| 🛡 **HERKUNFT** | Ostengland, UK |
| 🍺 **TYP** | Ale |
| % **ALKOHOLGEHALT** | 4,2 Vol.-% |
| 🍶 **IDEALE SERVIERTEMPERATUR** | 10–13 °C |

Die nach einem keltischen Stamm benannte, 1995 gegründete Kleinbrauerei Iceni befindet sich in Ickburgh, nördlich von Thetford in Norfolk. Das hier vorgestellte Bier wird mit Gerste, Weizen, Roggen und Hafer gebraut, was dem Bier einen ganz eigenen Geschmack verleiht. Das flaschengereifte Bier ist von minzig-orangenartigem Aroma, hat einen sanften, getreidigen, öligen Geschmack und im Abgang einen Anflug von leichter, hopfiger Säure.

*Das Bier für eine Königin*
*Das Etikett zeigt eine keltische Königin.*
*Das Foto weist darauf hin, dass es sich*
*hier um ein reines Getreidebier handelt.*

# Im Füchschen Alt

| | |
|---|---|
| **Herkunft** | Düsseldorf, Deutschland |
| **Typ** | Altbier |
| **Alkoholgehalt** | 4,5 Vol.-% |
| **Ideale Serviertemperatur** | 9 °C |

Eine weitere zu Recht berühmte Brauerei mit Gaststätte in der Düsseldorfer Altstadt. Das Alt, von Kennern hoch geschätzt, ist eine gut ausgewogene, hopfige Variante mit sahnigem Malzcharakter, zurückhaltender, birniger Fruchtigkeit und einer hopfigen Säure im trockenen Abgang. Die Brauerei, ein in seinem Typus klassisches Gebäude, steht wie ein kleines Industriebauwerk hinter der Kneipe, in der man an gescheuerten Holztischen das Bier zu einem herzhaften Essen genießt: Die Spezialität des Hauses ist Eisbein.

*Fuchsig?*
*Der Fuchs sieht durstig aus, dieses*
*hopfige Bier macht den Trinker*
*jedoch eher hungrig.*

# INDEPENDENCE FRANKLINFEST

| | |
|---|---|
| 🛡 **HERKUNFT** Nordosten der USA | |
| 🍾 **TYP** Märzen-Oktoberfest-Lagerbier | |
| % **ALKOHOLGEHALT** 5,5 Vol.-% | |
| 🍺 **IDEALE SERVIERTEMPERATUR** 9 °C | |

Benjamin Franklin war 1776 einer der Verfasser der amerikanischen Unabhängigkeitserklärung. Die Brauerei Independence entstand 219 Jahre später. Franklinfest Lager hat ein tiefes Malzaroma, einen würzigen Geschmack und einen sauberen, süßen Abgang.

*Ein überzeugter Biertrinker*
*Benjamin Franklin hinterließ ein*
*Rezept für Sprossenbier und Bestellun-*
*gen für Ale vom Fass.*

# ISAAC BIRRA BIANCA

| | **HERKUNFT** Italien |
|---|---|
| | **TYP** Weizenbier im belgischen Stil |
| | **ALKOHOLGEHALT** 5,0 Vol.-% |
| | **IDEALE SERVIERTEMPERATUR** 9–10 °C |

In eine champagnerartige Flasche wird das italienische Isaac Birra Bianca, ein Weizenbier im belgischen Stil, abgefüllt. Die Brauerei befindet sich in einer Gaststätte namens Baladin (»Troubadour«) in Piozzo in der Nähe von Turin. Die Ehefrau des Besitzers stammt aus dem belgisch-französischen Grenzgebiet, das Bier ist nach dem Sohn des Paares benannt. Das hier vorgestellte Bier ist mit Koriander, Grapefruit- und Orangensaft gewürzt. Im fertigen Bier erinnern die Aromen jedoch eher an süße Zitronen. Zur zweiten Fermentation, die in der Flasche stattfindet, wird Champagnerhefe zugesetzt. Das Resultat ist von toastiger Sahnigkeit und passt hervorragend zur eleganten Flasche.

# JEANNE D'ARC AMBRE DES FLANDRES

| | |
|---|---|
| 🛡 **HERKUNFT** | Nordfrankreich |
| 🍾 **TYP** | Bière de Garde |
| 🍺 **ALKOHOLGEHALT** | 6,4 Vol.-% |
| 🍻 **IDEALE SERVIERTEMPERATUR** | 10–13 °C |

Jeanne d' Arc wurde in der Champagne geboren. Die Brauerei ihres Namens wurde 1898 von der Familie van Damme in Ronchin bei Lille gegründet. Das Ambre des Flandres ist ein untergäriges Bier, obwohl es im Stil des Bière de Garde gebraut wird. Es schmeckt zunächst pfefferig und dann körnig nach Feige und ist im Abgang groß und herb. Es passt ideal zu Lamm.

# JEANNE D'ARC BELZEBUTH

| | |
|---|---|
| **HERKUNFT** | Nordfrankreich |
| **TYP** | Starkes Helles belgisches Ale |
| **ALKOHOLGEHALT** | 15,0 Vol.-% |
| **IDEALE SERVIERTEMPERATUR** | 10 °C |

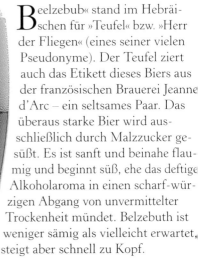

»Beelzebub« stand im Hebräischen für »Teufel« bzw. »Herr der Fliegen« (eines seiner vielen Pseudonyme). Der Teufel ziert auch das Etikett dieses Biers aus der französischen Brauerei Jeanne d'Arc – ein seltsames Paar. Das überaus starke Bier wird ausschließlich durch Malzzucker gesüßt. Es ist sanft und beinahe flaumig und beginnt süß, ehe das deftige Alkoholaroma in einen scharf-würzigen Abgang von unvermittelter Trockenheit mündet. Belzebuth ist weniger sämig als vielleicht erwartet, steigt aber schnell zu Kopf.

*Ein starkes Gebräu*
*Beelzebub schützte seine Anhänger vor*
*Fliegen ... sein Name ist jedoch von Baal,*
*einem alten vorderasiatischen Fruchtbar-*
*keits- und Wettergott abgeleitet.*

# JEANNE D'ARC
# GRAIN D'ORGE

**HERKUNFT** Nordfrankreich

**TYP** Bière de Garde

**ALKOHOLGEHALT** 8,0 Vol.-%

**IDEALE SERVIERTEMPERATUR** 10–13 °C (50–55°F)

Das Bier enthält, obwohl man das bei seiner goldenen Farbe nicht vermuten würde, eine kleine Portion Wiener Malz, das ein leicht nussiges Aroma hineinbringt. Schon der Name (übersetzt: »Gerstenkorn«) weist darauf hin, dass es sich hier um ein malzbetontes, jedoch gut ausgewogenes Produkt handelt. Steirischer und Saazer Hopfen sorgen für einen orangenschalenartigen bzw. kamilleartigen Charakter. Die teerartigen Aromen liefert die flandrische Sorte Brewer's Gold. Das Bier ist im Geschmack außerdem von der etwas rauchig schmeckenden Haushefe geprägt, weil die Hefe in diesem obergärigen Bier sehr heftig gären muss um den hohen Alkoholgehalt zu erzeugen. Wir haben es hier mit einem typischen Bière de Garde mit einem flämischen Akzent zu tun.

# JENNINGS COCKER HOOP

| | **HERKUNFT** Nordwestengland, UK |
| **TYP** Bitter Ale |
| **ALKOHOLGEHALT** 4,8 Vol.-% |
| **IDEALE SERVIERTEMPERATUR** 10–13 °C |

Hoch im Norden, in Cockermouth nahe dem Lake District, steht diese Brauerei. Der Name des Biers spielt mit dem Ortsnamen, hat aber auch mit Bier zu tun: »Cock« (Zapfhahn) und »Hoop« (Fassreifen) sind Teile des Fasses. Cocker Hoop rollt weich über die Zunge, zunächst nussig, dann leicht orangenartig und duftig, schließlich hopfig und grasig: ein sommerliches, geselliges Ale mit viel Charakter. Trotz geographischer Abgelegenheit ist das Bier weit verbreitet.

# JEVER PILSENER

| | |
|---|---|
| 🛡 **HERKUNFT** Norddeutschland | |
| 🍾 **TYP** Pilsner | |
| 🍷 **ALKOHOLGEHALT** 4,9 Vol.-% | |
| 🍺 **IDEALE SERVIERTEMPERATUR** 9 °C | |

Die Menschen im deutschen Teil Frieslands stehen im Ruf Humor und Bier am liebsten trocken und herb zu genießen und auch beim Essen auf kräftigen Geschmack zu achten. Jever Pilsener ist unter Bierfreunden weltweit als eines der herbsten Pilsner Biere bekannt. Hinter der klirrend frostigen, oft rauen Schale aber verbirgt es einen eigenen, sehr persönlichen Charme – genau wie die Menschen der Region.

# JOPEN BOK BIER

J

🛡 **HERKUNFT** Nordholland, Niederlande

🍶 **TYP** Obergäriger Bock

% **ALKOHOLGEHALT** 5,5 Vol.-%

🍺 **IDEALE SERVIERTEMPERATUR** 9 °C

Jopen« bezeichnete in Haarlem, einst ein Brauzentrum der Niederlande, die Größe eines Bierfasses. Dieses ungewöhnliche Bier wird mit Gersten-, Weizen- und Roggenmalz sowie Hafer gebraut, ist obergärig und reift in Flaschen. Wiewohl in Haarlem kreiert, wird es in der Trappistenbrauerei Schaapskooi herge-stellt. Der Genuss des duftenden Orangenaromas ist wie ein Biss in die Frucht selbst. Das Bier schmeckt leicht sirupartig, malzig, trocken und würzig.

# JOPEN HAARLEMS HOPPENBIER

| 🛡 **HERKUNFT** Nordholland, Niederlande |
| 🍶 **TYP** Gewürztes Ale |
| 🥃 **ALKOHOLGEHALT** 6,5 Vol.-% |
| 🍺 **IDEALE SERVIERTEMPERATUR** 13 °C |

Das erste gehopfte Bier soll in der Braustadt Haarlem 1501 hergestellt worden sein. Dieses *hoppenbier* wurde anlässlich des 750. Stadtjubiläums 1994 erneut auf den Markt gebracht. Es wird aus Gerste und Weizen (beide gemalzt), Hafer und Steirischem Hopfen sowie Kent Golding, jedoch ohne Gewürze, gebraut. Das Bier besitzt ein zitroniges Aroma, eine haferartige Sahnigkeit und einen würzigen Geschmack, der zunächst fruchtig, dann ins Herbe übergehend, schließlich zu einem sorbet- und puderartigen, duftigen und trockenen Abgang führt.

# KALTENBERG KÖNIG LUDWIG DUNKEL

| | |
|---|---|
| **HERKUNFT** | Bayern, Deutschland |
| **TYP** | Dunkles Lager |
| **ALKOHOLGEHALT** | 5,1 Vol.-% |
| **IDEALE SERVIERTEMPERATUR** | 9 °C |

Brauereien findet man in vielen ursprünglich keltischen Gegenden. Kaltenberg (oder auch »Keltenberg«) liegt bei München. Auf dem Gipfel des Berges befindet sich sei mindestens 800 Jahren, möglicherweise auch noch länge ein Schloss. Das heutige Gebäude stammt von 167 und wurde 1848 im neugotischen Stil umgebaut. Im Schlosskeller betreibt Prinz Luitpold von Bayern eine berühmte Brauerei, die sich auf unterschiedli che dunkle Biere spezialisiert hat. Das hier vorgestellte Bier hat eine leichten, aber sanften Körper mit einem Hauch von Kaffee und Feigen.

# KALTENBERG RITTERBOCK

| | |
|---|---|
| ⬚ **HERKUNFT** Oberbayern, Deutschland | |
| ⌷ **TYP** Doppelbock | |
| ◎ **ALKOHOLGEHALT** 7,7 Vol.-% | |
| ⬚ **IDEALE SERVIERTEMPERATUR** 9 °C | |

Bockbier kommt zwar ursprünglich aus Einbeck, wurde aber durch das Hofbräuhaus populär, das Herzog Wilhelm V. von Bayern gegen Ende des 16. Jahrhunderts errichten ließ. Ein Nachfahr des Herzogs, Prinz Luitpold, braut heute in der Nähe Münchens auf Schloss Kaltenberg u. a. den Ritterbock, der während der Fastenzeit ausgeschenkt wird. Vom Typ her eher mit leichtem Körper, hat dieses Bier einen bitter-schokoladigen Pralinencharakter.

*Ritterspiele*
*Im Schloss wird jeden Sommer ein großer Turnierwettkampf im traditionellen Stil abgehalten, zu dem sich an die 10000 Zuschauer einfinden.*

# KASTEEL BIER

**HERKUNFT** Westflandern, Belgien

**TYP** Barley Wine

**ALKOHOLGEHALT** 11,0 Vol.-%

**IDEALE SERVIERTEMPERATUR** 12 13 °C

In den Kellern eines Wasserschlosses aus dem Jahr 1736 im westflandrischen Ingelmunster reift dieses Bier sechs bis zwölf Wochen lang in Flaschen. Gebrau wird es in der Nähe von Van Honsebrouck Dieses mächtige Bier beginnt mit malziger Reichhaltigkeit, entwickelt dann Nuancen von Port und Trockenfrüchten und geht mit sackleinener Trockenheit ab Die helle Version des Biers weist Vanillenoten auf.

# KILKENNY IRISH BEER

K

🛡 **HERKUNFT** Republik Irland

🍺 **TYP** Irisches Rotes Ale

% **ALKOHOLGEHALT** 5,0 Vol.-%

🍺 **IDEALE SERVIERTEMPERATUR** 9 10 °C

John Smithwick war der Gründer der Kilkenny-Brauerei, die seit 1965 zu Guinness gehört. Seinen Namen trägt ein karamelliges, butteriges Ale, das im Abgang leicht brandig schmeckt (4,0 Vol.-%) und vorwiegend in Irland verkauft wird. Für den Weltmarkt braut man das etwas stärkere, trockenere und nussigere Kilkenny Irish Beer.

*Irisches Rotes*
*Der rote Farbton der irischen Ale-Biere*
*wurde zu einem Typkennzeichen: Red*
*Irish Ale (Irisches rotes Ale).*

# KING & BARNES FESTIVE ALE

**HERKUNFT** Südengland, UK

**TYP** Pale Ale

**ALKOHOLGEHALT** 5,3 Vol.-%

**IDEALE SERVIERTEMPERATUR** 15 °C

Die etwa 200 Jahre alte Brauerei King & Barnes in Horsham, Sussex, hat in jüngster Zeit eine ganze Reihe von flaschengereiften Weltklassebieren hervorgebracht. Zum Brauen werden hier die Gerstensorten von Maris Otter und die Blüten der Hopfensorte Golding sowie eine hauseigene zweistämmige Hefe verwendet. Das Bier besitzt ein kräuterartiges, wurzelähnliches Hopfenaroma, eine saftige, nussige, leicht schokoladige, malzige Grundstimmung und einen duftigen, an Dessertäpfel erinnernden, rosenartigen Duft in einem lang anhaltenden Abgang.

# King & Barnes Rye Beer

🛡 **Herkunft** Südengland, UK

🍾 **Typ** Roggenbier/Brown Ale

% **Alkoholgehalt** 5,5 Vol.-%

🍺 **Ideale Serviertemperatur** 15 °C

Roggen bewirkt als Bierzutat einen bittersüßen, fruchtig-würzigen, manchmal minzigen Charakter. Das Getreide wird zunächst zu einem Brot verbacken, das dann in Wasser eingeweicht wird um Kwass zu erhalten, ein traditonelles russisches Getränk. Auch im finnischen Sahti ist Roggen enthalten. Und die deutsche Brauerei Thurn und Taxis brachte ebenfalls schon ein Roggenbier auf den Markt. Das britische Beispiel der Brauerei King and Barnes in Horsham ist ein delikates, öliges Getränk mit leichten Anklängen an Passionsfrucht. Das Bier wurde auch schon unter dem Namen Coppercast verkauft.

K

# KING & BARNES WHEAT MASH

| | |
|---|---|
| HERKUNFT | Südostengland, UK |
| TYP | Weizen-Ale |
| ALKOHOLGEHALT | 4,5 Vol.-% |
| IDEALE SERVIERTEMPERATUR | 10 14 °C |

Als früher rein lokale Brauerei in Horsham (Sussex) hat King & Barnes, die ihre Wurzeln im 18. Jahrhundert hat, in den letzen Jahren ihren Ruf durch Spezialbiere mit Flaschengärung gemehrt. Wheat Mash (Weizen-Maische) enthält 40 Prozent Weizen, der Rest ist Gerstenmalz. Das Bier wird mit Golding gehopft und mit einer zweistämmigen Ale-Hefe vergoren. Das Ergebnis ist ein festes, nach Getreide schmeckendes Bier, knackig und mit einer späten, weizenhaften, zitronigen und duftigen Herbheit.

# KLOSTER IRSEER
# ABT'S TRUNK

🛡 **HERKUNFT** Bayern, Deutschland

🍾 **TYP** Extrastarkes Lager/Doppelbock

🍺 **ALKOHOLGEHALT** 12,0 Vol.-%

🍺 **IDEALE SERVIERTEMPERATUR** 9 °C

Der Abt dürfte von diesem sehr starken Lagerbier ordentlich betrunken geworden sein. Die Brauerei in Irsee ist in einem ehemaligen Kloster beheimatet. Für die Stärke ist das Bier von leichtem Körper, es hat eine ölige Malzigkeit und Noten von Vanille, Eiche und Whiskey. Zur Brauerei gehören auch Restaurant, Hotel, Töpferei und Kunstgewerbeladen. Gelegentlich wird das Bier in Steinkrüge abgefüllt.

# KNEITINGER BOCK

| | |
|---|---|
| 🏷 **HERKUNFT** Regensburg, Deutschland |
| 🍾 **TYP** Bock |
| % **ALKOHOLGEHALT** 6,0 Vol.-% |
| 🍺 **IDEALE SERVIERTEMPERATUR** 9 °C |

Eine wohltätige Stiftung für Waisen und kranke Kinder betreibt diese frühere Familienbrauerei in Regensburg seit 1991, als der letzte Kneitinger starb.

Gegründet 1530 und im Besitz der Kneitingers seit 1876, zählen die Brauerei und der angeschlossene Gasthof zu den bekannten Wahrzeichen Regensburgs. Das erste Fass des neuen Bocks wird jeweils am ersten Donnerstag im Oktober im Gasthof angestochen. Kneitinger Bock ist sehr reich, von vielfältigem Malzcharakter und leichter Rauchigkeit.

*Glauben, Wohltätigkeit, Hopfen*
*Die Regensburger Kneitinger*
*Brauerei widmet sich wohltätigen*
*gemeinnützigen Zielen. Eine wei-*
*tere Regensburger Brauerei,*
*Bischofshof, wird von einem*
*Priesterseminar betrieben.*

# KOFF JOULUOLUT

🛡 **HERKUNFT** Finnland

🍾 **TYP** Wiener Lagerbier

% **ALKOHOLGEHALT** 4,6 Vol.-%

🍺 **IDEALE SERVIERTEMPERATUR** 9 °C

Ein Russe gründete 1819 die Brauerei Sinebrychoff. Sie ist die älteste in den nordischen Ländern. Koff, wie sie kurz genannt wird, brachte 1987 ein Weihnachtsbier auf den Markt. Es ist ein bernsteinfarbenes, malziges Lager des Wiener Typs. Das Wort »joulu« hat denselben Ursprung wie »yule«. Bier heißt auf finnisch »olut«. Das Wort hat dieselbe Wurzel wie das englische »ale«. Dieses helle Lager verfügt über eine feste, klare und nussige Malzigkeit.

*Der Weihnachtsmann ...*
*... betreibt eine Niederlassung in Finnland. Das örtliche Weihnachtsbier wird nicht von Koff, sondern von Lapin Kulta produziert.*

# KÖNIG PILSENER

**HERKUNFT** Nordrhein-Westfalen, Deutschland

**TYP** Pilsner

**ALKOHOLGEHALT** 4,9 Vol.-%

**IDEALE SERVIERTEMPERATUR** 9 °C

Eines der bekannteren Pilsner Lager-Biere, das nach den Gründern benannte König, wird in Duisburg, mitten im Ruhrpott, gebraut. Obwohl die Stadt mittlerweile auch für ihr Kulturangebot bekannt ist, ist ihr Image immer noch von ihrer Vergangenheit als Zentrum des Bergbaus und der Stahlproduktion geprägt. Das Bier war, dem Charakter der Stadt entsprechend, für ein Pilsner ursprünglich recht robust. Heute wird es etwas milder im Geschmack und leichter im Körper gebraut. Es hat allerdings immer noch einen soliden Malzcharakter, wenn auch sanfter als zuvor. Der verwendete Hopfen ist weicher, verleiht dem Bier aber weiterhin eine leicht herbe Trockenheit.

# KÖNIGSBACHER PILS

**HERKUNFT** Nordrhein-Westfalen, Deutschland

**TYP** Pilsner

**ALKOHOLGEHALT** 4,8 Vol.-%

**IDEALE SERVIERTEMPERATUR** 9 °C

Die Brauerei Königsbacher befindet sich im historischen Zentrum von Koblenz, der Stadt, in der die Mosel in den Rhein fließt. Das Königsbacher Pils ist ein geradliniges, solides Beispiel für den Wiener Typ. Es hat ein frisches, trockenes, hopfiges Bouquet, einen festen Körper und im Abgang eine anhaltende Bitterkeit. Eine neuere, ungefilterte Variante dieses Biers ist nach dem Geräusch benannt, das ein Sekt erzeugt, wenn man die Flasche öffnet: Zischke. Dieses Bier gibt es nur in handgefüllten Dreiliterflaschen. Es hat einen vollmundigen Geschmack, ein Sorbetaroma, einen leichten, sanften Körper, einen leicht herben, limonen-artigen Geschmack und einen trockenen Abgang.

# KÖSTRITZER SCHWARZBIER

**HERKUNFT** Thüringen, Deutschland

**TYP** Schwarzbier

**ALKOHOLGEHALT** 4,8 Vol.-%

**IDEALE SERVIERTEMPERATUR** 9 °C

Das berühmteste Schwarzbier wird in Bad Köstritz in Thüringen gebraut. In den Schlössern zweier lokal ansässiger Adelsfamilien wurde schon im 16. und 17. Jahrhundert Bier gebraut. Über die Region hinaus bekannt wurde das Bier dann im 18. Jahrhundert. Die beiden Adelswappen überlebten bis heute im Logo der örtlichen Brauerei, die den Braustil während der realsozialistischen Herrschaft prägte. Das Schwarzbier hat ein würziges Aroma, das an roten Pfeffer, Feigen und Bitterschokolade erinnert. Der gleiche Charakter entwickelt sich in den ausdrucksstarken, sanften, lang anhaltenden, trockenen und bestens kombinierten Aromen.

*Bad Köstritz …*
*… war früher ein Kurort. Das Schwarzbier*
*wurde schon von Goethe geschätzt, als er sich*
*hier erholte. Das Köstritzer ist heute wieder*
*eines der besten Schwarzbiere der Welt.*

# KÜPPERS KÖLSCH

⬗ **HERKUNFT** Köln, Deutschland

🍶 **TYP** Kölsch

％ **ALKOHOLGEHALT** 4,8 Vol.-%

🍺 **IDEALE SERVIERTEMPERATUR** 9 °C

Eines der wenigen Kölner Biere, das man gelegentlich auch auf dem Exportmarkt findet. Gustav Küpper braute nach 1800 in Köln, doch das Kölsch und die heutige Brauerei, ein großer Betrieb am Rheinufer, stammen aus den Sechzigerjahren. Da das Kölsch relativ »neu« ist, schuf Küpper eine Tradition durch die Einrichtung eines exzellenten Museums für Bierwerbung. Die Brauereigaststätte serviert einheimische Gerichte. Das Bier ist blumig, aromatisch und leicht süßlich.

*Fassbinder*
*Küpper hieß im alten rheinischen Dialekt*
*vermutlich der »Fassmacher«, also ein*
*Küfer. Heute wird unter Küfer eher ein*
*Kellermeister verstanden. Küfer hießen*
*andernorts auch »Fassbinder«.*

L

# L'ABBAYE DES ROCS
# BLANCHE DES HONNELLES

| | |
|---|---|
| HERKUNFT | Provinz Hennegau, Belgien |
| TYP | Belgisches Weizenbier |
| ALKOHOLGEHALT | 6,0 Vol.-% |
| IDEALE SERVIERTEMPERATUR | 9–10 °C |

Im französisch sprechenden Teil Belgiens heißen »weiße« Weizenbiere »blanches«. Diese kommen aus einer nach einem ehemaligen Kloster und Bauernhof benannten Brauerei. Sie steht bei Montignies-sur-Roc, zwischen Mons und Valenciennes. Montignies-sur-Roc liegt an zwei kleinen Flüssen, den Honnelles. Blanche des Honnelles ist farbiger und stärker als die meisten Weizenbiere. Der Geschmack erinnert an Marmelade und Honig.

# LA CHOULETTE AMBRÉE

🛡 **HERKUNFT** Nordfrankreich

🍷 **TYP** Bière de Garde

% **ALKOHOLGEHALT** 7,5 Vol.-%

🍺 **IDEALE SERVIERTEMPERATUR** 10–13 °C

Ambrée ist das Hauptprodukt der Brauerei La Choulette. Es hat eine große Krone, ist sehr aromatisch, schmeckt leicht würzig nach Anis und ist dezent ölig und sämig. Es ist exemplarisch für den Typ und passt hervorragend zu würzigen Speisen. Die Brauerei produziert auch eine Version mit Himbeeren.

*Artisanal …*
*… ist ein Begriff, mit dem Brauer in Frankreich und Belgien gerne darauf hinweisen, dass es sich um traditionell hergestellte Produkte handelt.*

L

# LA CHOULETTE BIÈRE DES SANS CULOTTES

| | |
|---|---|
| **HERKUNFT** | Nordfrankreich |
| **TYP** | Bière de Garde |
| **ALKOHOLGEHALT** | 7,0 Vol.-% |
| **IDEALE SERVIERTEMPERATUR** | 10 °C |

Sansculotten hießen die Republikaner der Französischen Revolution, weil sie ohne aristokratische Beinkleider (»culottes«) auskamen. Zum Ausbruch der Revolution trug auch eine Biersteuer bei. Sans Culottes ist ein helles Bier mit röstig-hefigem Champagneraroma, es ähnelt dem Ambrée: ölig, mit Anisnote, weniger würzig und körperbetont, elegant-herber im Abgang.

# LA CHOULETTE FRAMBOISE

| | |
|---|---|
| 🏷 **HERKUNFT** | Nordfrankreich |
| 🍾 **TYP** | Bière de Garde mit Früchten |
| ⊛ **ALKOHOLGEHALT** | 7,0 Vol.-% |
| 🍶 **IDEALE SERVIERTEMPERATUR** | 10 °C |

Der Name stammt von einem nordfranzösischen Vorläufer des Lacrosse-Spiels. La Choulette ist eine bäuerliche Brauerei, die 1885 in Hordain südlich von Valenciennes errichtet wurde. Das La Choulette ist ein starkes, bernsteinfarbenes Bière de Garde, das typisch für die Region ist. Es ist die Basis für das Framboise, das mit natürlichem Himbeerextrakt hergestellt wird. Das rubinrote Bier hat ein brombeerartiges Aroma und eine Kirschlikörnote, es schmeckt weich, sauber, nussig und eher trocken.

*Turmbräu*
*Aus Ostrevant, der Region um Valenciennes, kommt dieses Bier. Ihr Wahrzeichen ist ein Festungsturm aus dem 12. Jahrhundert.*

# LA TRAPPE QUADRUPEL

**HERKUNFT** Nordbrabant, Niederlande

**TYP** Abteibier (Echt Trappisten)

**ALKOHOLGEHALT** 10,0 Vol.-%

**IDEALE SERVIERTEMPERATUR** 10–14 °C

Dieses Bier wird von der Brauerei Schaapslooi im Trappistenkloster Koningshoeven bei Tilburg hergestellt. Es ist die einzige in einem echten Trappistenkloster betriebene Brauerei außerhalb Belgiens. Quadrupel, das stärkste ihrer Biere, ist sehr weich, ölig, ein wenig wie Sirup und fruchtig mit einem trockenen, wärmenden, nach Koriander schmeckenden Abgang.

# LAKEFRONT RIVERWEST STEIN BEER

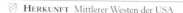

🛡 **HERKUNFT** Mittlerer Westen der USA

🍾 **TYP** Lagerbier Wiener Art

%Ⓢ **ALKOHOLGEHALT** 5,9 Vol.-%

🍶 **IDEALE SERVIERTEMPERATUR** 9 °C

Milwaukee, an mehreren Flüssen und am Lake Michigan gelegen, war einst berüchtigt für wässeriges Bier. Heute brauen kleine Brauereien dort Biere von großem Geschmack, darunter die Lakefront-Brauerei. Riverwest Stein Beer ist ein ausgezeichnetes Lagerbier, wunderbar ausgewogen, groß und süffig und im Abgang herb.

# LAMMSBRÄU KRISTALL WEIZEN

**L**

| | |
|---|---|
| HERKUNFT | Franken, Deutschland |
| TYP | Kristallweizen |
| ALKOHOLGEHALT | 5,1 Vol.-% |
| IDEALE SERVIERTEMPERATUR | 9–12 °C |

Biere aus ökologisch angebauten Rohstoffen sind die Spezialität dieser Brauerei in der Bleistiftstadt Neumarkt südöstlich von Nürnberg. Lammsbräu bezieht ökologisch angebaute Gerste und Hopfen von umliegenden Bauern. Die breite Produktpalette enthält ein herausragendes Kristallweizen mit sehr frischem Hopfencharakter, cremigem Malzakzent und fruchtigem Kirschgeschmack.

# LE COQ PORTER

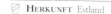

🛡 **HERKUNFT** Estland

🍾 **TYP** Porter/Imperial Stout

% **ALKOHOLGEHALT** 6,5 Vol.-%

🌡 **IDEALE SERVIERTEMPERATUR** 9–13 °C

Hier überlebte ein historischer Name. Albert le Coq war ein Belgier, der ab 1807 von London aus Strong Porter in alle Welt exportierte. Aufgrund seiner zahlreichen Exporte in das russische Zarenreich erhielt dieser Biertyp den Namen Imperial Stout. Vor dem Ersten Weltkrieg erwarb die Firma eine estländische Lager-Brauerei, die auf Stout-Produktion umgestellt wurde. 1869 versank eines der Schiffe le Coqs mit der ganzen Ladung in der Ostsee. Es wurde 1974 von Tauchern entdeckt. Fünf Jahre vor dieser Entdeckung hatte die Brauerei die Porter-Produktion aufgegeben. Unter dem neuen Betreiber wird jedoch seit 1999 erneut Porter gebraut. Das hier vorgestellte Bier ist allerdings eher ein erdiges, pfefferiges, kaffeeartiges, starkes, dunkles Lager als ein echtes Porter.

# LEES HARVEST ALE

| | HERKUNFT Nordwestengland, UK |
| --- | --- |
| | TYP Strong Ale |
| | ALKOHOLGEHALT 11,5 Vol.-% |
| | IDEALE SERVIERTEMPERATUR 10–13° C |

Ein echter Klassiker der Brauerei John Willie Lees aus Middleton, Greater Manchester. Die 1828 gegründete Brauerei braut Ales von malziger Bitterkeit, wie sie für die Region typisch sind. Spezialbetriebe in Norfolk liefern die besondere Maris-Otter-Gerste, die in Yorkshire gedarrt wird. Die Würze stammt von der Hopfensorte Golding in East Kent. Es werden immer frische Zutaten verwendet. Das damit erzeugte Jahrgangsbier kommt im späten November oder frühen Dezember auf den Markt. In jungen Jahren ist das Bier vollmundig und malzig und hat ein würziges Vanillearoma, später wird es herber, würziger und weinartiger.

*Erntemotiv*
*Jedes Jahresetikett hat eine eigene*
*Illustration aus der ländlichen Welt*
*des Gersten- und Hopfenanbaus.*

# LEES MANCHESTER CHAMPION BEER

| | |
|---|---|
| 🛡 **HERKUNFT** | Nordwestengland, UK |
| 🍺 **TYP** | Pale Ale |
| % **ALKOHOLGEHALT** | 5,0 Vol.-% |
| 🍺 **IDEALE SERVIERTEMPERATUR** | 10–13 °C |

Das von der Brauerei John Willie Lees in Greater Manchester gebraute Bier ist von ausgesprochen sahnigem und gleichzeitig trockenem, malzigem Charakter. Die sanfte Struktur und der Paranussgeschmack stammen von dem verwendeten hellen Malz. Auch eine minzige, grüne Hopfennote ist vor allem im Abgang erkennbar.

*Manchester-Sahne*
*Manchester ist eine berühmte Braustadt, die vor allem aufgrund der Produkte ihrer lokalen Brauereien, wie Lee, Holt, Hyde und Robinson, bekannt sein sollte. Leider kennt man bislang eher das nicht so eigenständige Bier der Brauerei Boddington.*

# LEFEBVRE SAISON 1900

**HERKUNFT** Wallonisches Brabant, Belgien

**TYP** Saison

**ALKOHOLGEHALT** 5,2 Vol.-%

**IDEALE SERVIERTEMPERATUR** 10 °C

Die Jahrhundertwende war das Spitzenjahr für Saisonbier bei der Brauerei Lefèbvre in Quenast, südlich von Brüssel. Die in den Siebzigerjahren des 19. Jahrhunderts gegründete Brauerei stillte den Durst der Arbeiter nahe gelegener Steinbrüche, wo heute Baumaterial für europäische Schnellzuglinien abgebaut wird. Saison 1900 hat eine feste, bonbonartige Malzigkeit und einen spritzig-zitrusartigen Abgang.

*Kunstsinn*
*Die Schrift auf dem Etikett lehnt sich an den Jugendstil an, der in Belgien eine seiner Hochburgen hatte.*

# LEFFE RADIEUSE

L

**HERKUNFT** Provinz Namur, Belgien

**TYP** Abteibier

**ALKOHOLGEHALT** 8,2 Vol.-%

**IDEALE SERVIERTEMPERATUR** 15 18 °C

Notre-Dame de Leffe ist eine Norbertiner-abtei in Belgien. Seit der Französischen Revolution wird nicht mehr gebraut; der Abt erteilte 1950 einem Brauer aus der Gegend jedoch die Lizenz zum Brauen von Leffe-Bier. Es wird heute von Interbrew in Löwen hergestellt. »Radieuse«, zu Deutsch Heiligenschein, ist das geschmacklich größte. Es hat eine kirschähnliche Fruchtigkeit, die Sämigkeit von Port und einen leicht röstigen Zimtabgang.

L

# LEINENKUGEL'S AUTUMN GOLD

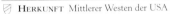

| | | |
|---|---|---|
| HERKUNFT | Mittlerer Westen der USA | |
| TYP | Wiener Lagerbier | |
| ALKOHOLGEHALT | 4,8 Vol.-% | |
| IDEALE SERVIERTEMPERATUR | 9 °C | |

Die deutsche Familie Leinenkugel eröffnete 1867 in Chippewa Falls (Wisconsin) eine Brauerei, die noch heute von der Familie geleitet wird, allerdings dem Brauereigiganten Miller gehört. In Milwaukee gibt es mittlerweile eine zweite Brauerei Leinenkugel. Das Autumn Gold – mit etwas vollerem Farbton als der Name suggeriert – schmeckt würzig nach Malz und trocken ausgewogen nach Hopfen.

*Die lebhafte Gestaltung …*
*… der Etiketten der Brauerei Leinenkugel*
*macht die Geschichte der Brauerei lebendig.*

# LIEFMANS GLÜHKRIEK

⬚ **HERKUNFT** Ostflandern, Belgien

🍾 **TYP** Gewürztes Kirschbier

⅌ **ALKOHOLGEHALT** 6,5 Vol.-%

🍶 **IDEALE SERVIERTEMPERATUR** 70 °C

Beim Skifahren kommt man um Glühwein kaum herum, warm und würzig mit Nelken und Zimt. Mit der deutschen Vorsilbe »Glüh-« will die ansonsten flämisch-sprachige belgische Brauerei Liefmans das gleiche Gefühl erzeugen. Das Bier auf der Basis von Liefmans Kriek, einem Kirschbier, enthält jene zwei Gewürze sowie Anis. Zimt scheint zunächst vorzuschmecken; eisenartige, medizinische Noten weichen dem Geschmack süßer, gezuckerter Mandeln, den fruchtige Säure und Nelken im Abgang ausgleichen. Das Aroma verstärkt sich und die Süße weicht, wenn man das Bier wie warme Schoko-lade in einem Topf erwärmt.

*Weihnachtskirschen*
*Die typische Verpackung*
*von Liefmans zeigt weihnacht-*
*liche Farben; Glühkriek passt am*
*besten zum Wintersport. Die Ardennen*
*eignen sich dafür weniger gut als die*
*Alpen, Aviemore oder Aspen.*

L

# LIEFMANS GOUDEN-BAND

| | |
|---|---|
| HERKUNFT | Ostflandern, Belgien |
| TYP | Brown Ale |
| ALKOHOLGEHALT | 8,0-8,5 Vol.-% |
| IDEALE SERVIERTEMPERATUR | 13 °C |

Seine Ähnlichkeit mit Wein und seine leichte Säure machen das »Goldene Band« zum klassichen Brown Ale seiner Heimat Oudenaarde. Die hiesigen Biere sind herber und nicht so fruchtig wie die süßen, malzigen und nussigen Varainten in der englischsprachigen Welt. Das Goudenband wird in Dentergem gebraut und in Oudenaarde weiter fermentiert und gereift. Deutlich schmeckt man Eisen, Salz und Toast. Das Wasser wird mit doppeltkohlensaurem Natron behandelt, die verwendete Hefe ist vielstämmig. Vier bis zwölf Monate muss das aus einer Mischung alter und junger Biere bestehende Getränk in Flaschen reifen.

# LIEFMANS KRIEKBIER

L

**HERKUNFT** Ostflandern, Belgien

**TYP** Oudenaarde Brown Ale mit Früchten

**ALKOHOLGEHALT** 6,5 Vol.-%

**IDEALE SERVIERTEMPERATUR** 13 °C

Brown Ale ist die Basis dieses Kirschbieres vom süßsauren Typ, der im belgischen Oudenaarde gepflegt wird. Die Brauerei Liefmans wurde 1625 gegründet, 1991 wurden die Kessel stillgelegt. Diese Herstellungsphase mit halb wilden Hefen trägt wesentlich zum sauren Charakter des Bieres bei. In der Früchtevariante reift es mit einer Mischung aus dänischen Kirschen und der kleinen belgischen Kriek-Sorte mindestens sechs Monate lang. Das Bier hat ein hervorragendes Fruchtaroma, einen weinbrandigen Geschmack und eine ausgewogene, gerbsaure Trockenheit.

*Handgewickelt*
*Vier Personen sind damit beschäftigt, in Handarbeit zwischen drei- und fünftausend Flaschen pro Tag einzuwickeln. Der Aufkleber kündet von einem Triumph beim englischen Real Ale Festival.*

# LINDEMANS CUVÉE RENÉ

HERKUNFT Flämisch-Brabant, Belgien

TYP Gueuze-Lambic

ALKOHOLGEHALT 5,0 Vol.-%

IDEALE SERVIERTEMPERATUR 13 °C

Lambic-Biere können sehr trocken sein, beliebter Marken werden daher meist gesüßt, so auch Lindeman-Erzeugnisse. Die Cuvée ist trockener. De Besitzer René Lindemans gab seinen Namen einem vorzüglichen, vollmundigen Bier: schaumig und lebhaft, nussig wie ein Palo-Cortado-Sherry. Es ist vor sanfter, abgerundeter Süße und hat einen langen, trockenen Abgang.

# LINDEMANS FRAMBOISE

**HERKUNFT** Flämisch-Brabant, Belgien

**TYP** Himbeer-Lambic

**ALKOHOLGEHALT** 2,5 Vol.-%

**IDEALE SERVIERTEMPERATUR** 13 °C

Ein Himbeerbier auf der Grundlage des Lambic dieser belgischen Landbrauerei. Es hat den typischen kernigen, stieligen, holzigen, tabakähnlichen Duft von Himbeeren. Der Geschmack beginnt blumig und wird dann sehr süß, was auf einen massiven Einsatz von Fruchtsaft schließen lässt. Im Abgang entfaltet sich die kirschige Säure und Herbe des Lambic als später, überraschender Ausgleich.

# LINDEMANS TEA BEER

| | |
|---|---|
| HERKUNFT | Flämisch-Brabant, Belgien |
| TYP | Aromatisiertes Lambic |
| ALKOHOLGEHALT | 3,5 Vol.-% |
| IDEALE SERVIERTEMPERATUR | 13 °C |

Reines Lambic oder das champagnerartige Gueuze verlangen einen erfahrenen Gaumen. Jüngere Biertrinker ziehen oft süßere Sorten vor. Lindeman hatte mit Pfirsich-Lambic sowie eine Mischung mit schwarzen Johannisbeeren, die beide in den Achtzigerjahren des 20. Jahrhunderts auf den Markt kamen, großen Erfolg. 1995 kam dieser auf der Grundlage von Teeblättern gereifte, mit Zitronensaft aromatisierte Teeverschnitt hinzu. Er ist süßlich, zitronig, weich, limonenartig und marmeladig im Geschmack und hat eine späte, duftige Teenote.

# Lion Stout

🛡 **Herkunft** Sri Lanka

🍾 **Typ** Starker tropischer Stout

⊘ **Alkoholgehalt** 7,5 Vol.-%

🍶 **Ideale Serviertemperatur** 13 °C

In den Tropen braut man gerne reichen, starken Stout. Der schmackhafteste dürfte der der Ceylon Breweries auf Sri Lanka sein. Lion Stout wird in Flaschen gereift; Aroma und Geschmack erinnern an Pflaumen und Mokka, der Abgang intensiv an Bitterschokolade. Auf Sri Lanka wird er mitunter mit Arrak gemixt, einem Kokosschnaps.

# LOUWAEGE HAPKIN

| | | |
|---|---|---|
| 🛡 | **HERKUNFT** | Westflandern, Belgien |
| 🍺 | **TYP** | Starkes Helles belgisches Ale |
| % | **ALKOHOLGEHALT** | 8,5 Vol.-% |
| 🥤 | **IDEALE SERVIERTEMPERATUR** | 10 ℃ |

Betitelt nach dem wild das Kriegsbeil schwingenden Boudewijn Hapkin, Graf von Flandern. (Alle diese Biere haben einen irgendwie »diabolischen« Namen …) Hapkin kommt beinahe dem großen Duvel gleich und verfügt über ein sehr duftiges Aroma, eine weiche Malzigkeit, sauber sanfte Fruchtigkeit, eine schaumige Krone und einen spritzigen, frühlingshaft trockenen Abgang. Hapkin kommt aus der Familienbrauerei Louwaege in Kortemark bei Brügge.

# MACARDLES
# TRADITIONAL ALE

**HERKUNFT** Irland

**TYP** Irisches Rotes Ale

**ALKOHOLGEHALT** 4,0 Vol.-%

**IDEALE SERVIERTEMPERATUR** 10 °C

Die Brauerei Macardle & Moore liegt gegenüber der Brauerei Harp in Dundalk, ziemlich genau zwischen Dublin und Belfast an der inner-irischen Grenze. Die Brauerei wurde 1863 erbaut und gehört seit den Fünfzigerjahren zu Guinness. Das Ale ist dunkel, toastig, nussig und trocken wie ein Schokokeks.

# McAuslan Bière
# à la Framboise

| | |
|---|---|
| ⬚ **Herkunft** | Quebec, Kanada |
| 🍾 **Typ** | Himbeer-Ale |
| % **Alkoholgehalt** | 5,0 Vol.-% |
| 🍺 **Ideale Serviertemperatur** | 9–10 °C |

Dieses Fruchtbier weist Himbeer farbe und -aroma auf, aber einen weniger eindeutigen Himbeer geschmack, obwohl echte pürierte Früchte verwendet werden. Man schmeckt eher einen Anklang an Brombeeren (die aber nicht beigege ben werden). Da das Bier auf einem Ale aufbaut, fehlt ihm die Herbe von Lambic-Fruchtbieren.

# McEwan's 80/-

- 🛡 **HERKUNFT** Südschottland, UK
- 🍺 **TYP** Schottisches Ale
- % **ALKOHOLGEHALT** 4,5 Vol.-%
- 🌡 **IDEALE SERVIERTEMPERATUR** 10–13 °C

M

Schottlands größte Brauerei fusionierte mit Younger, kaufte Newcastle Breweries und auch noch Courage. Die jetzige Scottish Courage ist auch die größte britische Brauerei. Zu den Edinburgher McEwan-Bieren gehört dieses 80/- mit etwas leichterem Körper als die Konkurrenten, eher trocken und mit einer Note verbrannten Toastes. Laut Etikett gehört geröstete Gerste zu seinen »klassischen« Zutaten.

# McGuire's Old Style Irish Ale

| | |
|---|---|
|  **Herkunft** | Südosten der USA |
| **Typ** | Irisches Rotes Ale |
| **Alkoholgehalt** | 4,5 Vol.-% |
| **Ideale Serviertemperatur** | 10 °C |

Bill McGuire Martin braut dieses wegweisende Rote Ale seit 1989 in Pensacola (Florida). Vom Fass hat es ein blumiges Aroma und etwas Süße von Butter und Pflaumen und ist kräftig malzig im Abgang. In der Flasche heißt es Irish Old Style Ale und wird in Louisiana gebraut. Es ist heller, leichter und trockener und sehr schmackhaft.

# MACKESON STOUT

M

| | |
|---|---|
| 🗒 **HERKUNFT** | Südostengland, UK |
| 🍾 **TYP** | Süßes Stout |
| ％ **ALKOHOLGEHALT** | 3,0 Vol.-%, Exportversion: 5,0 Vol.-% |
| 🍺 **IDEALE SERVIERTEMPERATUR** | 13 ℃ |

Der Welt bekanntestes süßes Stout wurde 1907 mithilfe eines Ernährungsberaters entwickelt. Ursprünglich wurde es von der Brauerei Mackenson in der kleinen Hafenstadt Hythe in Kent gebraut. Nach mehrfachem Besitzerwechsel kam es in den Besitz der Großbrauerei Whitbread. Mackenson Stout enthält Milchzucker. Das Bier ist leicht, weich und sahnig mit einem Hauch verdampfter Milch und Kaffee-Essenz, der Abgang likörartig.

*Ein Hauch Sahne*
*Mit einer prächtigerern Ver-*
*packung wäre dies die Antwort*
*der Bierwelt auf den Bailey's.*

M

# MACLAY HONEY WEIZEN

⌖ **HERKUNFT** Zentralschottland, UK

🍾 **TYP** Weizenbier

% **ALKOHOLGEHALT** 5,0 Vol.-%

🌡 **IDEALE SERVIERTEMPERATUR** 10 °C

Die viel geliebte, 1830 in der schottischen Bierstadt Alloa gegründete Brauerei Maclay schloss ihre Pforten 1999. Ihr Bier wird mittlerweile von der neuen Kleinbrauerei Forth, ebenfalls in Alloa, gebraut. Im Namen ist das deutsche Weizen enthalten. Das Bier wird mit schottischem Heidehonig und einer britischen Ale-Hefe gebraut. Es ist delikatblumig im Aroma und besitzt einen Hauch Weizenfruchtigkeit. Es schmeckt deutlich nach Honig, ist aber dennoch recht trocken. Der Abgang ist fest und gleichzeitig von süß-herber Komplexität.

*Blume von Schottland*
*Das Heidekraut schmückt zusamen mit einem Bienenkorb dieses Etikett. Die blumigen, honigartigen Noten schmecken im Bier auch deutlicher durch als die fruchtige Herbe des Weizens.*

# MACLAY OAT MALT STOUT

| | HERKUNFT Schottland, UK |
| --- | --- |
| | TYP Hafermalz-Stout |
| | ALKOHOLGEHALT 4,5 Vol.-% |
| | IDEALE SERVIERTEMPERATUR 13 °C |

Hafermehl-Stout wird normalerweise mit Hafer-flocken gebraut; Maclay erzielt mit Hafermalz einen volleren, süßeren Charakter. Das Stout mit dem Malzmilch-Aroma schmeckt harmonisch, ist von leichter Statur und butterig toastig im Abgang. Er passt vorzüglich zum schottischen Whiskey-Sahne-Honig-Dessert namens Atholl Brose.

# MACLAY THRAPPLE QUENCHER

M

🛡 **HERKUNFT** Zentralschottland, UK

🍾 **TYP** Golden Ale

％ **ALKOHOLGEHALT** 5,2 Vol.-%

🍺 **IDEALE SERVIERTEMPERATUR** 10 °C

Ein »Thrapple Quencher« (»Gurgelkühler« oder, im Deutschen üblicher, »Durstlöscher«) ist dieses Getränk. Den schottischen Begriff »thrapple« nutzte auch schon der Dichter Robert Burns. Das leichte, kühlende Getränk von Maclay hat ein frisches, verführerisches Zitronensorbetaroma, einen leichten, zarten Körper, einen sauberen, an Marmelade erinnernden Geschmack und einen sehr trockenen, anregenden Abgang: ein Sommer- oder Herbstgetränk.

*Durstlöscher*
*Der durstige Schotte auf dem Etikett tanzte wahrscheinlich gerade einen Highland Fling. Kleine Cartoons auf der Rückseite der Flasche zeigen ihn bei typischen Highland-Games-Aktivitäten.*

# McMullen Castle Pale Ale

- **Herkunft** Südengland, UK
- **Typ** Pale Ale
- **Alkoholgehalt** 5,0 Vol.-%
- **Ideale Serviertemperatur** 13 °C

Das ausgezeichnete Ale aus Hertford vedankt seine fruchtige Vielfalt einer warmen Gärung, außerdem wird es trocken gehopft. Anfangs malzig, entwickeln sich pfirsichartige Säure und Wärme, der Abgang ist zederig und erdig, sahnig und hopfig herb.

M

# McNeill's Dead Horse India Pale Ale

🛡 **Herkunft** Nordosten der USA

🍾 **Typ** India Pale Ale

% **Alkoholgehalt** 5,8 Vol.-%

🍺 **Ideale Serviertemperatur** 10–13 °C

Die Cellisten Ray und Holiday McNeill betreiben in der ehemaligen Polizeiwache von Brattleboro im nordamerikanischen Vermont eine Braukneipe. Dieses mit East Kent Goldings trocken gehopfte IPA ist ein aromatisch durchkomponiertes Bier mit öligem Hopfengeschmack als Leitmotiv, einem Kontrapunkt fester Malzigkeit und einem abschließenden Tusch trockenen Zedernholzes. Von den vielen exzellenten IPAs der Ostküste ist dieses (zusammen mit Brooklyn's East India Pale Ale) eines der besten.

# MAC QUEEN'S NESSIE

**HERKUNFT** Österreich

**TYP** Whiskeymalz-Lager

**ALKOHOLGEHALT** 7,3 Vol.-%

**IDEALE SERVIERTEMPERATUR** 9 °C

Das mythische Monster von Loch Ness stand Pate bei der Benennung dieses eigentlich aus den Alpen und nicht aus dem schottischen Hochland stammenden Biers. Das Nessie genannte Bier wird in der Schlossbrauerei von Eggenberg bei Vorchdorf im Seengebiet zwischen Salzburg und Linz gebraut. Es ist von tiefgoldener oder -bronzener Farbe, mit deutlichem Malzaroma und -geschmack, später Trockenheit und zurückhaltender Rauchigkeit.

*Monströs*
*Für den Fall, dass der Name des Monsters auf dem Etikett nicht ausreichend schottisch klingen sollte, hat man dem Bier noch den Namen Mac Queen (von einem schottischen Bierimporteur) gegeben.*

# MAGIC HAT BLIND FAITH IPA

**HERKUNFT** Nordosten der USA

**TYP** India Pale Ale

**ALKOHOLGEHALT** 6,1 Vol.-%

**IDEALE SERVIERTEMPERATUR** 10–13 °C

„Die Idee haben wir aus dem Hut gezaubert", sagte einer der Gründer – damit hatte die Brauerei in Burlington im nordamerikanischen Vermont der Hauptstadt der amerikanischen Alternativszene, ihren Namen weg. Magic Hat braut seit 1994 unter purpurnem Deckengewölbe, von dem ein Mond-und-Sterne-Mobile baumelt, ein Bier mit klassisch elegantem Körper, karamelligem Hintergrund und ausgewogenem Hopfen und Malz im Abgang.

# MAISEL'S WEISSE DUNKEL

| | |
|---|---|
| 🛡 **HERKUNFT** | Franken, Deutschland |
| 🍾 **TYP** | Dunkel/Weiße/Weizen |
| % **ALKOHOLGEHALT** | 5,4 Vol.-% |
| 🍶 **IDEALE SERVIERTEMPERATUR** | 9–12 °C |

Die Bayreuther Brauerei der Familie Maisel ist u.a. wegen ihres dem Ale ähnlichen »Dampfbiers« bekannt. Der Schwerpunkt der Produktion liegt jedoch eindeutig beim Weizenbier. Das Weiße Dunkel hat selbst für ein dunkles Weizenbier eine recht kräftige Farbe. Im Aroma und im Geschmack findet sich ein Hauch von Kaffee mit Anklängen von Kirschwasser und Passionsfrucht. Der Körper ist äußerst sanft.

*Brausterne*
*Ein Stern signalisierte früher den Ausschank von frisch gebrautem Bier. Das Symbol ist weit verbreitet und in Franken noch besonders gebräuchlich.*

# MAISEL'S WEISSE KRISTALLKLAR

M

🛡 **HERKUNFT** Franken, Deutschland

🍶 **TYP** Kristallweizen

% **ALKOHOLGEHALT** 5,2 Vol.-%

🌡 **IDEALE SERVIERTEMPERATUR**
9–12 °C

Die gefilterte Version von Maisels Weizenbier ist das Weiße Kristallklar. Das Kristallweizen hat ein sehr frisches Fruchtaroma; durch den Geschmack von Zitronenmark oder -schale und den äußerst erfrischenden Abgang gewinnt man den Eindruck, man beiße in Waffeleis. Die alte Brauerei von 1886/87 ist immer noch in gutem Zustand. Sie dient als Biermuseum und steht direkt neben der modernen heutigen Brauerei. In der alten Flaschenabfüllungshalle ist heute eine Bar im Stil der Zwanzigerjahre eingerichtet.

# MALT SHOVEL JAMES SQUIRE ORIGINAL AMBER ALE

M

**HERKUNFT** New South Wales, Australien

**TYP** Amber Ale

**ALKOHOLGEHALT** 5,0 Vol.-%

**IDEALE SERVIERTEMPERATUR** 10–13 °C

Der erste professionelle Brauer Australiens, James Squire, betrieb eine Gaststätte, nach der heute eine Brauerei benannt ist: das 1988 gegründete Malt Shovel. Das Amber Ale ist leicht, aber ausgesprochen hopfig im Aroma, delikat ausgewogen, von sanftem Körper, mit sauberen, sahnigen, malzigen Geschmacksnoten, einem leicht würzig-trockenen, zimtartigen Hopfencharakter und einer zurückhaltenden, melonenartigen Fruchtigkeit.

*Die Brauerei des Diebs*
*Auf den verschiedenen Etiketten von Amber Ale gibt es eine ganze Reihe von Zeichnungen, die vom Werdegang des James Squires vom ehemaligen Dieb zum Brauer, Wachtmeister, Bankier und Bürgermeister berichten.*

# MALT SHOVEL JAMES SQUIRE ORIGINAL PILSENER

⬚ **HERKUNFT** New South Wales, Australien

🍶 **TYP** Pilsner

% **ALKOHOLGEHALT** 5,0 Vol.-%

🥂 **IDEALE SERVIERTEMPERATUR** 9 °C

Das James Squire Original Pilsener wird im traditionellen Pilsner-Stil gebraut. Das Bier wird aus hellen Münchner Malzen (ohne Zuckerzusatz) und Saazer Hopfen gebraut. Es hat ein leicht blumiges, würziges Hopfenaroma und einen zunächst schlanken, dann jedoch vollen Körper, einen beim Trinken sich entwickelnden malzigen Grundton und eine runde, anregende bittere Hopfigkeit, vor allem im Abgang.

*Zu Recht geehrt ...*
*Auf diesem Etikett findet man Gerste und Hopfen zu Recht. Der Text ist den Industriearbeitern in Pilsen (Plzen) in Tschechien gewidmet.*

# MANNS ORIGINAL BROWN ALE

⬥ **HERKUNFT** Südengland, UK

🍾 **TYP** Brown Ale/Mild

% **ALKOHOLGEHALT** 2,8 Vol.-%

🍺 **IDEALE SERVIERTEMPERATUR** 10–13 °C

Dieses dunkle, malzige, süße, schwache Braune Ale wurde einst von jeder englischen Brauerei als Flaschenausgabe des Mild Ale vom Fass abgefüllt. Das ist selten geworden, aber dieser kleine Klassiker hat überlebt. Ursprünglich in London gebraut, kommt es heute von Ushers in Trowbridge (Wiltshire). Es ist leicht, aber weich und cremig und schmeckt nach schokoüberzogenen Rosinen.

# MÄRKISCHER LANDMANN SCHWARZBIER

**HERKUNFT** Berlin, Deutschland

**TYP** Schwarzbier

**ALKOHOLGEHALT** 5,1 Vol.-%

**IDEALE SERVIERTEMPERATUR** 9 °C

Dieses Schwarzbier wurde 1995 von der Brauerei Berliner Kindl auf den Markt gebracht; damals kam Schwarzbier gerade in Mode. Es hat ein lakritzhaftes Malzaroma, schmeckt leicht und trocken nach Getreide und hat einen an Eiche erinnernden, saftigen Abgang.

*Ein elegantes Glas …*
*… für einen modischen Biertyp. Das Schwarzbier, ein extradunkles Lager-Bier, wurde nach dem Mauerfall neu entdeckt.*

# MARSTON'S OWD RODGER

🛡 **HERKUNFT** Trent Valley, England, UK

🍾 **TYP** Old Ale/Barley Wine

% **ALKOHOLGEHALT** 7,6 Vol.-%

🌡 **IDEALE SERVIERTEMPERATUR** 10–13 °C

Wer war »Owd« (der alte) Rodger? Die bekannte Brauerei Marston im englischen Burton hat darauf keine Antwort, außer, dass der Name bereits seit den 50er-Jahren verwendet wird. Etliche solcher Biere wurden nach früheren Brauern, Trinkern, Kellermeistern, Wirten oder örtlichen Charakterköpfen benannt. Owd Rodger ist ein stärkeres Old Ale mit wärmender Alkoholnote. Die Krone ist dicht und die die Farbe fast purpurn, es hat ein Lakritzaroma und schmeckt leicht wurzelig. Der Körper ist leicht sahnig, der Abgang saftig und fruchtig und erinnert an Portwein.

# MARSTON'S OYSTER STOUT

**M**

⛨ **HERKUNFT** Trent Valley, England, UK

🍴 **TYP** Trockenes Stout

◔ **ALKOHOLGEHALT** 4,5 Vol.-%

🍺 **IDEALE SERVIERTEMPERATUR** 10–13 °C

Dieses flaschenvergorene Bier aus der berühmten Brauerei Marston in Burton enthält keine Austern, wird von der Brauerei aber als das ideale Getränk zu Schalentieren angeboten. Unter den hier beschriebenen Stouts hat es den fruchtigsten Geschmack, einen Hauch Schalotte und einen festen, zedernholzigen Hintergrund.

# MARSTON'S PEDIGREE

🛡 **HERKUNFT** Trent Valley, England, UK

**TYP** Pale Ale/Bitter

% **ALKOHOLGEHALT** 4,5 Vol.-%

**IDEALE SERVIERTEMPERATUR** 13 °C

Die meisterliche Subtilität und Komplexität dieses Biers rührt zum Teil vom harten Wasser in Burton her, hauptsächlich jedoch vom einzigartigen Gärverfahren. Das Bier zirkuliert durch etliche riesige, miteinander verbundene Eichenfässer. Andere Brauereien haben solche Anlagen abgeschafft. Sie sorgen jedoch für eine lebhafte Gärung und ein leichtes, malziges, nussiges und herbes Bier von zarter Fruchtigkeit.

# n's Single Malt

| | |
|---|---|
| **Herkunft** | Trent Valley, England, UK |
| **Typ** | Golden Ale |
| **Alkoholgehalt** | 4,2 Vol.-% |
| **Ideale Serviertemperatur** | 10–13 °C |

Mit »Single Malt« wird in der Regel schottischer Whisky bezeichnet. Mittlerweile wird er jedoch auch auf Bier angewandt. Hier bezeichnet er ein goldfarbenes Ale. Auf den Whisky bezogen bedeutet »Single Malt«, dass der gemälzte Whisky aus einer einzigen Destillerie stammt und nicht mit Whiskys aus anderen Destillerien vermischt ist. Beim Bier bezieht sich der Begriff nur auf die Malzsorte, die verwendet wird. Zufällig ist Golden Promise eine Sorte, die auch beim berühmten Malt Whisky Macallan für das reiche, nussige Aroma sorgt. Das Bier hat ebenfalls nussige und auch toastig-keksartige Aromanoten, aber eine überraschend frisch-hopfige Trockenheit. Wir wünschen Marston's, dass es wegen der etwas forschen Verwendung des Begriffs »Single Malt« keine Schwierigkeiten bekommt.

# MATER WIT BIER

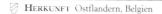

| | |
|---|---|
| 🛡 **HERKUNFT** Ostflandern, Belgien | |
| 🍺 **TYP** Belgisches Weizenbier | |
| ◔ **ALKOHOLGEHALT** 5,0 Vol.-% | |
| 🍺 **IDEALE SERVIERTEMPERATUR** 9–10 °C | |

Wahrscheinlich gründeten die Römer das Dorf mit dem seltsamen Namen Mater nahe Oudenaarde auf der alten Route von Köln ans Meer. Die Familie Roman betreibt diese wunderschön erhaltene Brauerei seit 14 Generationen. Wie drei benachbarte Brauereien im Raum Oudenaarde ist sie besser bekannt für ihr Braunes Bier. Sie stellt aber auch diese wunderbare Weiße her, die nach hausgemachter Limonade, Sorbet und einer ausgewogenen, trockenen Würze schmeckt.

*Walkers* Witbier
*Für flandrische Begriffe ist die Gegend um Oudenaarde recht bergig. Sie wird auch als »Flämische Ardennen« bezeichnet. Dieses Bier ist der Durstlöscher für Bergwanderer.*

M

# MATILDA BAY DOGBOLTER
# SPECIAL DARK LAGER

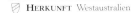

**HERKUNFT** Westaustralien

**TYP** Münchner Dunkles Lager

**ALKOHOLGEHALT** 5,2 Vol.-%

**IDEALE SERVIERTEMPERATUR** 9 °C

Das 1984 in Freemantle gegründete Sail and Anchor war die erste Braukneipe der neuen Generation in Australien. Das Unternehmen regte die Entstehung der Kleinbrauerei Matilda Bay an. Der Namenszusatz »Dogbolter« bezieht sich auf einen britischen Brauer. Das Bier bietet eine ausgewogene Mischung aus ausgesprochen kakaoartigem Aroma und Geschmack und einer nussigen Trockenheit, abgerundet durch eine sanfte Malzigkeit.

# Matilda Bay
# Redback Original

| | |
|---|---|
| 🛡 **HERKUNFT** | Westaustralien |
| 🍾 **TYP** | Süddeutsches Weizenbier |
| ⊘ **ALKOHOLGEHALT** | 4,7 Vol.-% |
| 🌡 **IDEALE SERVIERTEMPERATUR** | 9–12 °C |

Das nach einer australischen Giftspinne benannte Bier ist trotz seines Namens ein recht unschuldiges, aber außergewöhnlich frisches und wohlschmeckendes Bier. Es wurde zwischenzeitlich immer wieder leicht geändert, gehört jedoch zu den eigenwilligsten Bieren Australiens und war das erste dort gebraute Weizenbier. Das Aroma ist vanilleartig mit einer sanften, aber überaus öligen Nelkennote, so wie in den deutschen Weizenklassikern, und einem zitronenartigen, frischen, spritzigen Abgang.

*Klassische Moderne*
*Der Siebdruck auf der Redback-Flasche ist*
*gleichzeitig klassisch und modern: ein wilder*
*Pinselstrich über einem an Bass erinnernden*
*Diamanten in einem traditionellen Oval. Hier*
*werden Verpackungsklassiker zitiert.*

# MICHELOB HEFEWEIZEN

M

HERKUNFT Mittlerer Westen der USA

TYP Hefeweizen

ALKOHOLGEHALT 5,0 Vol.-%

IDEALE SERVIERTEMPERATUR 9–12 °C

Der Welt größte Brauerei und Hersteller des amerikanischen Budweiser hat über die letzten Jahre hinweg mit einer Reihe von Spezialitäten experimentiert, u.a. mit dunkler Lagern, Bockbieren, sehr hopfenhaltigen Ales, Porters und mehreren Weizenbieren. Aus der letzten Kategorie scheint sich das »Superpremium« Michelob etabliert zu haben. Dieses Hefeweizen ist äußerst satt in der Farbe; frisch aromatisch, fruchtig und sorbetähnlich mit einem Hauch Bananentoffee.

# MIKE'S MILD ALE

| | |
|---|---|
| 🛡 **HERKUNFT** Neuseeland | |
| 🍺 **TYP** Mild Ale | |
| % **ALKOHOLGEHALT** 4,0 Vol.-% | |
| 🍶 **IDEALE SERVIERTEMPERATUR** 10 °C | |

Eine Rarität aus der Neuen Welt. Es schmeckt zwar mild, ist aber eine kühne Variante des Typs. Mike Johnson, ein Braumeister mit zwölf Jahren Erfahrung, hat sich 1989 selbstständig gemacht. Seine White-Cliffs-Brauerei liegt an der Küste bei Urenui in Neuseeland. Das Bier hat ein frisches, erdiges Aroma, einen weichen Körper, anregende Noten von Keks, Schokolade und Malz sowie eine leicht geröstete Trockenheit im Abgang.

*Unter dem Vulkan*
*Das Etikett zeigt den Mount Taranaki. Der Vulkan brach zuletzt vor 350 Jahren aus, nach einer Wanderung auf den Pfaden der Gegend kann man sich also beruhigt erfrischen und stärken.*

# MITCHELL'S OLD 90/-ALE

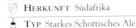

🛡 **HERKUNFT** Südafrika

🍾 **TYP** Starkes Schottisches Ale

% **ALKOHOLGEHALT** 7,0 Vol.-%

🥛 **IDEALE SERVIERTEMPERATUR** Lagern bei 5 °C, servieren bei 10 °C

Mit den Schotten verbreitete sich auch ihr Bier über die Welt. Alexander Angus Mitchell kam aus Blairgowrie (Perthshire). Er kämpfte im berühmten Highlands-Regiment Black Watch im Krieg zwischen den Buren und den Briten in Südafrika zu Anfang des letzten Jahrhunderts. Er heiratete eine Südafrikanerin, sein Enkel Lex gründete 1984 die Brauerei Mitchell in Knysna (in der westlichen Kapprovinz). Der Begriff 90/- auf diesem Schottischen Ale bezieht sich auf die alte Schillingwährung. Ein Neunzig-Schilling-Ale war traditionellerweise ein starkes Ale. Dieses naturtrübe, unpasteurisierte Bier wird mit Zimt gewürzt und erinnert im Aroma an Scotch Whisky. Es schmeckt malzig und ist im Abgang trocken und leicht herb.

# MITCHELL'S RAVEN STOUT

- ⌖ **HERKUNFT** Westliche Kapprovinz, Südafrika
- 🍾 **TYP** Starkes Dry Stout
- % **ALKOHOLGEHALT** 6,0 Vol.-%
- 🍺 **IDEALE SERVIERTEMPERATUR** 10–13 °C

Lex Mitchell arbeitete früher bei South African Breweries und gründete 1984 in Knysna die erste Kleinbrauerei in Afrika. Inzwischen kamen Mitchell's Pubs in Johannesburg und Kapstadt dazu. Seine weichen, kräftigen und malzigen Biere sind unfiltriert und unpasteurisiert. Raven Stout ist schieferschwarz, hat ein sahniges Aroma und ist voller Rum in der Mitte. Der Abgang ist so trocken wie das Sackleinen eines Hopfensacks.

*Plastikflaschen*
*Große Brauereien verkaufen ihr*
*Bier fast immer in Glasflaschen,*
*kleinere Brauerein manchmal auch*
*in Plastikflaschen.*

M

# MOCTEZUMA NOCHE BUENA

🛡 **HERKUNFT** Veracruz, Mexiko

🍶 **TYP** Dunkles Lager/Bock

🍷 **ALKOHOLGEHALT** 6,0 Vol.-%

🍺 **IDEALE SERVIERTEMPERATUR** 9 °C

Der Name bedeutet »Gute Nacht«, bezogen auf Heilig-abend. An diesem Abend findet in Mexiko das weihnachtliche Festessen statt. Noche Buena, ein starkes dunkles Lager, ist eines der schmackhaftesten Biere Mexikos. Es ist von tief-brauner Bernsteinfarbe, sehr weich und hat eine malzige Süße und eine trockene Hopfig-keit im langen Abgang. Die Brauerei Moctezuma braut auch das populäre Dos Equis vom Typ Wiener Lagerbier.

*Rote Blätter*
*Auf dem Etikett ist der (mitten im Winter blühende) Weihnachtsstern abgebildet.*

# MOHRENBRÄU SCHLUCK

|  | **HERKUNFT** Österrreich |
|---|---|
|  | **TYP** Lagerbier Wiener Art |
|  | **ALKOHOLGEHALT** 5,2 Vol.-% |
|  | **IDEALE SERVIERTEMPERATUR** 9 °C |

Einer der Heiligen Drei Könige soll ein Maure gewesen sein, daraus wurde dann ein »Mohr«. »Mohrenkopf« war vor einigen hundert Jahren ein durchaus üblicher Name für Wirtshäuser. Die Brauerei Mohrenbräu lässt sich bis ins Jahr 1743 zurückverfolgen, in dem sie als Braukneipe gegründet wurde. Sie befindet sich in Dornbirn im Rheintal an der Grenze von Österreich zur Schweiz, nicht weit von St. Gallen entfernt. Das Bier vom Wiener-Lager-Typ ist sanft, weich, leicht, ausgewogen und rund.

# MOKU MOKU BISUCUIT WEIZEN

🛡 **HERKUNFT** Honschu, Japan

🍾 **TYP** Belgisch-deutsches Weizenbier

% **ALKOHOLGEHALT** 4,5 Vol.-%

🍺 **IDEALE SERVIERTEMPERATUR** 9–10 °C

Moku Moku bezieht sich auf Täuschungsmanöver der früheren Ninja-Krieger, in den Bergen lebende Meister der Selbstverteidigung. Die Brauerei liegt bei Ueno östlich von Kyoto und Osaka. Der Name des Biers ist eine Anspielung auf Biskuit-malz, obwohl diese belgische Bezeichnung kaum zu »Weizen« passt. Das Bier hat eine orange Farbe; es beginnt mit nussigem Malzgeschmack und ist im Abgang duftig und etwas rauchig: eine interessante Kreuzung aus Japan.

*Bergmalzmeister*
*Moku Moku importiert den größten Teil des Malzes aus Belgien, verwendet aber zusätzlich stets eine geringe Menge selbst gemalzten Getreides.*

# Moku Moku Smoked Ale

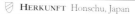

- **Herkunft** Honschu, Japan
- **Typ** Geräuchertes Ale
- **Alkoholgehalt** 5,0 Vol.-%
- **Ideale Serviertemperatur** 10–13 °C

Der Name dieser japanischen Brauerei verweist auf die Tarnkünste der Ninja-Krieger. Das Ale ist erdig und ölig, gegen Ende baut sich ein Geschmack von frischem Rauch auf. Es wird torfgeröstetes schottisches Malz verwendet. Die Brauerei ist ein Teil einer Kooperative, die Schinken räuchert, Wurst herstellt und ein Restaurant in Ajama betreibt.

# MÖNCHSHOF KAPUZINER SCHWARZE HEFEWEIZEN

| | |
|---|---|
| 🛡 **HERKUNFT** Franken |
| 🍾 **TYP** Dunkles Weizenbier |
| 🍺 **ALKOHOLGEHALT** 5,4 Vol.-% |
| 🥃 **IDEALE SERVIERTEMPERATUR** 9–12 °C |

Mönchshofbier geht zurück auf einen Kapuzinermönch, der im nordbayrischen Kulmbach bereits im 13. Jahrhundert Bier braute. Die beiden großen Brauereien in Kulmbach, Reichelbräu und EKU, gehören zusammen, Letztere braut da Mönchshofbier. Das schwarze Hefeweizen ist ein sehr geschmackvolles Bier mit Vanillearoma und einem Hauch von Banane, wobei es zu flüssigem Toffee mit einem Anflug von Nelke gerinnt. Kulmbach ist für dunkle wie auch für starke Biere bekannt. Die Pro-Kopf-Produktion ist die höchste Deutschlands: Bei einer Einwohnerzahl von 30000 werden 1,6 Millionen Hektoliter Bier pro Jahr gebraut – 5300 Liter pro Kopf!

*Black is beautiful*
*Schwarzbiere wurden wieder entdeckt, als sie nach der Wende vom Osten Deutschlands aus verbreitet wurden. Mönchshof braute seit längerem ein schwarzes Lagerbier und nun auch dieses tiefschwarze Weizenbier.*

# MORAVIA PILS

| | |
|---|---|
| HERKUNFT | Niedersachsen |
| TYP | Pilsner |
| ALKOHOLGEHALT | 4,8 Vol.-% |
| IDEALE SERVIERTEMPERATUR | 9 °C |

Der Name ist eine Reverenz an die mährischen Gerstenanbaugebiete, während der Export böhmischen Hopfens flussabwärts über die Elbe wohl die energischen Pilsner der norddeutschen Tiefebene inspiriert hat. Moravia Pils ist eines der bekanntesten; es hat ein blumiges Minzaroma, eine leichte, beinahe trockene Malzigkeit und einen mächtigen Hieb bitteren Hopfens sowie einen sanften, trockenen Abgang. Die Moravia-Brauerei in Lüneburg gehört zu Holsten.

# MORDUE WORKIE TICKET

**HERKUNFT** Nordostengland, UK

**TYP** Bitter Ale

**ALKOHOLGEHALT** 4,5 Vol.-%

**IDEALE SERVIERTEMPERATUR** 10–13°C

Zwei Jahre nach der Eröffnung der Brauerei wurde dieses Bier »Champion Beer of Britain«. Die Gründer Matthew und Gary Fawson kamen auf die Idee, nachdem sie herausgefunden hatten, dass ihr Haus in der Nähe Newcastles im letzten Jahrhundert eine Brauerei namens Mordue beherbergt hatte. »Workie Ticket« ist in Newcastle ein Ausdruck für Unruhestifter. Das Bier ist von voller Farbe, die robuste Malzigkeit wird mit nussiger Trockenheit im Abgang aufgewogen.

# Moretti La Rossa

| | |
|---|---|
| HERKUNFT | Norditalien |
| TYP | Lagerbier Wiener Art/Maibock |
| ALKOHOLGEHALT | 7,2 Vol.-% |
| IDEALE SERVIERTEMPERATUR | 9 °C |

Die Pizza ist Süditalienerin, das charaktervollste Bier Italiens kommt aus dem Norden, aus Udine in Friaul, nordöstlich von Venedig. Moretti La Rossa hat fast das Aroma von ofenfrischem Pizzateig und einen frischen, süßen, lebendigen, weichen Malzcharakter mit einem würzig trockenen Abgang: das ideale Bier zur Pizza, wäre es nicht so stark.

M

M

# MORT SUBITE KRIEK

| | | |
|---|---|---|
| 🛡 | **HERKUNFT** | Flämisch-Brabant, Belgien |
| 🍶 | **TYP** | Kriek-Lambic |
| % | **ALKOHOLGEHALT** | 4,3 Vol.-% |
| 🍺 | **IDEALE SERVIERTEMPERATUR** | 8–9 °C |

»Kriek« ist flämisch für kleine, dunkle, trocken schmeckende Kirschen, mit denen belgisches Fruchtbier gebraut wird. Mort Subite, »plötzlicher Tod«, war ein in einem Brüsseler Café besonders beliebtes Würfelspiel – schließlich wurde das Café ebenso in Mort Subite umbenannt wie das hauseigene Bier, das im Tal der Senne gebraut wird. Für Mort Subite wird eigens eine besondere Kirschsorte angebaut. Das Bier ist herrlich ausgewogen, hat eine sahnige Mandel- und Kirschsteinnote und einen leicht herben Abgang. Das Mort Subite Fond Gueuze ist trockener und unfiltriert.

*Plötzlicher Tod, langes Leben
Mort Subite geht auf das Jahr
1686 zurück. Die Brauerei hat
ihren Sitz in Kobbegem nahe
Brüssel.*

# MÜHLEN KÖLSCH

| | |
|---|---|
| 🛡 **HERKUNFT** Köln | |
| 🍺 **TYP** Kölsch | |
| ⊘ **ALKOHOLGEHALT** 4,8 Vol.-% | |
| 🌡 **IDEALE SERVIERTEMPERATUR** 9 °C | |

Die Malzmühle ist eine alteingesessene, unprätentiöse Brauereikneipe, die ein ausgesprochen malziges, im Geschmack fast an Marshmallows erinnerndes Bier herstellt. Mühlen Kölsch hat eine dichte Krone, ein sehr frisches Aroma und ist ausgewogen würzig und trocken. Die Kneipe steht im Zentrum Kölns am Heumarkt – ein interessanter Kontrast zum gegenüberliegenden Ende dieses Platzes: Dort schenkt Päffgen in einem schicken Restaurant mit Bar ein hopfenbetontes Kölsch aus.

*Windbräu*
*War die Malz- eine Windmühle?*
*Wohl kaum, die Brauerei wurde erst*
*1858 gegründet. Oder standen Wind-*
*mühlen am Rhein?*

# MURPHY'S IRISH STOUT

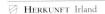

| | |
|---|---|
| **HERKUNFT** | Irland |
| **TYP** | Trockenes Stout |
| **ALKOHOLGEHALT** | 4,0 Vol.-% |
| **IDEALE SERVIERTEMPERATUR** | 10–13 °C |

Aus der »römisch-katholischen« Brauerei Corks, benannt nach einem der Jungfrau Maria gewidmeten Brunnen. Murphy's wurde um die Mitte des 19. Jahrhunderts gegründet und braut gelegentlich Auster-Stout mit Austernbrühe als Brauzugabe. Das reguläre Stout ist mild-trocken mit Brotgeschmack und einem Anflug von Torf.

*»Draught in the bottle« …*
*… bedeutet, dass die Flasche eine Stickstoffkapsel enthält um dem Bier die sahnige Krone eines Fassbiers zu verleihen.*

# NEW BELGIUM OLD CHERRY ALE

🛡 **HERKUNFT** Südwesten der USA

🍾 **TYP** Amerikanisches/Belgisches Ale mit Früchten

📊 **ALKOHOLGEHALT** 5,0 Vol.-%

🍺 **IDEALE SERVIERTEMPERATUR** 10 ℃

Die Brauerei in Fort Collins (Colorado) leistete Pionierarbeit und braut ein elegantes Fruchtbier mit der einheimischen Sauerkirschsorte Montmorency im belgischen Stil. Das Bier ist von heller, orange-rosiger Farbe, hat ein ganz leicht fruchtiges Aroma, einen sanft öligen, malzigen Hintergrund von Gerstenzucker und eine sehr leicht saure, ausgleichende Trockenheit im Abgang. Die Basis ist ein leicht gehopftes Ale, die Kirschen steuern Säure bei.

*Von Paris nach Fort Collins*
*Montmorency-Kirschen sind nach ihrem Ursprungsort bei Paris benannt. Sie sind bekannt für ihre helle Farbe und ihre Säure.*

# NEW GLARUS WISCONSIN CHERRY BEER

| | |
|---|---|
| **HERKUNFT** | Mittlerer Westen der USA |
| **TYP** | Kirschbier belgischer Art |
| **ALKOHOLGEHALT** | 5,0 Vol.-% |
| **IDEALE SERVIERTEMPERATUR** | 9 10 °C |

Für dieses mehrfach preisgekrönte Bier werden Kirschen aus der Gegend um Brussels (Wisconsin) sowie Weizen, Gerstenmalz und Hefesorten aus Belgien verwendet. Es hat ein nach Mandeln schmeckendes Kirschkernaroma, süße, frisch-fruchtige Noten, sämige Malzigkeit und Anklänge von Eisen und herber Säure im Abgang.

*Kein belgisches Bier, …*
*... obwohl es eindeutig belgischen Typs ist. Es erinnert an Kriek und flämisches Red Ale.*

# Newcastle Brown Ale

| | |
|---|---|
| 🛡 **HERKUNFT** | Nordostengland, UK |
| 🍺 **TYP** | Brown Ale |
| % **ALKOHOLGEHALT** | 4,7 Vol.-% |
| 🌡 **IDEALE SERVIERTEMPERATUR** | 10 °C |

Das bekannteste Flaschen-Ale in Großbritannien. Sein Machoimage hat weniger mit dem Alkoholgehalt zu tun als mit seinem Ursprung in einer Arbeiterstadt, die für ihre Kohlengruben und Schiffswerften bekannt war. Newcastle Brown Ale wurde 1927 von einem Braumeister mit dem etwas unpassenden Namen Colonel Porter entwickelt. Wenn es nicht zu stark gekühlt oder einfach hinuntergestürzt wird, schmeckt es überraschend nussig, blumig, zart und delikat wie Wein.

*Fehlt Ale?*
*Im Jahr 2000 wollten die Marketing-experten in Newcastle das Wörtchen »Ale« vom berühmten Etikett entfernen, es erschien ihnen altmodisch.*

# NORTH COAST OLD RASPUTIN RUSSIAN IMPERIAL STOUT

HERKUNFT  Kalifornien, USA

TYP  Imperial Stout

ALKOHOLGEHALT  8,9 Vol.-%

IDEALE SERVIERTEMPERATUR  13–18 °C

Grigori Rasputin war eine mysteriöse Figur am russischen Hof; er wurde ermordet. Eine etwas ironische Ehrung für ihn ist dieses reiche, butterige, karamellige, rumartige Imperial Stout. Wie das exzellent trockene Stout Old No. 38 kommt es aus der Brauerei North Coast im früheren Walfängerhafen Fort Bragg. Die Brauerei nahm ihren Betrieb 1987 in einer alten Presbyterianerkirche nebst Gruft auf.

# NUSSDORFER OLD WHISKY BIER

⬡ **HERKUNFT** Wien, Österreich

🍾 **TYP** Whiskymalz-Altbier

％ **ALKOHOLGEHALT** 6,1 Vol.-%

🍺 **IDEALE SERVIERTEMPERATUR** 9 °C

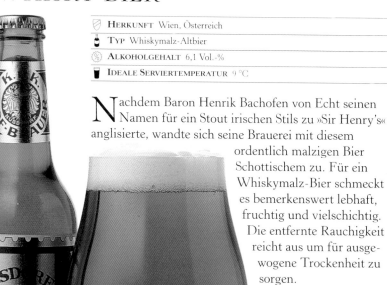

Nachdem Baron Henrik Bachofen von Echt seinen Namen für ein Stout irischen Stils zu »Sir Henry's« anglisierte, wandte sich seine Brauerei mit diesem ordentlich malzigen Bier Schottischem zu. Für ein Whiskymalz-Bier schmeckt es bemerkenswert lebhaft, fruchtig und vielschichtig. Die entfernte Rauchigkeit reicht aus um für ausgewogene Trockenheit zu sorgen.

# NUSSDORFER SIR HENRY'S DRY STOUT

| | |
|---|---|
| HERKUNFT | Wien, Österreich |
| TYP | Dry Stout |
| ALKOHOLGEHALT | 5,6 Vol.-% |
| IDEALE SERVIERTEMPERATUR | 10–13 °C |

Nußdorf liegt am Rande des Wienerwalds und hat seinen Namen von Walnüssen. Sir Henry's Stout wird in den Weinkellern des Nußdorfer Schlosses von Baron Henrik Bachofen von Echt gebraut. Wäre nicht die leckere Trockenheit im fruchtigen Abgang, könnte der Schokoladengeschmack dieses Stout zu reich machen.

# NUSSDORFER ST. THOMAS BRÄU

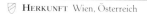

| | |
|---|---|
| 🛡 **HERKUNFT** | Wien, Österreich |
| 🍺 **TYP** | Altbier |
| % **ALKOHOLGEHALT** | 4,8 Vol.-% |
| 🌡 **IDEALE SERVIERTEMPERATUR** | 9 °C |

Dieses von Baron Bachofen von Echt produzierte Altbier erhielt seinen Namen vom Schutzpatron von Nußdorf, einer Ortschaft außerhalb von Wien. Eine 1819 gegründete Brauerei der Familie schloss in den Fünfzigerjahren ihre Tore, 1984 wurde die Tradition wieder belebt. Das Bier zeichnet sich durch einen kräftigen Malzgeschmack – süß, sahnig, nussig und fruchtig – bei guter Ausgewogenheit im Hopfen aus.

*Gesetzestreu*
*Auf dem Etikett gibt dieses Bier*
*bekannt, dass es getreu dem*
*deutschen Reinheitsgebot*
*gebraut wurde.*

# OASIS CAPSTONE ESB

| | |
|---|---|
| ⌘ **HERKUNFT** Südwesten der USA | |
| ⌘ **TYP** Amerikanisches Ale/Extra Special Bitter | |
| ⌘ **ALKOHOLGEHALT** 5,6 Vol.-% | |
| ⌘ **IDEALE SERVIERTEMPERATUR** 10–13 °C | |

Jede gute Wasserstelle ist eine Oase, aber diese Braukneipe geht mit ihrer Inneneinrichtung im ägyptischen Stil noch etwas weiter. Sie steht in der Hochschulstadt Boulder (Colorado). Ihr Capstone ESB ist von voller rötlich bernsteinener Farbe und weist eine feste Krone sowie ein sahniges Aroma mit Malzton auf. Es ist seidig-sanft und hat Noten von Toast und Marmelade sowie einen zedernartigen Abgang.

*Augen auf*
*Der durstig machende*
*ägyptische Sonnengott*
*blickt von diesem Etikett.*

# OASIS ZOSER STOUT

| | | |
|---|---|---|
| 🛡 | **HERKUNFT** | Südwesten der USA |
| 🍾 | **TYP** | Hafermehl-Stout |
| % | **ALKOHOLGEHALT** | 5,0 Vol.-% |
| 🍷 | **IDEALE SERVIERTEMPERATUR** | 13° C |

Die bekannte Braukneipe in Boulder (Colorado) mag es ägyptisch und so heißt der Hafer-Stout nach dem mythologischen Himmelspförtner. Das fast teerartig aussehende Bier mit dichter Krone und duftigem Bitterschokoladenaroma und -geschmack ist von fester Statur, der rauchige Abgang erinnert an weichen schottischen Malzwhisky.

# ›RFER WEISSBIER

**HERKUNFT** Marktoberdorf, Deutschland

**TYP** Hefeweizen

**ALKOHOLGEHALT** 4,9 Vol.-%

**IDEALE SERVIERTEMPERATUR** 9–12 °C

Ein auf dem Exportmarkt stark vertretenes Bier. Die Brauerei ist nach Marktoberdorf benannt, das mitten in der grünen Landschaft auf halbem Wege zwischen München und dem Bodensee liegt. Ihre Geschichte reicht bis zu einer Gastschenke im 15. Jahrhundert zurück. Das Oberdorfer Weißbier ist lebhaft und sehr leicht und hat einen süßlichen Charakter, der an Kaugummi erinnert.

*Das Dorf*
*Ein beliebtes Bild auf dem Etikett ist das klassische bayerische Dorf, ein Klischee, das manchmal der Wirklichkeit entspricht.*

# ODELL'S 90 SHILLING

HERKUNFT Südwesten der USA

TYP Schottisches Ale

ALKOHOLGEHALT 5,6 Vol.-%

IDEALE SERVIERTEMPERATUR 10–13 °C

Doug Odell, ein Amerikaner walisischer Abstammung, machte in Schottland Urlaub, fand Gefallen am Bier, kehrte nach Colorado zurück, gab seine Landschaftsgärtnerei auf und eröffnete 1989 eine Kleinbrauerei in Fort Collins. Eines seiner ersten Biere war sein 90 Shilling. Es ist angemessen malzig, frisch aromatisch, ausgewogen leicht und weich sirupartig. Der Abgang ist zurückhaltend trocken.

*Bier mit Felsenkrone*
*Auf dem Etikett sind die*
*Rocky Mountains die*
*Hauptdarsteller.*

# O'HANLON'S WHEAT BEER

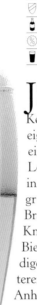

**HERKUNFT** London, England, UK

**TYP** Weizen-Ale

**ALKOHOLGEHALT** 4,0 Vol.-%

**IDEALE SERVIERTEMPERATUR** 9–12 °C

John O'Hanlon wuchs in einer Gaststätte in der Grafschaft Kerry auf. 1996 eröffnete er seine eigene Kneipe in Clerkenwell, einem Stadtteil östlich der City von London. Sie existiert immer noch in 8 Tysoe St, London, EC1. Er gründete in Vauxhall, London, eine Brauerei, ursprünglich um die Kneipe zu beliefern. Sein typischstes Bier ist ein gutes, solides, schokoladiges, trockenes Stout. Seine gewagteren Biere haben aber ebenfalls ihre Anhänger. O'Hanlon's Wheat Beer hat ein zitronenwürziges Aroma (vielleicht vom Koriander), einen leichten, aber öligen, martiniähnlichen Körper und einen reinigenden, sehr trockenen, grapefruitfruchtigen (vom Cascade-Hopfen) anregenden Abgang.

*Weizen gewinnt*
*Das Etikett macht darauf aufmerksam, dass dieses Bier 1999 »British Wheat Beer of the Year« (Großbritanniens Weizenbier des Jahres) war.*

# OKHOTSK MILD STOUT

⬦ **HERKUNFT** Hokkaido, Japan

🍶 **TYP** Trockenes Stout

⊛ **ALKOHOLGEHALT** 5,0 Vol.-%

🍶 **IDEALE SERVIERTEMPERATUR** 10–13 °C

Die kleine Stadt Kitami liegt auf Hokkaido, nahe der Ostküste und dem Ochotskischen Meer. Dort braut eine Braukneipe vorzügliche Biere – schmackhafte Versionen klassischer Typen. Das mild-trockene, sehr süffige Stout ist purpurschwarz, hat eine dichte, feste Krone, ein erdiges Hopfen-aroma, den Geschmack gerösteter Kastanien, einen sahnigen Körper und Joghurtherbheit im Abgang.

*Mild gestimmt*
*Mild bezeichnet üblicherweise ein eher*
*süßes Ale. Dieses Bier ist zwar mild*
*im Geschmack, vom Typ her aber ein*
*Stout.*

# OKOCIM PORTER

🛡 **HERKUNFT** Galizien, Polen

🍾 **TYP** Starkes Porter/Imperial Stout

% **ALKOHOLGEHALT** 8,1 Vol.-%

🍺 **IDEALE SERVIERTEMPERATUR** 13–18 °C

Okocim ist ein Viertel von Brzesko östlich von Krakau in Polen. Die Brauerei wurde 1845 gegründet und braut ein Porter baltischen Typs. Es hat einen beruhigenden, fast medizinischen Charakter, einen Hauch Zimt und einen trockenen, zedernhaften, anregenden Abgang. Ein weiteres polnisches starkes Stout bemerkenswert weicher Art kommt aus Zywiec, ein eher rosinenhaftes aus einer Brauerei in Elblag.

*Kaiserhelm?*
*Dieser grandiose Krug wurde anlässlich eines Jubiläums der Brauerei hergestellt.*

# OLD DOMINION BREWING CO. OCTOBERFEST

- 🛡 **HERKUNFT** Atlantikküste der USA
- **TYP** Märzen-Oktoberfest Lagerbier
- **ALKOHOLGEHALT** 5,8 Vol.-%
- **IDEALE SERVIERTEMPERATUR** 9 °C

Das Oktoberfestbier dieser Kleinbrauerei nahe Washington D. C. hat eine malzige Weichheit, Festigkeit und Nussigkeit. Von den verwendeten Wiener Malzsorten stammen Gerstenzucker-Süße und Würzigkeit des Bieres. Der Malzcharakter ist insgesamt sehr gut. Die späte, zarte Hopfenbalance erinnert an Kräuter.

*Amerikanische Lebensart?*
*»Oktoberfest« wird auch im englischen Sprachraum vorwiegend mit K geschrieben; auf diesem Etikett ausnahmsweise jedoch mit C.*

# Oliver ESB

🛡 **Herkunft** Nordosten der USA

🍾 **Typ** Amerikanisches Ale/Extra Special Bitter

Ⓐ **Alkoholgehalt** 5,6 Vol.-%

🍺 **Ideale Serviertemperatur** 10–13 °C

Die englischstämmige Familie Oliver braut dieses ESB in Baltimore (Maryland). Ihre Braukneipe Wharf Rat Pub gibt es seit 1993. Das ESB wird mit Handpumpen gezapft und in Zweiliter-Humpen über die Straße verkauft. Es hat eine attraktive rötliche Bernsteinfarbe, eine feste Krone und ein pfefferiges Hopfen- und Malzaroma. Es schmeckt nussig und ist durstlöschend im Abgang; spät entwickelt sich eine typische, moorige Trockenheit.

*Zapfhahn?*
*Wo es die Gesetzgebung erlaubt, zapfen amerikanische Braukneipen ihr Fassbier auch zum Mitnehmen in solche Krüge.*

# OMMEGANG

🛡 **HERKUNFT** Nordosten der USA

🍾 **TYP** Abtei Double

% **ALKOHOLGEHALT** 8,5 Vol.-%

🍶 **IDEALE SERVIERTEMPERATUR** 15–18 °C

Der Name Ommegang, zu Deutsch: »Wanderung«, bezieht sich auf eine Parade, die jeden Juli in Brüssel stattfindet. Die Brauerei Ommegang hat ihren Sitz in einer ehemaligen Hopfenregion in der Nähe von Cooperstown im Bundesstaat New York und braut eine ganze Reihe von Bieren im belgischen Stil. Sie wurde 1997 von Don Feinberg und Wendy Littlefield gegründet. Ihr Interesse für Bier wurde 1980 durch eine Reise nach Belgien geweckt. Ommegang ist etwas leichter im Körper und aromatischer als ein belgisches Abtei »Double«. Es hat nichtsdestotrotz die vom Kandiszucker stammende Fülligkeit. Der Geschmack erinnert auch an Vanille, dunke Schokolade, Pflaumen, Orangenschalen und Anis. Der Abgang ist trocken, medizinisch und wärmend.

# Op-Ale

🛡 **Herkunft** Flämisch-Brabant, Belgien

🍶 **Typ** Belgisches Ale

％ **Alkoholgehalt** 5,0 Vol.-%

🍺 **Ideale Serviertemperatur** Die Brauerei gibt 7 °C an, doch der Geschmack ist bei einer etwas höheren Temperatur von rund 12 °C deutlicher.

Das flämische »op« bedeutet »auf« wie in auf- bzw. austrinken – eine passende Abkürzung für Opwijk, wo dieses Ale gebraut wird. Op-Ale hat eine erfrischende Fruchtigkeit wie von süßen Äpfeln, einen leichten, sauberen, trockenen, frisch-malzigen Geschmack und eine zitrusartige Spritzigkeit im Abgang.

*Provinzstolz*
*Lokale Brauereien und die gesamte*
*Provinz führen das Brabanter*
*Pferd als Symbol.*

# ORKNEY SKULLSPLITTER

| | |
|---|---|
| 🛡 **HERKUNFT** | Orkney-Inseln, Schottland, UK |
| 🍺 **TYP** | Starkes Schottisches Ale/Wee Heavy |
| % **ALKOHOLGEHALT** | 8,5 Vol.-% |
| 🍶 **IDEALE SERVIERTEMPERATUR** | 13 °C |

Ein Wikingerherrscher auf den Orkneys soll im 9. Jahrhundert viele Köpfe gespalten haben. Bei Renovierungsarbeiten in der Inselkirche fand man 1919 in einer Säule eingeschlossen einen gespaltenen Schädel. Exzessiver Genuss dieses Biers scheint ewigen Schlaf zu versprechen, es ist ein Wee Heavy. Das Aroma ist rosinig und süß, es schmeckt sehr sahnig, nach in Port getränktem Frucht-kuchen, der Abgang ist toastig.

*Trinkfest*
*Orkney hat mehr skandinavi-*
*sches als schottisches oder kelti-*
*sches Erbe; seine Whiskys sind*
*den Bieren aber ebenbürtig.*

# ORVAL

🛡 **HERKUNFT** Provinz Luxemburg, Belgien

🍶 **TYP** Abtei (Echt Trappisten)

% **ALKOHOLGEHALT** 6,2 Vol.-%

🍶 **IDEALE SERVIERTEMPERATUR** Lagern bei rund 14 °C, servieren bei nicht unter 10 °

D er Name des Klosters leitet sich vom Namen des goldenen Tals ab, des »Vallée d'Or«. Der Legende zufolge gelobte eine Gräfin, ein Kloster zu errichten, falls sich ein von ihr im See verlorener Ring wiederfände. Eine Forelle tru ihn ans Ufer. Seit 1070 steht an diesem Platz ein Kloster, dessen Bier als Klassi ker gilt. Die speziell Malzmischung sorgt für Farbe. Es ist herb gehopft. Das Aroma stamm von wilden Hefen, die ihm einen leichten, festen Körper geben und frische Säuerlichkeit im Abgang verleihen.

*Große Glas-Klasse*
*Das Orval-Glas wurde*
*vom Klosterarchitekten*
*Henri Vaes entworfen.*

# OTARU HELLES

🛡 **HERKUNFT** Hokkaido, Japan

🍾 **TYP** Helles Lager

% **ALKOHOLGEHALT** 5,0 Vol.-%

🍺 **IDEALE SERVIERTEMPERATUR** 9 °C

Der deutsche Brauer Johannes Braun schuf dieses bemerkenswerte Helle, das allerdings eine eher rare Variante des Typs darstellt. Braun war in vielen Ländern tätig und kreierte dieses Bier in einer Braugaststätte in Otaru, einer Hochschul- und Hafenstadt auf Hokkaido. Otaru Helles hat eine große, feste Krone und eine hellgoldene Farbe. Sein blumiges Aroma und den Geschmack verdankt es dem Tettnanger Hopfen, in der Mitte schmeckt man eine keksartige Malzigkeit.

*Humpenweise*
*Unfiltriertes Bier wird in Liter-Humpen gefüllt. Beim Lagern setzt sich die Hefe ab, es bleibt ein sehr helles Bier.*

# PALM SPECIALE

**P**

| | |
|---|---|
| ⬚ **HERKUNFT** | Flämisch-Brabant, Belgien |
| 🍾 **TYP** | Belgisches Ale |
| % **ALKOHOLGEHALT** | 5,0 Vol.-% |
| 🥛 **IDEALE SERVIERTEMPERATUR** | 12 °C |

In den Zwanzigerjahren eingeführt, wurde es zum meistverkauften Ale in Belgien. Das Bier wird in Steenhuffel nordwestlich von Brüssel produziert. Palm Speciale hat einen malzigen Akzent und ist rund, orangenartig und hefig im Abgang. Palm stellt auch Aerts 1900 her, ein stärkeres (7,5 Vol.-%), trockeneres, hopfigeres Ale.

*Sondertyp*
*»Speciale« steht in Belgien mitunter für ein Ale, der verbreitete Typ ist dagegen das Lager-Bier.*

# PARK SLOPE INDIA PALE ALE

P

⬦ **HERKUNFT** Nordosten der USA

🍶 **TYP** India Pale Ale

◍ **ALKOHOLGEHALT** 6,0 Vol.-%

🍾 **IDEALE SERVIERTEMPERATUR** 10 13 °C

Prospect Park ist ein elegantes Viertel Brooklyns mit imposanten Häuserreihen, Cafés und Delikatessenläden. Aus der Zeit der Jahrhundertwende stammt auch das Brauereigebäude, das einmal eine Bäckerei beherbergte und in dem seit 1994 Getreide anderweitig verarbeitet wird. Das süffige IPA ist schlank und vornehm mit der saftigen Süße frischer Äpfel, reizvoll kontrastiert von intensiver Hopfigkeit und forschem, sehr bestimmtem Abgang.

*Indisches Mahagoni?*
*Die Mahagonifront der Braugaststätte*
*von Park Slope ziert das Etikett. Im*
*Gegensatz zum weit verbreiteten Image*
*sind Teile von Brooklyn sehr hübsch.*

P

# PATER LIEVEN BLOND

🛡 **HERKUNFT** Ostflandern, Belgien

🍾 **TYP** Abtei-Ale

% **ALKOHOLGEHALT** 6,5 Vol.-%

🍶 **IDEALE SERVIERTEMPERATUR** Lagern bei 14 °C, nicht unter 10 °C servieren

Die Bezeichnung Pater deutet auf einen Mönch in der Ahnenreihe hin. Die Brauerei befindet sich nahe der Pfarrkirche des Dorfes St Lievens Esse unweit von Brüssel, hat jedoch nichts mit einem Kloster zu tun. Sie war 1897 noch ein Bauernhof, was man ihr in den Innenräumen auch noch ansieht. Die Fassade jedoch ist mit Anklängen an den Stil des Art nouveau gestaltet. Die Brauerei befindet sich im Besitz der dritten Generation der Familie Van den Bossche und ist durch deren Namen bekannt. Pater Lieven Blond ist frisch, fruchtig und sahnig im Aroma, bemerkenswert erfrischend und knackig im Geschmack und hat eine trockenen, leicht salzigen Abgang.

# PAULANER·HEFE-WEISSBIER

| | |
|---|---|
| 🛡 **HERKUNFT** | München, Deutschland |
| 🍺 **TYP** | Hefeweizen |
| **ALKOHOLGEHALT** | 5,5 Vol.-% |
| **IDEALE SERVIERTEMPERATUR** | 9–12 °C |

Die berühmte Münchner Brauerei Paulaner ist besonders für ihre Lager-Biere bekannt, vor allem für ihr Salvator *(siehe S. 355)*. Vor kurzem begann sie sich auf die wachsende Beliebtheit von Weizenbier einzustellen. Oft werden relativ fade Weizenbiere gebraut. Paulaner jedoch braut ein sehr aromatisches Produkt. Es hat das typische Gewürznelken-Aroma mit einem Hauch Honig und Frucht. Es schmeckt nach Pfirsich, Banane, vielleicht auch Erdbeere, aber ganz bestimmt nach Vanille, all das mit einem soliden malzigen Hintergrund.

# PAULANER ORIGINAL MÜNCHNER

🛡 **HERKUNFT** München, Deutschland

🍾 **TYP** Münchner Helles Lager

(%) **ALKOHOLGEHALT** 5,5 Vol.-%

🍺 **IDEALE SERVIERTEMPERATUR** 9 °C

Die ersten in München gebrauten Lager waren dunkelbraun. Dieser Typ wurde in den späten 1830ern zur Vollendung geführt und wird noch immer mit München in Verbindung gebracht. Es gibt auch ein goldenes Lager des Münchner Typs mit stärkerer Malzbetonung. Es wird in der Regel als *Münchner Helles* bezeichnet und hat ein würziges, blumiges, an Kamille erinnerndes Aroma, einen runden, festen, plötzlichen Malzgeschmack und eine überraschend hopfige Trockenheit im Abgang.

# PAULANER SALVATOR

🛡 **HERKUNFT** München, Deutschland

🍺 **TYP** Doppelbock

% **ALKOHOLGEHALT** 7,5 Vol.-%

🍺 **IDEALE SERVIERTEMPERATUR** 9 °C

Das berühmteste deutsche Frühlingsbier stammt von der Paulaner-Brauerei in München, 1629 von Mönchen des Paulaner-Ordens gegründet. Sie brauten ein besonders malziges Bier, das ihnen als »flüssiges Brot« über die Fastenzeit helfen sollte. »Salvator« ist eine Verballhornung von »Sankt-Vaters-Bier«, wie die Paulaner ihrem Ordensgründer zu Ehren ihr Bier nannten. Dieses extra-starke Lagerbier hat eine steife, sahnige Krone, einen satten, tiefen Bernsteinton, ein butterig-malziges Aroma und einen karamelligen Geschmack mit einem langen, fülligen Abgang. Zu Ehren dieses Bieres enden die Namen anderer Doppelbock-Biere auf »-ator«.

*Klein aber stark*
*Eine angemessen kleine Portion*
*eines sehr starken dunklen Biers.*

# PAUWEL KWAK

| | |
|---|---|
| **HERKUNFT** | Ostflandern, Belgien |
| **TYP** | Starkes Belgisches Ale |
| **ALKOHOLGEHALT** | 8,0 Vol.-% |
| **IDEALE SERVIERTEMPERATUR** | 13 °C |

Das besondere Glas, in dem dieses Bier serviert wird, ist möglicherweise besser bekannt als das Bier selbst. Das Gefäß ist einem Glas aus der Zeit der Pferdekutschen nachempfunden. Hiermit konnte der Kutscher, noch auf seinem Platz sitzend, etwas trinken und das Glas wieder in seine Halterung zurückstellen. »Kwak« ist eine Anspielung auf einen unförmigen dicken Mann. Das heutige Bräu wird mit drei Malzsorten und etwas weißem Kandiszucker gebraut. Es ist malzig, karamellig und nougatähnlich mit fruchtigem, an Brandy erinnerndem, wärmendem Abgang.

# PECONIC COUNTY RESERVE ALE

🛡 **HERKUNFT** Nordosten der USA

🍺 **TYP** Weizenbier mit Früchten

% **ALKOHOLGEHALT** 6,2 Vol.-%

🍷 **IDEALE SERVIERTEMPERATUR** 10 °C

Peconic County strebt die Loslösung von Suffolk County auf Long Island in New York an. Das dortige Southampton Publick House braut ein leicht gehopftes Weizenbier mit gemälztem und ungemälztem Weizen. Das Bier reift unter Zusatz von Chardonnaytrauben in Weinfässern. Es hat ein rosinenartiges Weinbrandaroma, greift frisch an und schmeckt entfernt nach Apfel und Ahorn. Der Abgang ist groß, holzig und trocken.

BREWED IN 1996

SPH

CONIC COUNTY
RESERVE ALE
(ale brewed with grapes)

CONTENTS: 1 PINT 9.4 FL. OZ. (750 ml)
D AND BOTTLED BY SOUTHAMPTON PUBLICK HOUSE, SOUTHAMPTON, NY

*König Charles*
*Auf dem Etikett treffen sich der Weinbauer und der König des Biers, der eine frappante Ähnlichkeit mit dem Guru der Hausbrauer, Charlie Papazian, besitzt.*

P

P

# PELFORTH AMBERLEY

| | |
|---|---|
| 🛡 **HERKUNFT** Nordfrankreich | |
| 🍾 **TYP** Whiskymalz-Lager | |
| % **ALKOHOLGEHALT** 7,0 Vol.-% | |
| 🥛 **IDEALE SERVIERTEMPERATUR** 9 °C | |

Dieses *bière aromatisée au malt à whisky* wird von Pelforth im französischen Lille gebraut. Amberley ist weich, fest und trocken. Von den europäischen Bieren des Typs ist es das mit der deutlichsten späten Rauchigkeit. Das leicht körnig-torfige Adelscott aus dem Elsass war das erste Whiskeymalz-Bier in Frankreich. Ein dunkleres Bier des gleichen Typs ist das Adelscott Noir; beide kommen von der Brauerei Adelshoffen.

*Herrliches Amberley*
*Die Marke kombiniert ihr »Bernstein-farbenes« geschickt mit der Vorstellung, die typisch schottische Namen wecken.*

# PELFORTH GEORGE KILLIAN'S

| | |
|---|---|
| 🛡 **HERKUNFT** Nordfrankreich | |
| 🍾 **TYP** Irisches Rotes Ale | |
| ⑱ **ALKOHOLGEHALT** 6,5 Vol.-% | |
| 🥛 **IDEALE SERVIERTEMPERATUR** 10 °C | |

Eine irische Mönchsbraue-
rei aus dem 15. Jahrhun-
dert inspirierte dieses Bier.
Die Brauerei schloss 1956 und
der Besitzer George Killian
Lett lässt sein Ruby Ale nun
von Pelforth in Frankreich
brauen. Es ist von malzigem
Aroma und Geschmack und
leicht rauchiger Herbheit.
Schwächer, leichter und von
vollerer Farbe ist die Version
von Coors.

*Rotes Bier …*
*… steht auf Französisch oberhalb*
*des (irischen?) Pferdes auf dem*
*Etikett.*

# PENN OKTOBERFEST

⬚ **HERKUNFT** Nordosten der USA

🍾 **TYP** Märzen-Oktoberfest Lagerbier

🍺 **ALKOHOLGEHALT** 5,8 Vol.-%

🍺 **IDEALE SERVIERTEMPERATUR** 9 °C

Mit die besten amerikanischen Lager deutschen Stils werden von der Braugaststätte Penn gebraut, die 1986 im alten deutschen Viertel von Pittsburgh (Pennsylvania) eröffnet wurde. Zur breiten Palette klassischer Biere gehört auch dieses Oktoberfestbier. Es hat ein leckeres, frisches Malzaroma, schmeckt weich, leicht süß, anregend nussig, würzig-trocken und hopfig im Abgang.

# PERONI GRAN RISERVA

P

🛡 **HERKUNFT** Italien

🍺 **TYP** Starkes Golden Lager

🍷 **ALKOHOLGEHALT** 6,6 Vol.-%

🍶 **IDEALE SERVIERTEMPERATUR** 9 °C

Der italienische Norden hat eine lange Biertradition. Die in der Nähe von Mailand liegende Familienbrauerei, die sich mittlerweile in Rom befindet, wurde von Francesco Peroni gegründet. Zum hundertfünfzigsten Geburtstag der Brauerei brachte Peroni 1996 das Gran Riserva heraus. Es hat einen satten Goldton, einen sanften, festen, leicht nussigen Malzcharakter, einen knackigen, trockenen Abgang und einen späten, wärmenden Hauch von Alkohol. Es ist ein wundervoll ausgewogenes Bier, malzbetont, aber trocken. Gebraut wird es ausschließlich mit Pilsner Malz (mit einer zweifach dekoktierten Maische) und Saaz-Hopfen. Danach soll es zwei Monate reifen.

*Original-Peroni*
*Der Mann auf dem Etikett ist*
*Giovanni Peroni. Nach seinem Rezept*
*wird das Gran Riserva gebraut.*

P

# PETRUS OUD BRUIN

| | | |
|---|---|---|
| ⬡ | **HERKUNFT** | Westflandern, Belgien |
| 🍶 | **TYP** | Flämisches Rot/Braun |
| % | **ALKOHOLGEHALT** | 5,5 Vol.-% |
| 🍺 | **IDEALE SERVIERTEMPERATUR** | 9–13 °C |

Zumindest auf den ersten Blick ähnelt dieses rötlich-braune Bier im flämischen Stil dem weltberühmten Petrus-wein. Es ist ein komplexes Bier im Tanninaroma und einem sehr weichen Gaumen und hat einen sauberen, karamelligen Malzgeschmack mit einem Hauch Schokolade und zimt-gestäubten Birnen. Es stammt aus der Brauerei De Brabandere in Bavikhove bei Kortrijk.

*Petrus-Jahrgang*
*Das Bier wird in waagrecht liegen-*
*den Holzfässern gelagert, in denen*
*Weißwein und Calvados reifte, bevor*
*sie in der Brauerei De Brabandere*
*Verwendung fanden.*

# PETRUS SPECIALE

| | |
|---|---|
| HERKUNFT | Westflandern, Belgien |
| TYP | Belgisches Ale |
| ALKOHOLGEHALT | 5,0 Vol.-% |
| IDEALE SERVIERTEMPERATUR | 10 °C |

Petrus klingt nach berühmtem Bordeaux, doch hier ist St. Petrus, der »Verwahrer der Himmelsschlüssel«, gemeint. Die Petrus-Biere werden von der Brauerei De Brabandere in Bavikhove in Westflandern hergestellt. Das Speciale ist mit seinem erdigen Aroma und dem sämigen Malzgrundton eindeutig den Ales zuzurechnen; der Geschmack wird von Koriander mitgeprägt, im Abgang ist es hopfig.

*Hopfenstark*
*Hopfen taucht auf vielen Bieretiketten auf,*
*in diesem Fall zu Recht. Petrus Speciale ist*
*eines der stärker gehopften belgischen Ales.*

P

# PETRUS TRIPLE

| | **HERKUNFT** Westflandern, Belgien |
| --- | --- |
| | **TYP** Abtei-Triple |
| | **ALKOHOLGEHALT** 7,5 Vol.-% |
| | **IDEALE SERVIERTEMPERATUR** Lagern bei 14 °C, servieren bei nicht unter 10 °C |

Mit Petrus (»Verwahrer der Himmelsschlüssel«) wird eine ganze Reihe von Bieren der belgischen Brauerei Bavik bezeichnet. Der Name passt perfekt zu diesem Abtei-Bier. Es hat ein würziges Orangenblüten-Aroma, einen für diesen Typ leichten, aber festen und sanften Körper, einen Hauch sirupsüßer Zitrone und einen trockenen Abgang. Verwendet werden überwiegend Saazer Hopfen und eine kleine Zugabe von Koriander bei der Flaschengärung. Das Bier ist seit 1990 der Nachfolger des ähnlichen, gefilterten, pasteurisierten und etwas dunkleren Cuvée St Amand.

# PIKE PALE ALE

🛡 **HERKUNFT** Nordwestküste der USA

🍾 **TYP** Pale Ale

% **ALKOHOLGEHALT** 4,5 Vol.-%

🍺 **IDEALE SERVIERTEMPERATUR** 10–13 °C

Pike Place Market ist das Herz, oder vielleicht auch der Magen, von Seattle. Seine Bewohner schätzen gutes Essen und Ale. Zur Brauerei Pike gehört eine eigene Gaststätte. Der Buchladen und das Museum jedoch, die für Bierliebhaber so interessant waren, werden nicht mehr betrieben. Es bleibt zu hoffen, dass der kürzliche Eigentümerwechsel sich nicht negativ auf den Charakter der Biere auswirkt. Sein Pale Ale ist bemerkenswert. Es hat einen reichen, sahnigen, süßen Malzcharakter, einen fast sinnlich zu nennenden Körper, einen Hauch von Pfirsich und eine erdighopfige Bitterkeit im Abgang.

P

# PILSNER URQUELL

| | |
|---|---|
| ◈ **HERKUNFT** | Pilsen, Tschechien |
| 🍶 **TYP** | Pilsner |
| ⊘ **ALKOHOLGEHALT** | 4,4 Vol.-% |
| 🍶 **IDEALE SERVIERTEMPERATUR** | 9 °C |

Der »Urquell« aller Pilsner wurde erstmals angezapft, als Böhmen noch ein Teil der k. u. k. Monarchie und Deutsch Amtssprache war. Böhmen und Mähren bilden heute die Tschechische Republik – wo das Bier übrigens Plzeňský Prazdroj heißt. Dies ist also die Originalausgabe aller Pilsner Biere. Zur Verbreitung des Ruhms trug die seinerzeit Aufsehen erregend neue, goldgelbe Farbe bei. Kern der Pilsner-Legende aber war immer die Qualität des Bieres, das blumige, würzige Aroma und der bittere Abgang des Saazer Hopfens, sanft ausgewogen durch mährisches Gerstenmalz. Trotz leichter Niveauverluste bleibt es eines der großen Biere der Welt.

*Das Pilsglas*
*Pils wird oft in hohen, konisch zulaufenden Gläsern serviert. Darin bewahrt es seine Spritzigkeit am besten.*

# PINK ELEPHANT MAMMOTH

| | |
|---|---|
| 🛡 **HERKUNFT** | South Island, Neuseeland |
| 🍾 **TYP** | Starkes Ale |
| % **ALKOHOLGEHALT** | 7,0 Vol.-% |
| 🍺 **IDEALE SERVIERTEMPERATUR** | 10–13 °C |

Roger Pink wuchs in England auf. Eine Brauerei im
Hopfenanbaugebiet der Grafschaft Kent inspirierte
ihn dazu, das Markenzeichen Pink Elephant für seine
Biere zu verwenden. Seine Brauerei liegt in der Nähe von
Blenheim, einem Weinanbaugebiet. Mammoth ist ein
starkes Ale, sanft und voll im Geschmack. Es hat ein
pfefferiges Aroma, einen
fruchtigen Geschmack, der
an Erdbeeren erinnert,
und eine bittere Kaffee-
note im
Abgang.

*Der Elefant …*
*… ist durch den der Brauerei*
*Fremlins' Maidstone (von*
*Whitbread übernommen, 1972*
*geschlossen) inspiriert.*

# PINK ELEPHANT PBA

| | |
|---|---|
| 🛡 **HERKUNFT** | South Island, Neuseeland |
| 🍺 **TYP** | Bitter/Pale Ale |
| % **ALKOHOLGEHALT** | 5,0 Vol.-% |
| 🍶 **IDEALE SERVIERTEMPERATUR** | 10–13 °C |

Aus Initialen bestehende Namen sind bei britischen Brauereien sehr beliebt. Manchmal wurde die ursprüngliche Bedeutung vergessen, manchmal bleibt sie absichtlich unklar. Der in Großbritannien geborene Roger Pink braut PBA. Pinks Bestes Ale? Pinks Bitter Ale? Es beginnt hopfig mit wundervoll frischem Aroma und trockenem Geschmack. Sein malziger Hintergrund lenkt nicht von der späten, nach-klingenden Bitterkeit ab.

*Weitere Elefanten …*
*… finden sich bei Carlsberg aus*
*Dänemark, Holesovice aus*
*Tschechien und natürlich bei*
*Tusker aus Kenia.*

# PINKUS MÜLLER ALT

- **HERKUNFT** Münster, Deutschland
- **TYP** Altbier Münsteraner Art
- **ALKOHOLGEHALT** 5,0 Vol.-%
- **IDEALE SERVIERTEMPERATUR** 9 °C

Diese helle, weizige Variante ist sehr trocken, frisch und äußerst durstlöschend, dabei aber von beinahe butterartig malzigem Charakter; es stellt somit einen ganz anderen Typ von »altem« Bier dar. Es wird ausschließlich in der berühmten Brauerei Pinkus Müller hergestellt, zu der auch ein Gasthaus gehört. Das Unternehmen wurde 1816 als Bäckerei und Brauerei in der Münsteraner Altstadt gegründet und expandierte im Lauf der Jahre. Im Sommer wird das Bier mit frischen Erdbeeren serviert.

P

# PINKUS MÜLLER HEFE WEIZEN

⬡ **HERKUNFT** Münster, Deutschland

🍺 **TYP** Hefeweizen

◔ **ALKOHOLGEHALT** 5,2 Vol.-%

🍺 **IDEALE SERVIERTEMPERATUR** 9–12 °C

Nach dem Erfolg des süd-deutschen Weizenbiers brauten viele Brauereien im Norden ihre eigene Version. In Münster produziert die Brauerei Pinkus Müller ein Weizen, das für sich selbst steht. Das Bier besitzt die typisch süddeutsche Ausgewogenheit von Weizen und Gerstenmalz, aber einen nord-deutschen Hefecharakter: blumig, trocken und leicht säuerlich – ein weiches, zartes, anregendes Bier.

*Bei Pinkus*
*Das zeitgenössische Foto auf dem Etikett*
*zeigt das vertraute Bild der gut besuchten*
*Bierschenke von Pinkus Müller.*

# PINKUS MÜLLER ORGANIC

**HERKUNFT** Münster, Deutschland

**TYP** Altbier aus ökologischem Anbau

**ALKOHOLGEHALT** 5,0 Vol.-%

**IDEALE SERVIERTEMPERATUR** 9 °C

Alle Biere von Pinkus Müller werden mit Bioland-Produkten hergestellt. Das bedeutet, dass bei Gerste und Hopfen kein Kunstdünger und keine Pestizide benutzt wurden. Das ist beim Hopfen besonders schwer, da er für Krankheiten und Schädlinge sehr anfällig ist. In Deutschland, wo man für »grüne« Themen besonders sensibel ist, gibt es etliche ökologisch orientierte Hopfenbauern. Pinkus Müller zählt zu den Pionieren ökologischer Biere. Sein Organic ist sehr hell, mit ausgesprochen sauberem, leicht malzig-buttrigem Aroma, einem leichten, aber festen und runden Körper und einer duftenden, leicht fruchtigen Trockenheit im Abgang.

# PITFIELD'S 1850 SHOREDITCH PORTER

| | |
|---|---|
| **HERKUNFT** | London, UK |
| **TYP** | Porter |
| **ALKOHOLGEHALT** | 5,0 Vol.-% |
| **IDEALE SERVIERTEMPERATUR** | 10–13 °C |

Viele Bierliebhaber denken bei »Pitfield Street« sofort an den kleinen Laden, in dem einige der besten und ungewöhnlichsten Biere der Welt verkauft werden. Obwohl weder Straße noch Laden groß sind, konnte dort eine kleine Brauerei untergebracht werden. Pitfield's 1850 Shoreditch Porter geht auf ein Rezept von Whitbread aus demselben Jahr zurück. Pitfield kreierte daraus ein Bier mit leichtem, glattem und trockenem Körper und Geschmacksnoten, die an Ahornsirup und Holzkohle erinnern. Im Jahr 2000 begann die Brauerei Pitfield ihren Betrieb auf ökologisch angebaute Zutaten umzustellen.

# POPERINGS HOMMEL BIER

🛡 **HERKUNFT** Westflandern, Belgien

🍾 **TYP** Starkes Helles Ale

% **ALKOHOLGEHALT** 7,5 Vol.-%

🍺 **IDEALE SERVIERTEMPERATUR** 10 °C

Unweit der Weltkriegsschlachtfelder bei Ypern liegt Poperinge, das Zentrum des flandrischen Hopfenanbaus. Die regionale Sorte wird »Hommel« genannt, nach dem lateinischen »humulus«. Erstklassig verarbeitet wird »Hommel« von der Brauerei Van Eecke im nahe gelegenen Watou in diesem flaschenvergorenen Bier. Sein Duft von Honig und Rosen und der Hopfengeschmack von süßen Orangen münden im späten, kümmelwürzigen und herben Abgang.

*Hopfenhecken*
*Auf dem Etikett sieht man die*
*Skyline der Stadt, umgeben von*
*Hopfenhecken, dem Wahrzeichen*
*aller Hopfenregionen.*

P

# PORTLAND BREWING MAC-TARNAHAN'S GOLD MEDAL

🛡 **HERKUNFT** Nordwestküste der USA

🍾 **TYP** Schottisches/Northwestern Ale

% **ALKOHOLGEHALT** 4,2 Vol.-%

🍺 **IDEALE SERVIERTEMPERATUR** 13 °C

In Portland (Oregon) gibt es über 20 Brauereien, mehr als in jeder anderen Stadt auf der Welt. Der Boom begann in den achtziger Jahren, so auch bei Portland Brewing. 1992 gewann die Brauerei beim Great American Beer Festival mit ihrem MacTarnahan's eine Goldmedaille. Benannt nach einem Freund der Brauer, hat es ein leicht malziges Sahnebonbon-aroma und fruchtig-hopfige Trockenheit.

*Das Kleingedruckte …*
*… weist MacTarnahan's als bernsteinfarbenes Ale schottischen Typs aus.*

# PYRAMID ESPRESSO STOUT

🛡 **HERKUNFT** Nordwesten der USA

🍶 **TYP** Kaffee-Stout

% **ALKOHOLGEHALT** 5,6 Vol.-%

🥃 **IDEALE SERVIERTEMPERATUR** 13 °C

Im US-Bundesstaat Washington ist Espresso sehr populär, die Brauerei Pyramid produziert daher einen Stout dieses Geschmacks. Er wird mittels dunkler Malze und kräftig gerösteter Gerste erzielt; dies scheint fruchtige Kaffeesorten nachzuahmen. Das Bier schmeckt bis zum langen, trockenen Abgang durchgehend nach Kaffee.

# PYRAMID WHEATEN ALE

| | |
|---|---|
| HERKUNFT | Nordwestküste der USA |
| TYP | Weizen-Ale |
| ALKOHOLGEHALT | 5,1 Vol.-% |
| IDEALE SERVIERTEMPERATUR | 10 °C |

Der Name ist eine Anspielung auf einen pyramiden-förmigen Gipfel im Cascade-Gebirge. Pyramid und die Brauerei Thomas Kempfer betreiben zusammen ein Lokal in Seattle und eine Brau-gaststätte in Berkley (Kalifornien). Die Brauerei nahm ihren Betrieb 1984 in Kalama (Washington) auf und war eine der ersten, die Weizenbier mit einer Ale-Hefe brauten. Das Bier ist duftig, mit einem Anflug von Honig, sauber nach Getreide schmeckend, leicht erfrischend und etwas herb im Abgang.

# RADEBERGER PILSNER

| | |
|---|---|
| 🏷 **HERKUNFT** | Sachsen, Deutschland |
| 🍾 **TYP** | Pilsner |
| 🍺 **ALKOHOLGEHALT** | 4,8 Vol.-% |
| 🥃 **IDEALE SERVIERTEMPERATUR** | 9° C |

D ie Radeberger Brauerei kann nicht nur auf eine stolze Tradition als Hoflieferant der Könige von Sachsen zurückblicken: Auch 40 Jahre real existierenden Sozialismus hat das Pils dieser Brauerei nordöstlich von Dresden als real existierende Spezialität heil überstanden. Es ist aromatisch und vollmundig, hat einen kräftig gehopften Körper und einen frischen, trockenen Abgang.

*Königliche Krone*
*Die stattliche Krone des*
*Radeberger Pils füllt die ele-*
*gante Tulpe fast zur Hälfte.*

# JCHENFELSER STEINBIER

| | HERKUNFT | Oberbayern, Deutschland |
| --- | --- | --- |
| | TYP | Steinbier |
| | ALKOHOLGEHALT | 4,9 Vol.-% |
| | IDEALE SERVIERTEMPERATUR | 9 °C |

Dieses Bier wurde zunächst bei Coburg gebraut, jetzt aber in der Nähe von Augsburg. Heiße Steine bringen den Braukessel zum Kochen. Das Bier karamellisiert um die Steine herum. Karamell ist auch verantwortlich für eine spätere zweite Gärung in den Lagertanks. Das Bier ist leicht, der Abgang sauber und es hat einen leicht angebrannten Karamellgeschmack.

# RED HOOK DOUBLE BLACK STOUT

**R**

| | |
|---|---|
| 🍂 **HERKUNFT** | Seattle, USA |
| 🍶 **TYP** | Kaffee-Stout |
| % **ALKOHOLGEHALT** | 6,9–7,0 Vol.-% |
| 🍺 **IDEALE SERVIERTEMPERATUR** | 13 °C |

Red Hook war wegweisend als Kleinbrauerei; ein anderes Unternehmen aus Seattle, Starbucks, führte die Espressobewegung an. Beide gehören Gordon Bowker. Seine zwei Vorlieben sind in diesem Red-Hook-Bier vereint, das mit Starbucks-Kaffee hergestellt wird. Es hat eine weiche, nussige Mitte und einen harmonischen, espressobitteren Abgang.

R

# RED HOOK ESB

| | HERKUNFT | Pazifischer Nordwesten der USA |
| --- | --- | --- |
| | TYP | Amerikanisches Ale/ESB |
| | ALKOHOLGEHALT | 5,4 Vol.-% |
| | IDEALE SERVIERTEMPERATUR | 10–13 °C |

Die Brauerei residiert in den Hafenstädten Seattle (Washington) und Portsmouth (New Hampshire), der Name weckt Angler-assoziationen. Redhook war 1982 eine der ersten neuen Ale-Brauereien. 1987 braute sie das erste Winter-Ale, das später als ESB eingestuft wurde und den Begriff in den USA etablierte. Es ist hell für den Typ, mit großem, hopfigem Bouquet, anregender Trockenheit und sicher ausgewogener Malzigkeit.

*Traditionsbier*
*Im Kleingedruckten bekennt*
*sich das Etikett zur traditionellen*
*obergärigen Ale-Hefe.*

# REISSDORF KÖLSCH

⬡ **HERKUNFT** Köln, Deutschland

🍾 **TYP** Kölsch

% **ALKOHOLGEHALT** 4,8 Vol.-%

🍺 **IDEALE SERVIERTEMPERATUR** 9 °C

Der einer alten Bauernfamilie entstammende Heinrich Reißdorf gründete die Brauerei im Jahre 1894; nach dem Zweiten Weltkrieg wurde sie zum Wegbereiter des Kölsch von heute. Das Unternehmen im Stadtteil St. Severin in der südlichen Innenstadt ist nach wie vor im Privatbesitz und gilt als ausgesprochen konservativ. Das Bier hat ein an Minze anklingendes Hopfenaroma, einen süßen, an Vanille erinnernden Malzgeschmack und einen frischen, trockenen, zedernartigen Abgang: ein köstliches Kölsch, das eine Zeit lang ein sehr fruchtiges St. Severin's Kölsch in Kalifornien inspirierte.

R

# RICHMODIS KÖLSCH

| | |
|---|---|
| **HERKUNFT** | Köln, Deutschland |
| **TYP** | Kölsch |
| **ALKOHOLGEHALT** | 4,8 Vol.-% |
| **IDEALE SERVIERTEMPERATUR** | 9 °C |

Ein spritziges, zitroniges, trockenes Kölsch mit frischem Abgang. Die ursprüngliche, 1888 errichtete Brauerei wurde 1944 durch Bomben zerstört. Heute steht Richmodis in Gremberghoven. Das Bier wird in vielen Kölner Kneipen und Restaurants ausgeschenkt; empfehlenswert ist die Kneipe Zum Neuen Treffpunkt in der Nußbaumerstraße 25. Eigentümer ist die Koblenzer Brauerei Königsbacher.

*Mutterland*
*Köln hieß bei den Römern Colonia Claudia Ara*
*Agrippinensis. Dieses Bieretikett formuliert*
*»Colonia est Mater«. Coeln und Cöln sind alte*
*Schreibweisen von Köln.*

# RIDDER DONKER

**HERKUNFT** Limburg, Niederlande

**TYP** Altes Braunes Lagerbier

**ALKOHOLGEHALT** 3,5 Vol.-%

**IDEALE SERVIERTEMPERATUR** 8–9 °C

Die Pfarrkirche dieser Brauerei in Maastricht heißt St. Martin, benannt nach einem der Templerritter (vom Orden zum Schutze der Pilger). »Ridder« heißt Reiter oder Ritter, »Donker« bedeutet dunkel. Im Besprechungsraum der Brauerei ist eine Ritterrüstung zu sehen. Die Brauerei Ridder wurde 1857 von den Gebrüdern Van Aubel gegründet. Als es 1982 keinen Nachfolger gab, wurde sie von Heineken aufgekauft. Ridder Donker ist ein typisches Oud Bruin mit eigener weicher, lockerer, lakritzähnlicher Malzigkeit.

*Dunkle Mischung*
*Auf dem Etikett wird die Verwendung des Biers für »sjoes« angeregt, eine Mischung, deren eine Hälfte aus Pils besteht.*

R

# RIDLEYS ESX BEST

**HERKUNFT** Ostengland, UK

**TYP** Bitter/Pale Ale

**ALKOHOLGEHALT** 4,3 Vol.-%

**IDEALE SERVIERTEMPERATUR** 13 °C

Die Familienbrauerei der Ridleys steht in der Tradition einer Kornmühle aus dem 18. Jahrhundert im Örtchen Hartford End bei Great Dunmow im ländlichen Teil von Essex. Das jetzige Brauhaus stammt von 1842. Ridley-Bier ist fruchtig, ein Hauch Brombeere und Apfel stammt von der hauseigenen Hefe. Zur Abwechslung von Bierbezeichnungen wie ESB, Triple X oder Four X spielt die Brauerei beim ESX mit dem Namen der Grafschaft. Das Bier schmeckt sehr lebhaft, zunächst malzig, dann äußerst fruchtig. Der Abgang ist lang und hopfig.

# ROBINSON'S OLD TOM

🛡 **HERKUNFT** Nordwestengland, UK

🍾 **TYP** Old Ale/Barley Wine

% **ALKOHOLGEHALT** 8,5 Vol.-%

🍺 **IDEALE SERVIERTEMPERATUR** 10–13 °C

Viele Brauereien halten eine Katze um die Mäuse vom Malz fernzuhalten. Vielleicht inspirierte eine solche Katze einen Brauer der Brauerei Robinson bei Manchester dazu, in seine Kladde ein Katzengesicht zu zeichnen, als er 1899 dieses malzige Bier braute. Seither

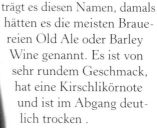

trägt es diesen Namen, damals hätten es die meisten Brauereien Old Ale oder Barley Wine genannt. Es ist von sehr rundem Geschmack, hat eine Kirschlikörnote und ist im Abgang deutlich trocken .

# RODENBACH

HERKUNFT Westflandern, Belgien

TYP Flämisches Rot/Braun

ALKOHOLGEHALT 5,0 Vol.-%

IDEALE SERVIERTEMPERATUR 9–13 °C

Während Österreichs Regentschaft in Flandern kam der erste Rodenbach als Militärarzt aus dem Rheinland und heiratete später in eine flämische Familie ein 1820 erwarb ein Rodenbach eine Brauerei und seit 1836 ist die Familie mit der heutigen Brauerei in Roeselare verbunden. Das normale Rodenbach ist eine Mischung aus 75 Prozent »jungem« Bier (vier bis fünf Wochen in Metalltanks gereift) und 25 Prozent gelagertem Bier (mehr als zwei Jahre in Holzfässern). Es belegt den Gaumen mit einem fruchtigen Duft, Passionsfrucht-, Eisen- und Eichengeschmack und einer späten kräuselnden Herbheit.

# RODENBACH ALEXANDER

⬥ **HERKUNFT** Westflandern, Belgien

🍾 **TYP** Flämisches Rotes mit Fruchtessenz

🔹 **ALKOHOLGEHALT** 6,0 Vol.-%

🍷 **IDEALE SERVIERTEMPERATUR** 12 °C

Jahrelang klagte die belgische Brauerei Rodenbach darüber, dass Biertrinker, denen das reguläre Rodenbach-Bier zu herb war, dieses durch einen Schuss Grenadinesirup »verdarben«. Schließlich erkannte die Brauerei, dass sie von der Herstellung einer gesüßten Variante profitieren könnte. Dieses eichengelagerte Grand Cru verbindet sauberen, süßen, sirupartigen Kirschcharakter mit herber Joghurtfrische und nach Eisen schmeckender Passionsfrucht.

R

# RODENBACH GRAND CRU

🛡 **HERKUNFT** Westflandern, Belgien

🍾 **TYP** Flämisches Rotes Ale

% **ALKOHOLGEHALT** 6,0 Vol.-%

🥛 **IDEALE SERVIERTEMPERATUR** 10 °C

Normales Ale von Rodenbach ist eine Mischung von jungem und altem Bier, das Grand Cru dagegen eine direkte Flaschenabfüllung des lange gelagerten und starken Bieres; es reift über zwei Jahre in riesigen Eichenfässern. Das Ergebnis ist ein lebhaftes Bouquet mit vanilligem Eichengeschmack, Noten von Passionsfrucht und einer klaren, scharfen Säure.

# Rogue Maierbock Ale

🛡 **Herkunft** Nordwesten der USA

🍾 **Typ** Maibock (obergärig)

% **Alkoholgehalt** 6,0 Vol.-%

🍺 **Ideale Serviertemperatur** 9 °C

Der örtliche Fluss Rogue stand Pate für diese Kleinbrauerei, die 1988 in Newport im Bundesstaat
Oregon gegründet wurde, im bierigen Nordwesten der
USA. Rogue steht für farbkräftige Biere, die groß im
Geschmack sind. Die Brauerfamilie heißt Maier; daher
die Spielerei im Namen des Bieres. Es soll den weichen
und zugleich knusprigen
Charakter des Maibocks
haben, wird aber mit Ale-
Hefe gebraut. Es kommt
diesem Ziel bemerkenswert
nahe.

*Der Bock als Brauer*
*Brauer John Maier taucht bei diesem*
*speziellen Bier höchstpersönlich auf*
*dem Etikett auf.*

# SAGRES DARK

🛡 **HERKUNFT** Portugal

🍾 **TYP** Dunkles Münchner Lager

% **ALKOHOLGEHALT** 4,3 Vol.-%

🥛 **IDEALE SERVIERTEMPERATUR** 9 °C

Außerhalb der großen Bierländer brauen viele Brauereien sowohl helle wie auch dunkle Lagerbiere, so auch die Spaniens und Portugals. Die beiden größten Brauereien Portugals brauen auch dunkle Lager. Das hier gezeigte Sagres hat einen Karamellcharakter, während sein Konkurrent Cristal Preta eher nach frischem Brot und Malz schmeckt.

# St-Ambroise Pale Ale

| | |
|---|---|
| 🛡 **Herkunft** | Quebec, Kanada |
| 🍾 **Typ** | Pale Ale |
| % **Alkoholgehalt** | 5,0 Vol.-% |
| 🌡 **Ideale Serviertemperatur** | 10 °C |

Der Mönch Ambroise, angeblich Montreals erster Brauer, stand Pate für diese Brauerei. Ihr Ale ist sehr duftig, deutlich hopfig in Aroma und Geschmack und so herb wie anregend. Trotz des leichten, sanften Körpers verweilen lange Zitrusnoten. Zum Abgang hin entwickelt sich eine elegante Herbheit.

S

# SAINT ARNOLD
# KRISTALL WEIZEN

| | |
|---|---|
| 🛡 **HERKUNFT** | Südwesten der USA |
| 🍺 **TYP** | Weizen-Ale |
| % **ALKOHOLGEHALT** | 4,9 Vol.-% |
| 🥛 **IDEALE SERVIERTEMPERATUR** | 10 °C |

Zwei unterschiedliche Heilige, beide Arnold genannt, sind die Schutzpatrone der belgischen und der französischen Bierbrauer und keiner von beiden passt auch nur annähernd zum deutschen Wort Kristallweizen. Was die Brauerei Saint Arnold unter diesem Namen anbietet, ist in Wirklichkeit ein Weizen-Ale: ein leichtes, duftiges Bier, fest und weich, mit einem Hauch Vanille, einer sehr leichten, süßlich orangenen Fruchtigkeit und einem knackigen Abgang.

*Gesegneter Tropfen*
*Die Braukunst steht unter dem Schutz von*
*mindestens 20 verschiedenen Heiligen, u. a.*
*auch dem des heiligen Florian, der ein in*
*Nürnberg ausbrechendes Feuer mit Bier*
*gelöscht haben soll.*

# ST. GALLER KLOSTERBRÄU
# SCHÜTZENGARTEN NATURTRÜB

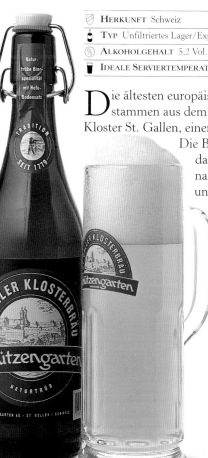

**HERKUNFT** Schweiz

**TYP** Unfiltriertes Lager/Export

**ALKOHOLGEHALT** 5,2 Vol.-%

**IDEALE SERVIERTEMPERATUR** 9 °C

Die ältesten europäischen Baupläne für eine Brauerei stammen aus dem 9. Jahrhundert und aus dem Kloster St. Gallen, einer Gründung eines irischen Mönchs. Die Brauerei Schützengarten bringt es dagegen auf nur 220 Jahre. Ihre naturtrübe Spezialität kann von Stärke und Farbe her als Export angesehen werden. Seine malzige Süße und blumige, pfefferige Hopfigkeit sind wohl ausgewogen.

# St. Georgen Keller Bier

| | |
|---|---|
| **HERKUNFT** | Franken, Deutschland |
| **TYP** | Kellerbier/unfiltriertes Pils |
| **ALKOHOLGEHALT** | 4,9 Vol.-% |
| **IDEALE SERVIERTEMPERATUR** | 9 °C |

Pils wird in Deutschland in der Regel filtriert. Diese Ausnahme von der Regel ist streng genommen ein Kellerbier (das in hefetrübem Zustand aus dem Keller kommt). Nichtsdestoweniger besitzt es die rassige Eleganz eines Pils und dessen anregend frische, blumige Hopfigkeit. Diese wird ausbalanciert durch nussige Malzigkeit und hefige Säure im Abgang. Das Bier kommt aus Buttenheim nahe der Brauerstadt Bamberg.

*Festtag*
*An St. Georg war*
*manchmal der letzte*
*Brautag eines Jahres.*

# St Peter's Spiced Ale

| | |
|---|---|
| HERKUNFT | Ostengland, UK |
| TYP | Gewürztes Dunkles Ale |
| ALKOHOLGEHALT | 6,5 Vol.-% |
| IDEALE SERVIERTEMPERATUR | 10–13 °C |

St Peter's Hall ist ein Landsitz aus dem 13. Jahrhundert in der Nähe von Bungay (Suffolk). Er wurde 1995 von einem Marketingfachmann gekauft, der ein Faible für Getränke hat und dort eine Kleinbrauerei mit Kneipe und Restaurant eröffnete. Man braut dort einige Biere, eines der energischsten ist dieses mit Zimt und Äpfeln gewürzte dunkle Ale. Es ist tief rubinrot, hat ein aromatisches Bouquet von dunkler Schokolade, einen ölig weichen Körper, schmeckt nach Mokka und Nüssen und ist trocken im Abgang.

*Eine grüne Flasche*
*Das Design basiert auf einer amerikanischen Ginflasche aus dem späten 18. Jahrhundert.*

# SAINT SYLVESTRE
# 3 MONTS

| | |
|---|---|
| HERKUNFT | Nordfrankreich |
| TYP | Bière de Garde |
| ALKOHOLGEHALT | 8,5 Vol.-% |
| IDEALE SERVIERTEMPERATUR | 10 °C |

Die Landbrauerei St. Sylvestre steht inmitten von Hopfengärten des Dorfes Hazebrouck im französisch-flämischen Landstrich zwischen Dünkirchen und Lille. Das 3 Monts ist ein lebhaftes, weinartiges, fruchtiges, hefiges Helles Bier mit kräftig herbem Abgang und großer Länge. Zu Weihnachten und im Frühling gibt es dunklere Biere.

*Vorsichtig öffnen!*
*Die Flasche ist, wie eine Sektflasche, mit einem Korken verschlossen, der von einer Metallklammer gehalten wird.*

# Saison de Pipaix

- 🛡 **HERKUNFT** Hennegau, Belgien
- 🍾 **TYP** Saison
- 🍷 **ALKOHOLGEHALT** 6,0–6,5 Vol.-%
- 🍾 **IDEALE SERVIERTEMPERATUR** 10–13 °C

Gewürze wie schwarzer Pfeffer, Anis und eine medizinische Flechte charakterisieren diese herbe, säuerliche Variante. Der Brauer Jean-Louis Dits ist gleichzeitig Lehrer. Er nahm in Pipaix bei Leuze eine früh-industrielle Dampfbrauerei als Museumsbrauerei wieder in Betrieb. Für La Cochonne, ein anderes seiner Biere, verwendet er Chicorée.

*Heiße Luft*
*Die »Brasserie à Vapeur« (»Dampf-*
*brauerei«) stand in frühindustrieller Zeit*
*für den letzten Stand der Technik.*

S

# Saison Dupont

⬥ **Herkunft** Provinz Hennegau, Belgien

🍾 **Typ** Saison

🍺 **Alkoholgehalt** 6,5 Vol.-%

🍻 **Ideale Serviertemperatur** 10 °C

Im frankophonen Teil Belgiens taucht mitunter das Wort »Saison« auf Bieretiketten auf. Gemeint ist damit immer der Sommer. Da die Belgier starkes Bier mögen, haben es auch ihre Sommerbiere in sich. Sie sind fest und trocken und haben eine hefige, fruchtige Säure wie eine Orange. Normalerweise sind sie unfiltriert. Saison Dupont ist ein lebhafter, hopfiger Klassiker. Es stammt aus einer bäuerlichen Kleinbrauerei in Tourpes bei Leuze in der Gegend um Tournai.

# SAKU HELE

| | |
|---|---|
| ⬦ **HERKUNFT** Estland | |
| 🍶 **TYP** Helles Lager | |
| ⁒ **ALKOHOLGEHALT** 4,9 Vol.-% | |
| 🍾 **IDEALE SERVIERTEMPERATUR** 9 °C | |

Ein deutscher Gutsbesitzer richtete 1820 auf seinem Besitz in Saku in der Nähe der estländischen Hauptstadt Tallinn eine Brauerei ein. Sie befindet sich jetzt in baltischem Besitz und ist bekannt für ihr an Zedern und Kaffee erinnerndes starkes Weihnachts-Porter. Das (in estnischer Schreibweise) »Hele« hat eine dichte, schaumige Krone und eine sehr helle Farbe. Der Körper ist leicht und fest, der Abgang hopfig und anregend. Recht trocken für den Typ.

# SAKU JÓULU PORTER

| | | |
|---|---|---|
| 🛡 | **HERKUNFT** | Estland |
| | **TYP** | Porter/Imperial Stout |
| | **ALKOHOLGEHALT** | 8,0 Vol.-% |
| | **IDEALE SERVIERTEMPERATUR** | 13–18 °C |

Ein großes Bier unter all den vergangenen Imperial Stouts und baltischen Strong Porters. Dieses Weihnachtsbier wurde auch während der Zugehörigkeit von Estland zur Sowjetunion gebraut und hat seine Stärke bewahrt. Saku Porter hat das Aroma von leicht rauchigem, frisch gesägtem Zedernholz. Der Geschmack beginnt mit gaumenfüllender getoasteten Marshmallows, geht dann in Ingwer über und wird in einem schnellen, seidigen Abgang weicher.

*Wacholderzwerg*
*Humpen und Löffel des Zwerges weisen auf die Holzsorte hin, die in Estland traditionellerweise zum Brauen verwendet wird.*

# SAM ADAMS
# TRIPLE BOCK

🛡 **HERKUNFT** Nordosten der USA

🍾 **TYP** Barley Wine

% **ALKOHOLGEHALT** 17,5 Vol.-%

🍺 **IDEALE SERVIERTEMPERATUR** 9 °C

Sauternes gilt als duftig, intensiv süß und ölig und kann im Lauf der Zeit auch nach Madeira schmecken. Dieses Bier hat ein Minzearoma, schmeckt nach Ahorn, Schokolade und Vanille und hat die ganze Breite und Kraft eines solchen Weins. Dieses Bier gärt mit kalifornischer »Champagner Hefe« und ist eher ein Barley Wine als ein Bock. Passt zu einer schweren, nussigen Terrine.

# Samuel Smith's Imperial Stout

| | |
|---|---|
| **Herkunft** | Nordengland, UK |
| **Typ** | Imperial Stout |
| **Alkoholgehalt** | 7,0 Vol.-% |
| **Ideale Serviertemperatur** | 13–18 °C |

Die berühmte Brauerei aus Yorkshire wurde 1758 gegründet. Sie ist in Großbritannien für ihr im Fass ausgebautes Bitter und weltweit für ihr Pale Ale *(siehe S. 404)* bekannt. Samuel Smith's Imperial Stout wurde in den 1980er-Jahren auf den Markt gebracht. Der Geschmack von »flüssigem Weihnachtspudding« (Rosinen und gebackene Früchte), der vielen traditionell gebrauten Imperial Stouts eigen ist, kommt bei diesem würzigen Exemplar besonders gut zu Geltung.

*Designerbier*
*Das Etikett wurde von Charles Finkel gestaltet, der auf Bieretiketten spezialisiert ist.*

# SAMUEL SMITH OATMEAL STOUT

🛡 **HERKUNFT** Nordengland, UK

🍾 **TYP** Hafermehl-Stout

% **ALKOHOLGEHALT** 5,0 Vol.-%

🍺 **IDEALE SERVIERTEMPERATUR** 13 °C

Nachdem Hafermehl im Stout über die Jahre hinweg fast völlig aus der Mode gekommen war, nahm die Brauerei Samuel Smith im Braudorf Tadcaster die Tradition in den 1980er-Jahren wieder auf. Ihr Bier hat das frische, blumige Aroma eines süßen Sherrys, klare, süße Malzigkeit und einen seidig trockenen Abgang.

# SAMUEL SMITH OLD BREWERY PALE ALE

| | |
|---|---|
| **HERKUNFT** Nordengland, UK | |
| **TYP** Pale Ale | |
| **ALKOHOLGEHALT** 5,2 Vol.-% | |
| **IDEALE SERVIERTEMPERATUR** 10–13 °C | |

Wieso »Old Brewery« (Alte Brauerei)? Weil sie vor der des Rivalen John Smith, schon zur Zeit Königin Viktorias, gegründet wurde. Zur Blütezeit der Pale Ales bekam die für diesen Biertyp berühmte Stadt Burton Konkurrenz von beiden Brauereien Smith aus Tadcaster. Die Ales aus Tadcaster wurden sogar in den USA gebraut. Die offenen Yorkshire-Gärbottiche aus Stein sorgen für die Malzbetonung der von Samuel Smith gebrauten Biere. Das Pale Ale ist malziger und hat einen volleren Körper als die meisten Pale Ales. Seine leichte Nussigkeit wird durch Hopfen der Sorten Fuggle und Golding ausgeglichen und gestützt.

# SAMUEL SMITH'S TADDY PORTER

| | |
|---|---|
| 🛡 **HERKUNFT** | Nordengland, UK |
| 🍾 **TYP** | Porter |
| 🍺 **ALKOHOLGEHALT** | 5,0 Vol.-% |
| 🍺 **IDEALE SERVIERTEMPERATUR** | 10–13 °C |

Schon seit Jahrzehnten wird die liebevolle Abkürzung »Taddy« auf dem Etikett verschiedener Biere von Samuel Smith verwendet. Es ist eine gebräuchliche Abkürzung für Tadcaster, seine Heimatstadt. Heute wird die Bezeichnung speziell für das Porter der Brauerei verwendet. Es kombiniert toastiggeröstete Trockenheit mit der festen, abgerundeten Malzigkeit, wie sie für die Brauprodukte aus dem Haus Samuel Smith charakteristisch ist.

*Stolze Grafschaft*
*Die Grafschaft Yorkshire zeigt gerne und stolz ihr Emblem, die weiße Rose.*

# SAPPORO BLACK BEER

| | |
|---|---|
| **HERKUNFT** | Hokkaido, Japan |
| **TYP** | Schwarzbier |
| **ALKOHOLGEHALT** | 5,0 Vol.-% |
| **IDEALE SERVIERTEMPERATUR** | 9 °C |

Gegen Ende des 19. Jahrhunderts kam in Japan neben Sake (tatsächlich eher ein Reisbier als ein Reiswein) auch Bier westlicher Brauart auf den Markt, ein Resultat amerikanischen, holländischen und deutschen Einflusses. Zu jener Zeit waren deutsche Lagerbiere dunkel. Die Brauerei in Sapporo wurde im Jahr 1876 gegründet, lange bevor es eingetragene Warenzeichen gab. Die Brauerei hat eine große Produktpalette, darunter auch ein interessantes dunkles Bier, das 1892 zum ersten Mal erwähnt wurde. Auf dem Flaschenhalsetikett rühmt es sich als »Japans älteste Marke«. Das Bier riecht nach Pralinen, es hat komplexe, lang anhaltende Geschmacksnoten, die an gerösteten Kaffee und Feigen erinnern, und im Abgang schmeckt man einen Hauch Lakritze.

# SAPPORO YEBISU

**HERKUNFT** Hokkaido/Honschu, Japan

**TYP** Dortmunder Lager

**ALKOHOLGEHALT** 5,0 Vol.-%

**IDEALE SERVIERTEMPERATUR** 9 °C

Die berühmte Brauerei Sapporo hat ihre Wurzeln in der nordjapanischen Stadt gleichen Namens. Das hier vorgestellte Bier steht jedoch mit Tokio in Verbindung. Yebusi ist der Name einer schintoistischen Gottheit. Im gleichnamigen Viertel in Tokio gab es einst eine bekannte Brauerei. Sapporo hat diese schon vor langem übernommen und das Bier weiter unter dem traditionellen Namen gebraut. Es ist malzig in Aroma und Geschmack, fest und ölig am Gaumen und hat eine sehr gute, späte, ausgewogene Hopfigkeit. Es ist weitgehend im Stil des Dortmunder Exports gebraut.

# Sarah Hughes Dark Ruby

🏷️ **Herkunft** Mittelengland, UK

🍾 **Typ** Old Ale

％ **Alkoholgehalt** 6,0 Vol.-%

🍺 **Ideale Serviertemperatur** 10–13 °C

Mrs Hughes braute dieses Bier in den Zwanziger-jahren in einem winzigen Pub mit Brauerei in Sedgeley nahe Dudley in den West Midlands. Damals war Bier stärker, dieses hätte wohl als mild gegolten. Die Brauerei wurde 1957 geschlossen und 1987 von Mrs Hughes' Enkel restauriert. Dieses flaschenvergorene Bier ist fruchtig, toastig, reich und viel-fältig und hat weinartige Noten. Das Pub, The Beacon, ist eine echt vik-torianische Augenweide.

*Dudley vom Fass*
*Mrs Hughes grüßt vom*
*Etikett. Rings um Dudl*
*haben winzig kleine*
*Brauereien Tradition.*

# SCHÄFFBRÄU
# FEUERFEST EDEL BIER

| | |
|---|---|
| ⬦ **HERKUNFT** | Franken, Deutschland |
| 🍾 **TYP** | Extrastarkes Lager/Doppelbock |
| 🍷 **ALKOHOLGEHALT** | 10,5 Vol.-% |
| 🍺 **IDEALE SERVIERTEMPERATUR** | 9 °C |

Das Siegel dieses Biers aus Treuchtlingen gewährt ein Jahr Garantie für die Aufbewahrung, die Reifung kann bis zu 18 Monate dauern. Daraus entsteht ein weiches, ja schlankes Bier. Das Aroma hat etwas von Orangenlikör, man schmeckt Pflaumen und Kaffee, im Abgang ist es holzig und saftig.

# SCHEIDMANTEL HEFEWEISSE

| | |
|---|---|
| **HERKUNFT** | Franken, Deutschland |
| **TYP** | Hefeweizen |
| **ALKOHOLGEHALT** | 5,1 Vol.-% |
| **IDEALE SERVIERTEMPERATUR** | 9–12 °C |

Im Jahr 1834 von der Familie Scheidmantel in Coburg gegründet, der Stadt, der europäischer Hochadel entstammt. Die heutige Brauerei stammt aus der Zeit der Jahrhundertwende und besitzt noch immer die Seen, aus denen man bis in die 50er-Jahre hinein das Eis für die Lagerkeller bezog. Scheidmantel Hefeweiße ist weich und schmeckt nach Orange und Zitrone.

*Schlossbräu*
*Auf dem Etikett ist die Veste Coburg abgebildet. Auch das Gebäude der Brauerei ist sehr reizvoll.*

|  | | |
|---|---|---|
| 🛡 | **HERKUNFT** | Franken, Deutschland |
| 🍾 | **TYP** | Zwickelbier/ungefiltertes Pilsner |
| % | **ALKOHOLGEHALT** | 5,1 Vol.-% |
| 🍺 | **IDEALE SERVIERTEMPERATUR** | 9 °C |

Dieses helle, weitgehend im Stil des Dortmunder Exports gebraute Lager wird von der Brauerei Scheidmantel in Coburg ungefiltert abgefüllt. Es hat das Aroma von frisch gemähtem Heu, ist malzig und fest im Geschmack und hat einen trockenen, hopfigen, blumigen Abgang. Das Bier ist sehr wohlschmeckend und lässt sich gut trinken. Der Ausdruck Zwickel bezieht sich auf den Zapfhahn, in diesem Fall den des Lager-Bier-Fasses. Das Bier wird direkt und ungefiltert gezapft. Ungefiltertes Bier ist in Franken sehr beliebt und wird mit verschiedenen Ausdrücken bezeichnet: *Kellerbier* ist das stark gehopfte, ungefilterte Bier, *ungespundet* bedeutet mit wenig Kohlensäure.

# SCHLOSS EGGENBERG HOPFEN KÖNIG PILS

| | |
|---|---|
| HERKUNFT | Österreich |
| TYP | Pilsner |
| ALKOHOLGEHALT | 5,1 Vol.-% |
| IDEALE SERVIERTEMPERATUR | 9 °C |

Die Schlossbrauerei von Eggenberg bei Vorchdorf zwischen Salzburg und Linz wurde im 12. Jahrhundert gegründet und verkauft seit 1681 Bier unter diesem Namen. Zu ihren Produkten gehören Spezialitäten wie Mac Queen's Nessie *(siehe S. 299)* und Urbock *(siehe S. 413)*, aber auch dieses wohlschmeckende Pilsner. Der Hopfen ist im guten, duftenden Aroma und im anregenden, zitronenartigen Abgang gegenwärtig. Der Geschmack, der sich dazwischen entfaltet, ist für ein Pilsner-Bier recht süß.

# SCHLOSS EGGENBERG URBOCK 23°

🛡 **HERKUNFT** Österreich

🍾 **TYP** Doppelbock

🍺 **ALKOHOLGEHALT** 9,6 Vol.-%

🥛 **IDEALE SERVIERTEMPERATUR** 9 °C

Die Schlossbrauerei von Eggenberg zwischen Salzburg und Linz stammt aus dem 11. Jahrhundert. Ihr Urbock hat eine Stammwürze von 23 Grad und eine schaumige, für ein so starkes Bier sehr zurückhaltende Krone; es schimmert golden, schmeckt leicht sahnig und hat einen Hauch von Zitrone, rosa Grapefruit und vielleicht Zimt.

S

# Schlösser Alt

🛡 **Herkunft** Düsseldorf, Deutschland

🍺 **Typ** Altbier

% **Alkoholgehalt** 4,8 Vol.-%

🍶 **Ideale Serviertemperatur** 9 °C

Die Familie Schlösser begann 1873 mit einer Brauereikneipe in der Altstadt. Zwischen den Weltkriegen expandierte das Unternehmen durch eine Serie von Fusionen und Aufkäufen. Heute ist Schlösser die größte Altbierbrauerei in Düsseldorf und ein Teil der Brau und Brunnen AG. Das Bier gehört Körper und Geschmack nach zu den leichten Varianten. Anfänglich ist es süßlich-sirupartig, hat den Geschmack von braunem Zucker und wird dann nussiger, kräftiger und im Abgang schließlich trockener .

*Wahre Tradition*
*Das kurze, zylindrische Glas vor Schlösser Alt ist das traditionelle Altbierglas. Einige Brauereien sind auf schlankere, an Kölschgläser erinnernde Gefäße umgestiegen.*

# Schmaltz's Alt

🛡 **Herkunft** Mittlerer Westen der USA

🍾 **Typ** Altbier

% **Alkoholgehalt** 5,9 Vol.-%

🍺 **Ideale Serviertemperatur** 9 °C

Die Alliteration in »Schell Schmaltz's Alt« leitet sich vom Spitznamen eines ehemaligen Direktors der Brauerei in der überwiegend von Deutschstämmigen bewohnten Stadt New Ulm in Minnesota ab. Die 1860 gegründete Brauerei August Schell ist eines der wenigen alteingesessenen regionalen Brauhäuser in den USA. Sie liegt sehr schön in einem Waldgebiet mit eigenem Wildpark. Schmaltz's Alt ist ein sehr dunkles, röstiges Bier mit leichtem Vanillegeschmack und trocken für den Typ.

*Pioniergeist*
*Die Brauerfamilie überlebte in den frühen Pioniertagen einen Sioux-Aufstand – ihre Gastlichkeit wurde offenbar auch von den amerikanischen Ureinwohnern geschätzt.*

# SCHNEIDER AVENTINUS

**HERKUNFT** München, Deutschland

**TYP** Weizendoppelbock/Weizenbock

**ALKOHOLGEHALT** 7,7 Vol.-%

**IDEALE SERVIERTEMPERATUR** 9–10 °C

Die Abfüllhalle der berühmten Münchner Brauerfamilie Schneider stand einst in der Aventinstraße, die dann den idealen Namen für den doppelten Weizenbock abgab. Dank seiner alkoholischen Wärme und vielschichtigen Malzigkeit, ausgewogen mit nelkenhafter Würze, der Fruchtigkeit von Feigen und Rosinen und champagnerartiger Säure ist es ein wirklich bemerkenswertes Bier.

*Das Bier in Person*
*Auf dem Etikett ist Johannes Thurmayr*
*von Abensberg abgebildet, ein Gelehrter d.*
*16. Jahrhunderts, der sich Aventinus*
*nannte. Er schrieb als Erster eine Geschich*
*Bayerns und kartographierte das Land.*

# SCHNEIDER WEISSE

| 🛡 | **HERKUNFT** Oberbayern, Deutschland |
| 🍾 | **TYP** Hefeweizen |
| % | **ALKOHOLGEHALT** 5,5 Vol.-% |
| 🍺 | **IDEALE SERVIERTEMPERATUR** 9–12 °C |

Diese Brauerei soll sich seit 1607 auf Weizenbier spezialisiert haben. Der heutige Inhaber, die Familie Schneider, braut seit 1872 Weizenbier. Die Schneiders besaßen mitten in München, im »Tal«, eine Brauerei. Nach Ende des Zweiten Weltkrieges zogen sie in ihre heutige historische Brauerei im Norden der Stadt Kelheim an der Donau. Die Schneider-Weizenbiere sind wohl das beste Beispiel für stark nach Gewürznelken schmeckende, kräftige, würzige Biere. Die Hauptmarke, die Schneider Weiße, ist eine dunkle Version des Hefeweizens. Es ist lebhaft und hat eine fruchtige Komplexität, Malzigkeit, mandelige Nussigkeit und eine Nelkennote.

**S**

# SCHNEIDER WEISSE KRISTALL

HERKUNFT Oberbayern, Deutschland

TYP Kristall-Weiße/Weizen

ALKOHOLGEHALT 5,3 Vol.-%

IDEALE SERVIERTEMPERATUR 9–12 °C

Die Brauerei begann in der Mitte der 1990er-Jahre damit, nicht mehr nur ausschließlich das starke Aventinus *(siehe S. 416)* und die Schneider Weiße *(siehe vorige Seite)* zu brauen. 1994 stellte sie ein gold-farbenes Weizenhell mit Bodensatz vor, das eher fruchtig und orangen-artig schmeckt. Später kam das hier vorgestellte gefilterte Weiße Kristall hinzu. Sein Charakter liegt zwischen dem Weizenhell und der klassischen Schneider Weißen. Es hat eine leichte Honig- und Aprikosentönung. Dieses Bier gibt es auch mit einem geringeren Alkoholgehalt von 2,9 Vol.-%.

*Ein Bein in München*
*Das Gebäude auf dem Etikett ist die Münchner Gastwirtschaft der Braue-rei. Zu den Spezialitäten gehören Innereien wie Lüngerl.*

# SCHULTHEISS BERLINER WEISSE

| | | |
|---|---|---|
| 🛡 | **HERKUNFT** | Berlin, Deutschland |
| 🍾 | **TYP** | Berliner Weiße |
| % | **ALKOHOLGEHALT** | 3,7 Vol.-% |
| 🥃 | **IDEALE SERVIERTEMPERATUR** | 9–12 °C |

Die andere große Brauerei der Stadt wurde 1842 gegründet und ist jetzt ein Teil der Brau und Brunnen AG. Seit der Wiedervereinigung hat Schultheiss Brauereien in Kreuzberg und Spandau geschlossen und die Produktion in eine Brauerei aus dem Jahr 1902 in Hohenschönhausen im Osten verlegt. Die zweite Flaschengärung ihrer Berliner Weiße trägt zu deren komplexerem Charakter bei. Das Bier ist blumig mit einem Hauch Sellerie und zitronigem Abgang.

*Den Stil verjüngen*
*Schultheiss verziert seine klassischen »Weißbierschalen« mit zeitgenössischen Darstellungen von Berlin und der Berliner Jugend. Der traditionelle Braustil zeigt sich damit zeitgemäß.*

# SCHUMACHER ALT

HERKUNFT Düsseldorf, Deutschland

TYP Altbier

ALKOHOLGEHALT 4,6 Vol.-%

IDEALE SERVIERTEMPERATUR 9 °C

Eine Brauerei mit Gaststätte im Familienbetrieb. Die Familie Schumacher braute bereits Bier, noch ehe sie 1838 ihre erste eigene Brauerei besaß; der heutige Betrieb geht auf die 1870er-Jahre zurück. Das Lokal ist relativ ruhig, einem Café ähnlich, und verfügt über einen Biergarten. U.a. wird hier der typische Rheinische Sauerbraten serviert. Das Alt ist eine der helleren Varianten, sein Geschmack ist süßlich und malzbetont und es ist weich und nussig bis fruchtig, dabei aber gut ausgewogen.

*Brausymbole*
*Malzschaufel und Maischegabel sind Symbole der Braukunst. Das kleine Fass wird wie eine Schöpfkelle benutzt. Das große Gefäß ist ein Maischebottich.*

# SCHWABEN BRÄU
# DAS SCHWARZE

421

⬡ **HERKUNFT** Baden-Württemberg, Deutschland

🍾 **TYP** Schwarzbier

% **ALKOHOLGEHALT** 4,9 Vol.-%

🍺 **IDEALE SERVIERTEMPERATUR** 9 °C

Im Mittelalter erstreckte sich das Herzogtum Schwaben von der deutschsprachigen Schweiz über das Elsass, Südbaden und Württemberg bis nach Bayern und Vorarlberg hinein. Heute versteht man unter Schwaben die schwäbisch sprechenden Bewohner Altwürttembergs, Oberschwabens und des bayerischen Schwabens. Schwabenbräu fusionierte 1996 mit seinem Stuttgarter Nachbarn Dinkelacker. Die Namen beider Brauereien werden jedoch weitergeführt. Das Schwarze ist ein trockenes Schwarzbier mit einem erdigen Hopfenaroma, einem Geschmack nach Toffee und Lakritze und einem tiefgründigen, holzigen, leicht salzigen Abgang.

# SCHWABEN BRÄU FESTMÄRZEN

| | |
|---|---|
| **HERKUNFT** | Baden-Württemberg, Deutschland |
| **TYP** | Märzen/Festbier |
| **ALKOHOLGEHALT** | 5,5 Vol.-% |
| **IDEALE SERVIERTEMPERATUR** | 9 °C |

Die fusionierten Brauereien Schwaben Bräu und Dinkelacker stellen für das von September bis Oktober stattfindende Volksfest auf dem Cannstatter Wasen in Stuttgart verschiedene Biere her. Das Volksfestbier *(siehe S. 143)* von Dinkelacker schmeckt sehr hopfig, das Festmärzen von Schwaben Bräu ist etwas malziger. Es besitzt ein duftendes Aroma (vom Hopfen aus dem nahe gelegenen Tettnang?), aber auch eine dominantere, sirupartige Süße.

# SCHWARZER STEIGER

S

🛡 **HERKUNFT** Dresden, Deutschland

🍺 **TYP** Schwarzbier

% **ALKOHOLGEHALT** 4,8 Vol.-%

🍶 **IDEALE SERVIERTEMPERATUR** 9 °C

Die Förderung von Silber war in der Gegend um Dresden einst von großer Bedeutung. Das Bier heißt nach dem Aufseher im Bergbau. Schwarzer Steiger wird von Feldschlösschen hergestellt, einer von mehreren Brauereien dieses Namens. Die moderne Brauerei liegt am Rand der Stadt, im Zentrum steht noch immer ein Teil der alten Brauerei. Das Bier hat das Aroma von Veilchen und dunkler Schokolade, schmeckt fest und leicht zedernhaft und hat einen großen Abgang à la Wiener Kaffee.

# SESTER KÖLSCH

| | |
|---|---|
| HERKUNFT | Köln, Deutschland |
| TYP | Kölsch |
| ALKOHOLGEHALT | 4,8 Vol.-% |
| IDEALE SERVIERTEMPERATUR | 9 °C |

Ein sehr wohlriechendes Kölsch mit kräftigem Körper, elegant und leicht ölig, mit einem zarten Hauch von Orange. Es wurde lange Zeit mit dem Slogan »Trink Sester, mein Bester« angeboten. Die Firma Sester wurde 1896 gegründet, doch seit einigen Jahren wird das Bier von der Bergischen Löwenbrauerei hergestellt. Das Wahrzeichen von Sester ist ein Gespann von Zugpferden, die nach Wilhelm Busch Max und Moritz genannt werden. Diese beiden wiederum inspirierten den amerikanischen Comic The Katzenjammer Kids.

# SHEPHERD NEAME
# BISHOPS FINGER

⬡ **HERKUNFT** Südostengland, UK

🍾 **TYP** Bitter/Pale Ale

％ **ALKOHOLGEHALT** Flaschenbier: 5,2 Vol.-%, Fassbier: 5,0 Vol.-%

🍾 **IDEALE SERVIERTEMPERATUR** 10–13 °C

Die Brauerei Shepherd Neame liegt im Osten der Grafschaft Kent, mitten im Hopfenanbaugebiet. Sie wurde 1698 gegründet und ist damit der älteste britische Braubetrieb. Der Name Bishops Finger, im Englischen auch Gegenstand allerhand anzüglicher Scherze, geht auf ein altes Straßenschild aus dieser Gegend zurück. Dieses Ale ist hopfig im Aroma (East Kent Goldings) und besitzt einen sehr gut ausgewogenen, malzigen Geschmack mit Anklängen an Vanille, Süßholzwurzel und Rosinen und einem Hauch herber Fruchtigkeit im Abgang.

# SHEPHERD NEAME ORIGINAL PORTER

| | |
|---|---|
| **HERKUNFT** Südostengland, UK | |
| **TYP** Porter/Stout | |
| **ALKOHOLGEHALT** 5,2 Vol.-% | |
| **IDEALE SERVIERTEMPERATUR** 10–13 °C | |

Diese Brauerei in Kent liegt nicht weit von London, der Heimat des Porter. Seit einigen Jahren braut Shepherd Neame wieder Porter. Das wohltuende und sehr schmackhafte Bier hat Hopfen- und Sherrynoten im Aroma, einen Hauch trockener Lakritze (eine Zutat) und einen malzigen Hintergrund wie Gerstenzuckersüße.

# SHEPHERD NEAME SPITFIRE

🛡 **HERKUNFT** Südostengland, UK

🍾 **TYP** Bitter Ale

% **ALKOHOLGEHALT** 4,7 Vol.-%

🥤 **IDEALE SERVIERTEMPERATUR** 10–13 °C

Faversham liegt mitten im Hopfenanbaugebiet im Osten der Grafschaft Kent. Im 12. Jahrhundert soll dort eine Klosterbrauerei existiert haben. Shepherd Neame gibt es seit 1698 und er ist damit der älteste Braubetrieb der Insel. Das Spitfire ist flaschengegärt. Das Bier hat ein frisches Hopfenaroma, einen leichten, festen Körper, einen lebhaften, trockenen Geschmack und eine leicht moorige Bitterkeit im Abgang.

*Kampfgeist*
*Spitfire war ein Kampfflugzeug im 2. Weltkrieg, mit dem von Kent aus Einsätze geflogen wurden. Das Bier kam 50 Jahre später.*

# SIERRA NEVADA CELEBRATION ALE

S

| | |
|---|---|
| **HERKUNFT** | Kalifornien, USA |
| **TYP** | Ale/India Pale Ale |
| **ALKOHOLGEHALT** | 6,0 Vol.-% (kann variieren) |
| **IDEALE SERVIERTEMPERATUR** | 10–13 °C |

Die vielleicht berühmteste der neuen Brauereien in den USA steht nahe den Bergen der Sierra Nevada in Chico (Kalifornien). Sie ist bekannt für charaktervolle und vielfältige Biere. Celebration Ale für den Winter ist aromatisch und lebhaft im Geschmack, ein öliger Hauch Bitterschokolade schwingt mit, ebenso zitronige Hopfenbitterkeit. Die Hopfensorte wechselt jährlich, auch Probezüchtungen werden eingesetzt. Es ist unverkennbar ein India Pale Ale.

# SILLAMÄE MÜNCHEN

| | |
|---|---|
| 🛡 **HERKUNFT** | Estland |
| 🍺 **TYP** | Dunkles Münchner Lager/Bock |
| ％ **ALKOHOLGEHALT** | 6,5 Vol.-% |
| 🍺 **IDEALE SERVIERTEMPERATUR** | 9 °C |

Gebraut in einer 1993 eröffneten estländischen Kleinbrauerei im russischsprachigen Sillamäe, einst ein Zentrum der Militärindustrie. Das Bier ist ein bemerkenswertes dunkles Lager, so energisch und stark, dass es auch als Bock durchginge. Es hat ein reiches, malziges Aroma, ist weich und süffig, besitzt eine saubere, nach gerösteten Nüssen schmeckende Trockenheit und hat einen saftigen, warmen Abgang.

S

# SINEBRYCHOFF PORTER

**HERKUNFT** Finnland

**TYP** Baltisches Porter/Imperial Stout

**ALKOHOLGEHALT** 7,2 Vol.-%

**IDEALE SERVIERTEMPERATUR** 13–18 °C

Als Nikolai Sinebrychoff diese auch unter dem Namen »Koff« bekannte Brauerei 1829 in Helsinki gründete, war die Stadt unter russischer Herrschaft. Koff braute von Anfang an Porter, außer zur Zeit der Prohibition in Finnland zu Beginn dieses Jahrhunderts. 1952 wurde aus Anlass der Olympischen Spiele das Porter wieder eingeführt. Es ist lebhaft und geschmackvoll, trocken, sanft, ölig, kaffeeartig und blumig mit einer frischen Holznote. Der Abgang ist reich und wärmend.

# SINGHA

🛡 **HERKUNFT** Thailand

🍶 **TYP** Starkes Pilsner

Ⓢ **ALKOHOLGEHALT** 6,0 Vol.-%

🥛 **IDEALE SERVIERTEMPERATUR** 9 °C

Das Bier trägt den Namen einer löwenähnlichen mythischen Gestalt. Es hat wesentlich mehr Charakter als die Biere, die sonst in Ländern gebraut werden, deren Klima zu heiß für den Anbau von Hopfen oder Malzgerste ist. Singha entspricht am ehesten einem starken Pilsner. Die Zugabe von etwas Zucker macht sich im Geschmack nicht bemerkbar. Es hat einen Hauch von steifer, zäher Malzigkeit. Sein herausragendstes Merkmal jedoch ist eine robuste, späte Trockenheit mit pfefferminzartiger Hopfigkeit.

# SISSONS WISE GUY WEISSBIER

⊘ **HERKUNFT** Atlantikküste der USA

🍾 **TYP** Hefeweizen

% **ALKOHOLGEHALT** 4,1 Vol.-%

🍺 **IDEALE SERVIERTEMPERATUR** 9–12 °C

Schauspieler ohne Engagement sind häufig hinterm Tresen zu finden; Hugh Sisson hatte die Möglichkeit diesen Platz in der Kneipe seiner Familie in Baltimore (Maryland) einzunehmen. Seit 1989 braut seine Brauerei Ales, seit neuestem diese wortspielerische Weiße. Das Bier besitzt eine zitronenhafte Fruchtigkeit, bewegt sich zu einem markigen Charakter hin und endet mit einem Hauch Nelke, Nuss, Rauch und einer eher kernigen Note.

# SLOEBER

🛡 **HERKUNFT** Ostflandern, Belgien

🍾 **TYP** Starkes belgisches Ale

◎ **ALKOHOLGEHALT** 7,5 Vol.-%

🍶 **IDEALE SERVIERTEMPERATUR** 10 °C

Sloeber«, flämisch für »Joker«, kommt aus Mater bei Oudenaarde. Das komplexe Bier hat eine wuchtige Krone, ist aromatisch, weich, fest und malzig und hat einen trocken nach Orangenschale schmeckenden Abgang, der teilweise vom steirischen Hopfen herrührt – groß im Geschmack.

# SOUTHAMPTON SAISON

| | |
|---|---|
| **HERKUNFT** Nordosten der USA |
| **TYP** Saison |
| **ALKOHOLGEHALT** 5,5 Vol.-% |
| **IDEALE SERVIERTEMPERATUR** 10 °C |

Wochenendausflügler auf Long Island können im Southampton Publick House (40 Bowden Sq) bemerkenswerte Biere im belgischen Stil genießen. Dieses rare amerikanische Saison reift in Weinfässern unter Zugabe von Curaçao-Orangenschalen und Guineapfeffer. Dies ergibt die Farbe alten Goldes, eine große, sahnige Krone, einen leichten, sanften Körper und einen knochentrockenen Geschmack, der an belgisches Lambic erinnert.

*Publick House*
*Die altertümliche Schreibweise*
*möge einer Brauerei erlaubt sein,*
*die sich um die Herstellung sehr*
*traditioneller Biere bemüht.*

# SOUTHAMPTON SECRET

🛡 **HERKUNFT** Nordosten der USA

🍶 **TYP** Altbier

% **ALKOHOLGEHALT** 5,2 Vol.-%

🍺 **IDEALE SERVIERTEMPERATUR** 9 °C

Dem Sticke-Bier nachempfunden und mit impor-
tierten deutschen Zutaten hergestellt: nicht
weniger als fünf verschiedene Malz-, drei Hopfensorten und eine Altbier-Hefe.
Es ist sehr frisch in Aroma
und Geschmack, mit
süßlichem, leicht schoko-
ladigem, elegant malzigem
Abgang, aber einer gut
ausgewogenen Trocken-
heit im Abgang. Dieses
Bier kommt aus dem
Southampton Publick
House auf Long Island in
New York.

*Edel oder urig*
*Die Strandpavillons und die Surferszene*
*Southamptons und die Altstadtkneipen*
*in Düsseldorf am Rhein scheinen*
*verschiedenen Welten anzugehören.*

# SPATEN MÜNCHNER HELL

⬦ **HERKUNFT** München, Deutschland

🍾 **TYP** Münchner Helles

% **ALKOHOLGEHALT** 5,2 Vol.-%

🍺 **IDEALE SERVIERTEMPERATUR** 9 °C

Das Brauen von Lagerbier geht wohl hauptsächlich auf die Brauerei Spaten in München zurück. Die Brauerei wurde 1397 gegründet, Jahrzehnte bevor das Brauen von Lager erstmals schriftlich belegt ist. Ihr erstes Lager war dunkelbraun und wird als »Dunkel« immer noch hergestellt. Die Hefe von Spaten wurde auch für die ersten Brauprodukte von Carlsberg verwendet. Das Münchner Hell ist bemerkenswert aromatisch und hat einen reinen, ziemlich süßen, malzigen Geschmack und eine späte, leichte, nussige Trockenheit.

# SPATEN OKTOBERFESTBIER

S

| | |
|---|---|
| 🛡 **HERKUNFT** | München, Deutschland |
| 🍺 **TYP** | Märzen |
| ⊗ **ALKOHOLGEHALT** | 5,9 Vol.-% |
| 🍺 **IDEALE SERVIERTEMPERATUR** | 9 °C |

Die modernen Verfahren beim Brauen von Lagerbieren gehen auf die Münchner Spaten-Bräu und die Dreißigerjahre des 19. Jahrhunderts zurück. Die Brauerei wurde 1397 gegründet. Auch der Brauch zum Oktoberfest rotbronzenes, malziges Bier zu brauen geht auf Spaten zurück. Mittlerweile braut die Brauerei allerdings nur ein helles Festbier. Es hat ein sahniges Aroma und eine klare, deutliche, weiche und leichte Malznote. Traditionellerweise wird beim Oktoberfest mit Spatenbier »ozapft«.

S

# STAROPRAMEN DARK

⬦ **HERKUNFT** Böhmen, Tschechien

🍾 **TYP** Dunkles Lagerbier

% **ALKOHOLGEHALT** 4,6 Vol.-%

🍺 **IDEALE SERVIERTEMPERATUR** 9 °C

Diese tschechische Brauerei, ein Klassiker des mittleren 19. Jahrhunderts, liegt fast mitten in Prag. Staropramen (»Alte Quelle«) ist weithin bekannt für helles Lager, stellt aber auch eine dunkle Variante her. Diese hat einen leichten Körper, ist weich und sanft und hat eine malzige Lakritz- oder Anisnote und einen blumigen Hopfenhintergrund.

# STAUDER PREMIUM PILS

**HERKUNFT** Nordrheinwestfalen, Deutschland

**TYP** Pilsner

**ALKOHOLGEHALT** 4,6 Vol.-%

**IDEALE SERVIERTEMPERATUR** 9 °C

Der Ausdruck »Premium« bezeichnet kein bestimmtes Qualitätsmerkmal. In den USA wurde er früher ausdrücklich für ein Bier verwendet, das überregional vermarktet wurde. In Großbritannien bezeichnet er ein Bier, dessen Alkoholgehalt im oberen Bereich der üblichen Biere, bei etwa 5,0 Vol.-%, liegt. In Deutschland bezeichnen viele Brauereien damit einen bestimmten Brautyp, auf den sie sich spezialisiert haben. Bei Stauder ist dies Lager-Bier im Pilsner-Stil. Sein Premium Pils sieht man vor allem in Restaurants und Bars von Luxushotels. Aroma und Geschmack sind leicht fruchtig und grasig und erinnern an frisch gemähtes Heu, der Körper ist fest und schlank, die Hopfenbitterkeit solide.

# STEENDONK
# BRABANTS WITBIER

| | |
|---|---|
| **HERKUNFT** | Flämisch-Brabant, Belgien |
| **TYP** | Belgisches Weizenbier |
| **ALKOHOLGEHALT** | 4,5 Vol.-% |
| **IDEALE SERVIERTEMPERATUR** | 9–10 °C |

Dieses belgische Weißbier der bekannten Brauerei Palm in Steenhuffel nordwestlich von Brüssel, wird zusammen mit dem berühmten starken, goldfarbenen Duvel aus dem nahe gelegenen Breendonk vermarktet. Der Name entstammt den zwei Dorfnamen. Das Bier ist hell und milchig, trocken und würzig mit zimtener Würze und einem melonenhaften Charakter.

# STEINER MÄRZEN

🛡 **HERKUNFT** Oberbayern, Deutschland

🍾 **TYP** Märzen/Oktoberfest

% **ALKOHOLGEHALT** 5,5 Vol.-%

🍺 **IDEALE SERVIERTEMPERATUR** 9 °C

Bei dem Dorf Stein gibt es eine Felsenklippe an der Traun, einst die Grenze zwischen Bayern und Österreich. Bis heute wird dort in Felsenhöhlen Bier gelagert. Dieses Märzen, das ja eigentlich für den September gebraut wurde, ist exemplarisch für diesen Biertyp. Es hat die typisch rötlich-bronzene Farbe eines Oktoberfest-Lagerbiers und ein reiches Malzaroma (mit würziger Hopfennote) und schmeckt kernig und sämig nach Gerste.

*Ein Steinkrug …*
*… wäre das angemessene Trinkgefäß.*
*Im Glaskrug jedoch kommt die Farbe*
*dieses Gebräus besser zur Geltung.*

# STEINER UR-DUNKEL

| | |
|---|---|
| **HERKUNFT** | Oberbayern, Deutschland |
| **TYP** | Münchner Dunkles Lager |
| **ALKOHOLGEHALT** | 4,9 Vol.-% |
| **IDEALE SERVIERTEMPERATUR** | 9 °C |

Im Felsenkeller reifen nicht nur ein feines *Märzenbier*, sondern auch weitere Lager-Biere von ähnlicher Charakterstärke. Das Ur-Dunkel von Steiner ist sehr traditionell: leicht und frisch, aber von einem komplexen Malzgeschmack. Nussige und fruchtige Geschmacksnoten gehen in eine leicht herbe, ausgewogene Trockenheit über.

# STOUDT'S
# ABBEY DOUBLE

🛡 **HERKUNFT** Nordosten der USA

🍾 **TYP** Abteibier Double

🔖 **ALKOHOLGEHALT** 7,0 Vol.-%

🍺 **IDEALE SERVIERTEMPERATUR** Lagern bei 14 °C, servieren bei nicht unter 10 °C

Stoudt's ist keine Stout-Brauerei. Der Familienname wird mit weichem D ausgesprochen und kommt ursprünglich aus Deutschland. Die Brauerei in Adamstown in Pennsylvania wird von Carol Stoudt betrieben und hat schon etliche Auszeichnungen gewonnen. Ihr Abbey Double ist reichhaltig wie Sirup, hat einen Hauch von Vanille und schmeckt im Abgang nach Medizin und Phenol. Das Bier wird mit fünf verschiedenen Malzen, einem Zucker, vier Hopfensorten und einer belgischen Hefe gebraut. Die Gestalt auf dem Etikett ist Michel Notredame: kein Mönch, wie man vermuten würde, sondern ein Gastronom aus Philadelphia.

S

# STOUDT'S EXPORT GOLD

🛡 **HERKUNFT** Nordosten der USA

🍺 **TYP** Münchner Helles

% **ALKOHOLGEHALT** 5,0 Vol.-%

🍺 **IDEALE SERVIERTEMPERATUR** 9 °C

Ursprünglich wurde dieser fortwährende Preisträger der Brauerei Stoudt aus Adamstown in Pennsylvania im Dortmunder Stil ausgebaut (daher auch die Bezeichnung Export). Seit kurzem wird dieses Bier jedoch als Münchner Helles/Pale Lager gelistet. Unabhängig von der Bezeichnung ist es ist ein sahniges, sanftes Bier mit saftig-süßem Malzcharakter und ausgleichender blumiger (Orangenblüten?) Hopfigkeit. Ein Malz im Münchner Stil scheint viel zum Geschmack beizutragen. Die beim Brauen verwendeten Hopfen sind aus Tettnang, Hallertau und Saaz.

*Hopfiges Wochenende*
*In Adamstown, einem beliebten Ausflugsziel, kann man neben der auf dem Etikett der Bier- flasche abgebildeten Brauerei auch ein Steak- restaurant und einen Trödelmarkt besuchen.*

# STOUDT'S PILS

⬦ **HERKUNFT** Nordosten der USA

🍾 **TYP** Pilsner

⊗ **ALKOHOLGEHALT** 4,5 Vol.-%

🍺 **IDEALE SERVIERTEMPERATUR** 9 °C

Carol Stoudt ist deutscher Abstammung und die Besitzerin der vielfach preisgekrönten Brauerei in Adamstown (Pennsylvania). Ihr Pils, laut Etikett »großzügig mit Saazer gehopft«, ist eines der besten in ganz Nordamerika. Aroma, Geschmack und Bitterkeit haben allesamt stark hopfige Obertöne; das Bier zelebriert einen sehr langen, nachhaltigen Abgang von zitronenbitterer Trockenheit. Wem beim Trinken Appetit gekommen ist, der kann sich gleich im Steakrestaurant der Gaststätte zu Tisch begeben und sonntags hinterher auf dem Trödelmarkt stöbern.

*Die Blume der Brauerin*
*Das stilisierte Bild auf dem Etikett hat eine flüchtige Ähnlichkeit mit der Herstellerin dieses Biers. Die Bierbrauerin Carol Stoudt ist eine lebhafte und sehr aktive Sprecherin der Vereinigung amerikanischer Kleinbrauereien.*

# SÜNNER HEFEWEIZEN

| | |
|---|---|
| HERKUNFT | Köln, Deutschland |
| TYP | Hefeweizen |
| ALKOHOLGEHALT | 4,9 Vol.-% |
| IDEALE SERVIERTEMPERATUR | 9–12 °C |

Die Brauerei Sünner ist besser bekannt für ihr Kölsch, bietet aber auch ein Hefeweizen an. Dieses Bier hat ein blumiges, duftiges Aroma, einen sanften, weichen, melonenhaften Körper, einen leichten, an Kaugummi erinnernden Charakter und einen blättrigen Abgang. Das Etikett zeigt das bezaubernde Brauereigebäude mit seinen zinnenbewehrten Giebeln.

# SÜNNER KÖLSCH

🛡 **HERKUNFT** Köln, Deutschland

🍾 **TYP** Kölsch

% **ALKOHOLGEHALT** 4,8 Vol.-%

🍺 **IDEALE SERVIERTEMPERATUR** 9 °C

Sünner ist die älteste im Familienbesitz befindliche Brauerei in Köln, die heute in der fünften Generation Bier braut. Christian Sünner gründete das Unternehmen 1830, seit 1859 befindet es sich am selben Standort in der Hauptstraße von Kalk. Zur Brauerei gehört auch ein Biergarten. Das Sünner Kölsch hat ein frisches, sahniges Aroma, eine an Pfirsich erinnernde Fruchtigkeit und im frischen Abgang einen trockenen, würzigen, fast salzigen Hopfengeschmack. Die Brauerei stellt auch einen Roggenwhiskey her.

*Bier statt Wein*
*Sünner wird »Im Walfisch« ausgeschenkt,*
*einer typischen Kölner Bierkneipe. Sie*
*steht an einer Stelle, an der im 15. Jahr-*
*hundert eine Brauerei stand. Eine andere*
*Sünner-Wirtschaft, das Fischrestaurant*
*»Bieresel«, wurde bereits 1297 erwähnt.*

S

# SWALE WHITSTABLE OYSTER STOUT

| | |
|---|---|
| 🛡 **HERKUNFT** | Südostengland, UK |
| 🍾 **TYP** | Trockenes Stout |
| ⍟ **ALKOHOLGEHALT** | 4,5 Vol.-% |
| 🥃 **IDEALE SERVIERTEMPERATUR** | 10–13 °C |

Dieses Bier enthält keine Austern, sondern sollte zu solchen getrunken werden. Seine teerähnlichen Aromen und Geschmacksnoten beschwören Erinnerungen an Fischereihäfen und frisch gepichte Boote herauf. Sein Körper ist weich genug um eine Whitstabler Auster sanft die Kehle hinuntergleiten zu lassen. Die Kleinbrauerei Swale hat ihren Sitz in dieser berühmten Austernstadt in Kent.

*Ein guter Schluck*
*Falls der Appetit angeregt werden soll, genügt ein Blick auf die Körbe voller frisch gesammelter Austern auf dem im Aquarelldesign gehaltenen Etikett.*

# TABERNASH MUNICH

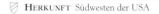

⬡ **HERKUNFT** Südwesten der USA

🍾 **TYP** Dunkles Münchner Lager

％ **ALKOHOLGEHALT** 4,9 Vol.-%

🍺 **IDEALE SERVIERTEMPERATUR** 9 °C

Die Stadt Tabernash liegt westlich von Denver und ist nach einem Häuptling der Ute-Indianer benannt. Die gleichnamige Kleinbrauerei in Denver hat sich auf deutsche Biere spezialisiert. Einer ihrer Gründer studierte Brauwesen in Weihenstephan. Tabernash Munich ist sehr weich und hat fruchtige Malzigkeit und Röstgeschmack. Der runde Abgang weist einen Hauch von hopfiger Trockenheit auf.

# TABERNASH WEISS

| | |
|---|---|
| ◇ **HERKUNFT** | Südwesten der USA |
| ▣ **TYP** | Hefeweizen |
| ◎ **ALKOHOLGEHALT** | 5,5 Vol.-% |
| ▮ **IDEALE SERVIERTEMPERATUR** | 9–12 °C |

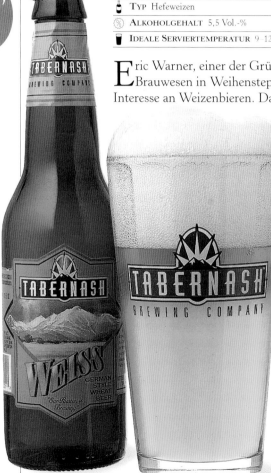

Eric Warner, einer der Gründer der Brauerei, studierte Brauwesen in Weihenstephan und hat ein besonderes Interesse an Weizenbieren. Das von ihm kreierte Hefeweizen besitzt eine gute muskat- und nelkenhafte Würze im Aroma, ist ziemlich süß und entwickelt einen sehr guten Fruchtgeschmack, besonders Banane. Kurz nach ihrer Gründung 1993 gewann die Brauerei auf dem Großen Amerikanischen Bierfestival bereits die Goldmedaille für dieses Hefeweizen und die Bronzemedaille für ihr Golden Spike und ihr Denargo Lager.

*Weiße Berge*
*Die schneebedeckten Berge auf dem Etikett sind die Rocky Mountains. Sie dominieren diesen Teil Colorados, in dem es viele Kleinbrauereien gibt.*

# THEAKSTON OLD PECULIER

| | |
|---|---|
| 🛡 **HERKUNFT** | Nordengland, UK |
| 🍾 **TYP** | Old Ale |
| ⊘ **ALKOHOLGEHALT** | 5,6 Vol.-% |
| 🍺 **IDEALE SERVIERTEMPERATUR** | 13 °C |

Das bekannteste Beispiel für ein Old Ale, ein dunkelbraunes, süßes, malziges Bier mit vollem Körper, mittelstark und vom Fass erhältlich. Die winzige Brauerei aus den Achtzigerjahren des letzten Jahrhunderts in Masham (North Yorkshire) gehört nun zur Braugruppe Scottish Courage. Old Peculier (in mittelalterlicher Schreibweise) hat einen sanften, öligen Körper, schmeckt nach Milchschokolade und im Abgang trocken nach Rosinen und schwarzer Johannisbeere.

# THOMAS KEMPER OKTOBERFEST

**HERKUNFT** Nordwesten der USA

**TYP** Märzen-Oktoberfest-Lagerbier

**ALKOHOLGEHALT** 5,6 Vol.-%

**IDEALE SERVIERTEMPERATUR** 9 °C

Unter den amerikanischen Brauereien der neueren Generation braute Thomas Kemper 1984 als einer der Ersten Lagerbier. Dieses Bier baut eine schöne, wuchtige Krone auf, hat ein Pfirsicharoma, einen nussigen, malzigen Charakter, schmeckt zunächst körnig, dann sahniger und weist eine späte, ausgewogene, blumige, trockene Hopfigkeit auf.

# THREE TUNS CLERICS CURE

| | |
|---|---|
| 🛡 **HERKUNFT** | Mittelengland, UK |
| 🍾 **TYP** | Bitter Ale |
| ⊗ **ALKOHOLGEHALT** | 5,0 Vol.-% |
| 🌡 **IDEALE SERVIERTEMPERATUR** | 10–13 °C |

„Tun« bezeichnet das große hölzerne Braufass. Der Name bezieht sich möglicherweise auf die traditionelle Methode beim Brauen dreimal Wasser zuzugeben um starkes, mittleres und leichtes Bier zu erhalten. Der Name Clerics Cure (des Priesters Heilung) geht auf einen Brief von 1899 zurück, in dem der örtliche Pfarrer das Bier der Brauerei als Heilmittel gegen den Niedergang der Landwirtschaft empfahl. Es ist ein strohfarbenes Bier mit einem mandarinenähnlichen Aroma, einem leichten, aber festen Malzgeschmack im Hintergrund und einer späten, hopfigen Trockenheit: knusprig, erfrischend und anregend.

# THURN UND TAXIS ROGGEN

| | HERKUNFT Bayern, Deutschland |
| --- | --- |
| | TYP Roggenbier |
| | ALKOHOLGEHALT 5,0 Vol.-% |
| | IDEALE SERVIERTEMPERATUR 9–12 °C |

Die Adelsfamilie Thurn und Taxis besaß lange Zeit eine bekannte Brauerei in Regensburg und nicht weit davon entfernt, eine kleinere in Schierling. Letztere hat ihre Wurzeln in einem Nonnen-kloster aus dem 13. Jahrhundert. Sie wurde Ende der 1980er für ein Bier bekannt, das mit einer Mischung von 60% Roggen und 40% Weizen gebraut wird. Dieses Bier ist körnig, leicht rauchig, fruchtig und würzig und hat einen bittersüßen Roggencharakter. Ende 1990 wurden die Brauereigeschäfte von Thurn und Taxis von der Brauerei Paulaner übernommen. Das Roggenbier wird nun in Regensburg hergestellt.

# TIMMERMANS KRIEK

| 🛡 | **HERKUNFT** Flämisch-Brabant, Belgien |
| 🍶 | **TYP** Kriek-Lambic |
| 🥃 | **ALKOHOLGEHALT** 5,0 Vol.-% |
| 🍺 | **IDEALE SERVIERTEMPERATUR** 8–9 °C |

Die Brauerei Timmermans existiert seit 1888, auf ihrem Gelände in Itterbeek wird aber möglicherweise schon seit 1650 gebraut. Die Gründerfamilie hält noch Anteile, die Mehrheit aber gehört der Brauerei John Martin, bekannt für ihr helles Ale. Das Kriek von Timmermans ist – mit delikater, sherryartiger Säure – deutlicher ein Lambic als die anderen Biere, bis der Kirschengeschmack hervortritt. Noch trockener ist Caveau, ein unfiltriertes Gueuze.

# TIMOTHY TAYLOR'S LANDLORD

| | |
|---|---|
| **HERKUNFT** | Nordengland, UK |
| **TYP** | Helles Ale/Bitter |
| **ALKOHOLGEHALT** | 4,1 Vol.-% |
| **IDEALE SERVIERTEMPERATUR** | 11–14 °C |

Die renommierte Brauerei Timothy Taylor steht in der kleinen Textilstadt Keighley am Rand der Moore in Yorkshire. Ihr Landlord Strong Pale Ale soll speziell für die Kehlen der Kohlekumpel in Yorkshire geschaffen worden sein. Es ist ein sehr trinkbares Bier mit heidekrautartigem Hopfenaroma (Steirischer Golding), festem, körnigem Geschmack, leicht saftiger Malzigkeit und einem Hauch erfrischender Säure im Abgang. Die Brauerei empfiehlt eine nur mäßige Kühlung.

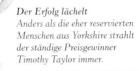

*Der Erfolg lächelt*
*Anders als die eher reservierten*
*Menschen aus Yorkshire strahlt*
*der ständige Preisgewinner*
*Timothy Taylor immer.*

# Tomintoul
# Nessie's Monster Mash

**HERKUNFT** Schottisches Hochland, UK

**TYP** Schottisches Ale

**ALKOHOLGEHALT** 4,4 Vol.-%

**IDEALE SERVIERTEMPERATUR** 10–13 °C

Die Schneeschmelze speist die rasch fließenden Bäche und Ströme um die Ortschaft Tomintoul. Eine halbe Meile entfernt liegt eine Mühle aus dem 18. Jahrhundert, die seit 1993 als Brauerei genutzt wird. Ihr Bier (Nessies Monster-Mischung) ist mäßig stark, aber überraschend reichhaltig in Textur und Malzgeschmack. Der leicht an Rum und Schokolade erinnernde Geschmack wird durch eine leicht nussige Trockenheit ausgeglichen.

*Das Monster …*
*… auf dem Etikett (nach Fotos von »Augenzeugen« gestaltet) gibt es Erzählungen zufolge bereits seit dem 7. Jahrhundert.*

# TOMINTOUL STAG

| | **HERKUNFT** Schottisches Hochland, UK |
| --- | --- |
| | **TYP** Schottisches Ale |
| | **ALKOHOLGEHALT** 4,1 Vol.-% |
| | **IDEALE SERVIERTEMPERATUR** 10–13 °C |

Wild ist im Schottischen Hochland sehr häufig und der Hirsch ein oft verwendetes Symbol. Dieses Ale hat keinen sonderlich hohen Alkoholgehalt. Aroma und Geschmack zeigen jedoch eine bemerkenswerte Ausgeglichenheit zwischen der typisch schottischen Malzigkeit und dem grünen, lebhaften Hopfencharakter. In den ersten Brauversionen war dieses Bier stärker gehopft. Jetzt entwickelt sich ein wunderbarer Geschmack mit langsam in den Vordergrund tretendem Malz.

*Der Herrscher …*
*… der Täler ziert nicht nur das Etikett, sondern auch die feine schottische Tafel.*

# Tooheys Old Black Ale

| | | |
|---|---|---|
| 🛡 | **Herkunft** | New South Wales, Australia |
| 🍺 | **Typ** | Old Ale |
| % | **Alkoholgehalt** | 4,4 Vol.-% |
| 🍾 | **Ideale Serviertemperatur** | 10 °C |

Irisch-australische Brüder gründeten um die Mitte des 19. Jahrhunderts in Sydney die Brauerei Toohey. Sie wurde als »katholische« Brauerei der Stadt bekannt und floriert heute unter dem Dach der Lion-Nathan-Gruppe. Tooheys Old hat einen bescheidenen Alkoholgehalt und einen leichten, aber sanften Körper. Es schmeckt zart nach einem Hauch Bitterschokolade, Sahne und süßem Sherry, nussig und fruchtig. Im Abgang ist es trocken und vielfältig.

*Ausgezeichnetes Ale Inmitten all der milden, süßen australischen Lagerbiere legt Tooheys Old wert auf seinen Status als Ale und die Herstellung mit obergäriger Hefe.*

T

# TRAQUAIR HOUSE ALE

| | |
|---|---|
| 🛡 **HERKUNFT** | Südschottland, UK |
| 🍾 **TYP** | Starkes Schottisches Ale |
| 📊 **ALKOHOLGEHALT** | 7,2 Vol.-% |
| 🍺 **IDEALE SERVIERTEMPERATUR** | 10 13 °C |

Bier aus Schloss Traquair wurde 1566 zum ersten Mal erwähnt. Die Brauerei wurde 1965 vom 20. Laird (»Lord«) of Traquair, Peter Maxwell Stuart, wieder in Betrieb genommen und wird nun von dessen Tochter Lady Catherine geleitet. Das Hauptprodukt des Hauses hat ein leicht eichenes Aroma, schmeckt frisch, erdig, pfefferig und nussig-malzig, der Abgang ist etwas holzig herb.

*Etikette verpflichtet*
*Das Etikett verkündet,*
*dass das Haupttor von*
*Traquair verschlossen*
*bleibt, bis wieder ein Stuart*
*den Thron besteigt.*

# TRAQUAIR JACOBITE ALE

🛡 **HERKUNFT** Südschottland, UK

🍶 **TYP** Gewürztes Schottisches Ale

💧 **ALKOHOLGEHALT** 8,0 Vol.-%

🥃 **IDEALE SERVIERTEMPERATUR** 13 °C

Traquair House ist ein Schloss an der Grenze zu England und gehört einer Linie des schottischen Adelsgeschlechtes der Stuarts. Der in Schottland legendäre Bonnie Prince Charlie soll hier im Herbst 1745 abgestiegen sein. Das schwarz-purpurne Jacobite Ale aus der hauseigenen Kleinbrauerei ist reichhaltig und schmeckt süßwürzig und weich nach Wurzeln.

*Königstreu*
*Jakobiten, nach König Jakob II.,*
*hießen die Anhänger der Stuarts.*

# TRIPEL KARMELIET

**HERKUNFT** Ostflandern, Belgien

**TYP** Abtei-Triple

**ALKOHOLGEHALT** 8,0 Vol.-%

**IDEALE SERVIERTEMPERATUR**
Lagern bei rund 14 °C,
servieren bei nicht unter 10 °C

Der Überlieferung zufolge brauten Karmelitermönche in Dendermonde um die Mitte des 17. Jahrhunderts ein Bier aus drei Getreidesorten. Davon ließ sich 1997 die Brauerei Bosteels im benachbarten Buggenhout zu einem Bier aus Gerste, Weizen und Hafer inspirieren. Alle drei Getreidearten werden gemälzt und ungemälzt verwendet, das Bier wird zudem stark gehopft. Es hat die Leichtigkeit von Weizen, die Sahnigkeit von Hafer und eine herbe Bitterkeit.

*Lilienkleid*
*Das Lilienwappen auf dem Glas ist rein dekorativ, es repräsentiert nicht die französische königliche Lilie. Antoine Bosteels, einer der Brauereibesitzer, hat das Design für das Glas entworfen.*

# TSINGTAO

🛡 **HERKUNFT** Schandong, China

🍾 **TYP** Lager/Pilsner

％ **ALKOHOLGEHALT** 4,25 Vol.-%

🍺 **IDEALE SERVIERTEMPERATUR** 9 °C

Tsingtao ist das einzige chinesische Bier, das auch außerhalb seiner Heimat bekannt ist. Die Firma besitzt etwa 20 Brauereien in ganz China. Die Originalbrauerei steht in Tsingtao (heute Qingdao) in der Provinz Schantung. Zur Küstenstadt gehört eine kleine Insel – Qingdao bedeutet »grüne Insel«. Zu Beginn des 20. Jahrhunderts war Tsingtao ein deutscher Hafen, ähnlich wie Hongkong ein britischer und Macao ein portugiesischer. Die heute chinesische Brauerei wurde von Deutschen gegründet. Tsingtao ist ein sehr mildes Bier, das mehr Hopfenaroma und Bitterkeit als die meisten anderen hellen Lager aus China besitzt. Die Brauerei Tsingtao braut auch ein exzellentes, öliges, kaffeeartiges dunkles Lager, das man außerhalb Chinas kaum finden wird.

# Tucher Helles Hefe Weizen

HERKUNFT  Franken, Deutschland

TYP  Hefeweizen

ALKOHOLGEHALT  5,3 Vol.-%

IDEALE SERVIERTEMPERATUR  9–12 °C

Wurde 1672 als Weizenbier-
brauerei gegründet und
war einige Zeit im Besitz der
bayerischen Königsfamilie. 1855
übernahm die Familie Tucher die
Brauerei, die bis heute mehrmals
den Besitzer wechselte. 1994 wurde
sie dann wieder ein Familienunter-
nehmen, als Inselkammer, eine
bayerische Braudynastie, einstieg.
Das Hefeweizen hat einen festen
Hintergrund mit süßem Apfel-
geschmack und ist würzig, trocken
und knackig im Abgang.

*Flagge zeigen*
*Im Hintergrund des Etiketts ist die
blau-weiße bayerische Fahne zu erkennen. Dieses Motiv wird von Brauereien
aus Bayern oft verwendet – auch um
ihre Landeszugehörigkeit zu zeigen.*

# TUPPERS' HOP POCKET ALE

⬦ **HERKUNFT** Washington, D.C., USA

🍾 **TYP** Amerikanisches Ale

% **ALKOHOLGEHALT** 6,0 Vol.-%

🍾 **IDEALE SERVIERTEMPERATUR** 10 °C

Der Geschichtslehrer Bob Tupper hält in seiner Freizeit Vorlesungen über Bier an der Theke des bekannten Brickskeller in Washington, D.C. Zusammen mit seiner Frau Ellie hat er für die Brauerei Old Dominion dieses Bier entwickelt. Dessen blumiges Aroma entfaltet sich vor dem Hintergrund frischer Malze. Im langen Abgang macht sich bittere Rinde bemerkbar. »Hop Pockets« sind längliche Säcke, in denen gepresster Hopfen verpackt wird. Sie sehen aus wie Sandsäcke von Boxern: Dieses Bier kann zuschlagen.

# UERIGE ALT

🛡 **HERKUNFT** Düsseldorf, Deutschland

🍾 **TYP** Altbier

% **ALKOHOLGEHALT** 4,5 Vol.-%

🍺 **IDEALE SERVIERTEMPERATUR** 9 °C

Models, Rockstars, Punks, Herren im feinen Anzug, ältere Damen mit ausladenden Hüten … jeder in Düsseldorf geht einmal »Zum Uerige« am Rheinufer in der Altstadt. »Zum Uerige« hat eine eigene Wurstküche, zu den Spezialitäten des Hauses gehören Sülze und ein in Bier marinierter Mainzer Käse. Das Bier dieser weitläufigen, alten Brauereikneipe, das klassische Alt schlechthin, hat ein frisches Hopfenaroma, eine feste, elegante, fast glatte, saubere Malzigkeit und einen kräftig bitteren Einschlag. Der Name »Uerige« bezieht sich auf einen früheren, verschrobenen Eigentümer. Eine etwas stärkere, »geheime« Variante wird traditionsgemäß ein- oder zweimal im Jahr als Sticke-Bier gebraut. Das Uerige Alt inspirierte das exzellente Ur Alt der Brauerei Widmer in Portland, Oregon.

*Dat leckere Dröppke …*
*… bedarf wahrhaftig keiner weiteren Erläuterung.*

# UERIGES WEIZEN

| | | |
|---|---|---|
| 🛡 | **HERKUNFT** | Düsseldorf, Deutschland |
| 🍾 | **TYP** | Hefeweizen |
| % | **ALKOHOLGEHALT** | 4,5 Vol.-% |
| 🍺 | **IDEALE SERVIERTEMPERATUR** | 9 12 °C |

D ie meisten Düsseldorfer Altbierbrauereien sind schon lange auf ihre lokale Bierkultur spezialisiert, einige produzieren ausschließlich Alt-Biere. Die klassische Altstadt-Brauereikneipe »Zum Uerige« hat in den letzten Jahren mit ihrem eigenen Uerigen Weizen auf die Beliebtheit der Weizenbiere reagiert. Hergestellt mit der Altbierhefe und daher eher nördlich im Typ, hat es einen guten, sauberen Malzhintergrund und ist leicht, blumig, sehr knackig und mineralisch trocken im Abgang.

# UNERTL WEISSBIER

U

| | |
|---|---|
| HERKUNFT | Oberbayern, Deutschland |
| TYP | Hefeweizen |
| ALKOHOLGEHALT | 4,8 Vol.-% |
| IDEALE SERVIERTEMPERATUR | 9–12 °C |

Die Brauerei der Familie Unertl produziert eine Reihe geschmackvoller, traditionell gebrauter Weizenbiere in Haag, rund 40 Kilometer östlich von München. Ihr wichtigstes Bier ist ein Hefeweizen, trüb und mit satter Farbe, ohne aber dunkel genannt zu werden. Es ist saftig und hat eine Note von Toffee-Äpfeln und eine rauchige, appetitanregende Trockenheit. Wird im Biergarten der Brauerei mit Brot und Griebenschmalz serviert.

*Unabhängiges Gebräu*
*Der Turm auf dem Etikett gehört*
*zum erhaltenen Teil der Burg von*
*Haag. Die Stadt war im Mittelalter der*
*Sitz eines unabhängigen protestantischen*
*Landesteils im ansonsten römisch-*
*katholischen Bayern.*

# UNIBROUE BLANCHE DE CHAMBLY

| | |
|---|---|
| 🏷 **HERKUNFT** Quebec, Kanada | |
| 🍺 **TYP** Belgisches Weizenbier | |
| % **ALKOHOLGEHALT** 5,0 Vol.-% | |
| 🌡 **IDEALE SERVIERTEMPERATUR** 9–10 °C | |

Dieser französische Name ist kanadischen Ursprungs. In Chambly, einer Vorstadt von Montreal, stellt die Kleinbrauerei Unibroue belgisch beeinflusste Biere von großem Charakter her. Zu den Gründern der Brauerei gehört u. a. auch der kanadische Rocksänger Robert Charlebois. Anfangs wurde die Brauerei von der belgischen Brauerei Riva beraten. Blanche de Chambly ist vollmundig-spritzig mit starkem, duftigem Orangen- und Zitronengeschmack.

# UNIBROUE MAUDITE

**HERKUNFT** Quebec, Kanada

**TYP** Starkes, gewürztes Ale belgischer Art

**ALKOHOLGEHALT** 8,0 Vol.-%

**IDEALE SERVIERTEMPERATUR** 10–13 °C

Inspiriert von Duvel, dem belgischen starken hellen Ale, trägt dieses flaschengegärte Bier einen französischen Namen, der »verdammt« bedeutet. Es wird von Unibroue in Chambly bei Montreal gebraut. Maudite ist eine dunklere Variante dieses Bierstils; fruchtig, gewürzt (Orangenschalen, Koriander, Pfeffer?) und trocken. Das geschmackvolle Bier passt ideal zu Crudités oder gegrilltem Paprika.

# UNIBROUE QUELQUE CHOSE

**HERKUNFT** Quebec, Kanada

**TYP** Gewürztes Kirschbier

**ALKOHOLGEHALT** 8,0 Vol.-%

**IDEALE SERVIERTEMPERATUR** 70 °C

Die belgische Brauerei, der Liefmans gehört, beriet einst diese wagemutige Brauerei in Quebec. Unibroue braut einige bemerkenswerte Biere, dieses ist eines davon. Liefmans Glühkriek und Quelque Chose haben quasi die gleiche Basis, Letzteres wird mit hellerem, stärkerem Bier gemischt, das eine vielfältige Malzigkeit aufweist und auch mit Whiskeymalz gebraut wird. Das Resultat ist daher stärker, scheint aber einen leichteren Körper zu haben und fruchtiger sowie herber zu sein.

*Etwas anderes …*
*»Ist es Wein oder Bier oder etwas ande-*
*res?«, fragten die Leute. »Es ist etwas*
*anderes, wirklich etwas anderes«, antwor-*
*tet der Brauer.*

# UNIONS BRÄU HELL

U

| | |
|---|---|
| 🛡 **HERKUNFT** | München, Deutschland |
| 🍾 **TYP** | Helles Lager |
| % **ALKOHOLGEHALT** | 4,7 Vol.-% |
| 🥃 **IDEALE SERVIERTEMPERATUR** | 9 °C |

Eine der kleinsten und interessantesten Münchner Brauereien ist die Unionsbräu in der Einsteinstraße. Sie war einst aus vier Brauereien entstanden und ging in den Zwanzigerjahren in der Löwenbräu-Gruppe auf. 1991 wurde Unionsbräu als Braukneipe wieder eröffnet. Sie braut hauptsächlich Helles: süß, malzig, weich und leicht ölig. Es wird aus gepichten Eichenfässern gezapft und mit Hopfen und Malz aus ökologischem Anbau gebraut.

*Jungfräuliches Gebräu?*
*Die Reinheit des Bieres wird kurioserweise durch eine androgyne Triumphgestalt versinnbildlicht.*

# USHERS AUTUMN FRENZY

🛡 **HERKUNFT** Südengland, UK

🍾 **TYP** Roggen-Ale

% **ALKOHOLGEHALT** 4,0 Vol.-%

🍺 **IDEALE SERVIERTEMPERATUR** 10–13 °C

Die Brauerei Ushers war eine der ersten, die ein Herbstbier brauten. Mittlerweile braut sie eine Spezialität für jede Jahreszeit. Der herbstliche Farbton dieses angenehm nachhaltigen, trockenen Biers passt zu fallenden Blättern. Die Farbe wie auch der weiche, nussigwürzige Geschmack kommen vom Roggen, einst nur in baltischen und russischen Bieren zu finden.

# USHERS VINTAGE TAWNY ALE

| | | |
|---|---|---|
| HERKUNFT | Westengland, UK |
| TYP | Ale |
| ALKOHOLGEHALT | 6,2 Vol.-% |
| IDEALE SERVIERTEMPERATUR | 10–13 °C |

Am Etikett lässt sich das Erntejahr von Gerste und Hopfen für dieses Bier ablesen. Auf dem rückwärtigen Etikett werden die erhältlichen Biersorten genannt: Tawny *(gelbbraun)*, Ruby *(rubinrot)* und White *(weiß)*. Die noble, geprägte Flasche und das mit einem majestätisch anmutenden Schriftzug versehene Etikett betonen, dass nicht nur Wein, sondern auch Bier die gut gedeckte Tafel zieren kann. Tawny hat ein fruchtiges, leicht rauchiges Aroma, einen zart sahnigen Körper, einen nussigen, erdigen, malzigen Geschmack und eine ölige, duftende Trockenheit im Abgang.

*Bedienung … die Bierkarte*
*Die Brauerei empfiehlt White zu*
*Geflügel, Ruby zu rotem Fleisch und*
*Tawny zu englischem Käse.*

# VELTINS

**HERKUNFT** Nordrhein-Westfalen, Deutschland

**TYP** Pilsner

**ALKOHOLGEHALT** 4,8 Vol.-%

**IDEALE SERVIERTEMPERATUR** 9 °C

Die Menschen aus den Städten um Rhein und Ruhr machen gerne Ausflüge ins nahe gelegene Sauerland. Seine Hügel und Seen laden zum Wandern, Radfahren und Segeln ein. Die frische Luft und das klare Wasser des Sauerlandes machen natürlich durstig. Deshalb verwundert es nicht, dass etliche Biere des Landes eine weit verbreitete Anhängerschar haben. Das Pilsner der Familienbrauerei Veltins hat den grasigen Charakter von frisch gemähtem Heu, der für ein deutsches Lager typisch ist. Es ist ein süßliches, robustes Bier mit einer eleganten, bitteren Hopfennote im Abgang.

# VERHAEGHE
# DUCHESSE DE BOURGOGNE

| | |
|---|---|
| **HERKUNFT** | Westflandern, Belgien |
| **TYP** | Flämisches Rot/Braun |
| **ALKOHOLGEHALT** | 6,2 Vol.-% |
| **IDEALE SERVIERTEMPERATUR** | 9–13 °C |

Die Familie Verhaeghe aus Vichte braut seit dem 16. Jahrhundert. Damals befand sich die Brauerei direkt auf dem Gutshof. Die heutigen Brauereigebäude sind aus dem Jahre 1880. Aus dieser Zeit stammen auch ein Dutzend Eichenfässer, die heute noch benutzt werden um drei Biersorten im rötlichen, süßsauren Stil der Gegend zu brauen. Das stärkste und gehaltvollste dieser drei ist Duchesse de Bourgogne. Es hat eine interessante Wechselwirkung von Schokolade- und Sahnenoten mit einer langen, trockenen, passionsfruchtartigen Säure. Sein Name erinnert an die Zeit der Burgunderherrschaft in Flandern. Es ist der Herzogin Maria von Burgund (1457–1482) gewidmet.

# VERHAEGHE ECHTE KRIEK

| | | |
|---|---|---|
| 🛡 | **HERKUNFT** | Westflandern, Belgien |
| 🍾 | **TYP** | Kriek |
| % | **ALKOHOLGEHALT** | 6,8 Vol.-% |
| 🥃 | **IDEALE SERVIERTEMPERATUR** | 9–13 °C |

Verhaeghe Echte Kriek wird mit echten Kirschen, nicht mit Saft oder Konzentrat, hergestellt. Die Früchte stammen aus St. Truiden in Limburg, Belgien. Es ist eines der *Krieks*, die nicht aus einem *Lambic* hergestellt werden. Die Basis bildet das Vichtenaar *(siehe S. 478)*. Echte Kriek hat das Aroma eines Kirschlikörs, einen sanften, an Vanille erinnernden Eichengeschmack und eine späten Anflug eisenähnlicher, passionsfruchtiger Geschmacksnoten mit etwas Säure.

# VERHAEGHE VICHTENAAR

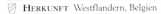

🏷 **HERKUNFT** Westflandern, Belgien

🍾 **TYP** Flämisches Rot/Braun

％ **ALKOHOLGEHALT** 5,1 Vol.-%

🍺 **IDEALE SERVIERTEMPERATUR** 9–13 °C

Die Familie Verhaeghe aus Vichte bei Kortrijk ist seit dem 16. Jahrhundert im Braugeschäft, ursprünglich in einer Schlossgutbrauerei. Ihr Beitrag zum örtlichen Brausti wird mit großer, wuchtiger Krone eingeschenkt. Dieses Bier ist eher süß, aber lebhaft und viel-schichtig und hat einen Anflug von Madeira, Vanille, Eiche, Eisen und der Säure frischer Äpfel. Stärker ist Duchesse de Bourgogne, von ähnlichem Charakter, aber deutlichem Schokogeschmack.

*Tonnenweise Bier*
*Das Etikett auf dem Flaschenhals zeigt ein*
*einzelnes Holzfass. Die Brauerei verfügt übe*
*zwölf Gärtanks mit einem Fassungsvermöge*
*von 250–6000 Hektolitern.*

# VICTORY PRIMA PILS

| | |
|---|---|
| 🛡 **HERKUNFT** Nordosten der USA | |
| 🍶 **TYP** Pilsner | |
| Ⓐ **ALKOHOLGEHALT** 5,4 Vol.-% | |
| 🍺 **IDEALE SERVIERTEMPERATUR** 9 °C | |

Der stilisierte Hopfen auf dem Etikett dieses Biers aus der Braukneipe Victory in Downingtown (Pennsylvania) ist Programm und Warnung zugleich: Das Bier hat die »Seebrise«, die alle Saazer Hopfen-Biere durchweht, eine beinahe grimmige Hopfigkeit, einen schlanken Hintergrund von Malz und einen energischen, herben Abgang. Vorbild war ein Vogelbräu-Bier aus Karlsruhe.

*Bierstaat Pennsylvania*
*Hier war einst die Hochburg deutscher*
*Braukunst in den USA; dies wird nun*
*wieder angestrebt.*

# VICTORY ST. VICTORIOUS

🛡 **HERKUNFT** Nordosten der USA

🍾 **TYP** Doppelbock

**ALKOHOLGEHALT** 7,4 Vol.-%

🥛 **IDEALE SERVIERTEMPERATUR** 9 °C

Nicht weniger als sieben deutsche Malzsorten stecken in diesem aromatischen, sahnigen und vielfältigen Doppelbock mit dem Abgang von nussigem Portwein. Er kommt aus der 1995/96 gegründeten Victory-Kleinbrauerei. Die Gründer kennen sich seit ihrem zehnten Lebensjahr. Und warum Victory? »Eigentlich wollten wir sie ›Freiheit‹ nennen, aber der Name war schon vergeben.«

*V für Victory*
*Ein launiges Etikett, aber das geschmackvolle Bier ist eines der besten Bockbiere in den USA.*

# Vieux Temps

| | |
|---|---|
| **HERKUNFT** | Französisch/Flämisch-Brabant, Belgien |
| **TYP** | Belgisches Ale |
| **ALKOHOLGEHALT** | 5,0 Vol.-% |
| **IDEALE SERVIERTEMPERATUR** | 10–13 °C |

Der Name »Alte Zeiten« erinnert an ein beliebtes Bier aus dem französischsprachigen Teil von Brabant. Das Original trug einfach den Namen der Brauerei Mont St. Guibert. Als die Brauerei 1935 begann ihr Ale zu filtern, versah sie das Bier mit dem Namen Vieux Temps um die Tradition, in der das Bier gebraut wird, zu betonen. Die Produktion wurde nach der Schließung der Brauerei in den 90er-Jahren nach Leuven in Flämisch-Brabant ausgelagert. Trotz seiner neuen Heimat bleibt es das bekannteste »französischsprachige« belgische Bier. Es hat einen ausgeprägt fruchtigen, pflaumigen Sorbetcharakter mit einem Hauch duftender Rauchigkeit.

# WÄDI BRÄU LADY HANF

- **HERKUNFT** Schweiz
- **TYP** Weiße/Weizen mit Hanf
- **ALKOHOLGEHALT** 4,8 Vol.-%
- **IDEALE SERVIERTEMPERATUR** 9–12 °C

Eine Brauereigaststätte in Wädenswil nahe Zürich, verwendete 1996 erstmals Hanf als Bierzutat. Weitere Biere mit Hanf als Geschmackszusatz sind Cannabia und Turn, beide aus Deutschland, Greenleaf aus Großbritannien und Hempen Ale aus den USA. Man setzte unterschiedliche Methoden ein um betäubungsmittelfreie Hanfsamen oder -blätter oder -blüten zuzusetzen Da diese Zutat Schlagzeilen machen kann, sind die Brauer schnell dabei zu betonen, dass Hanf und Hopfen zur selben botanischen Familie gehören. Wädi Bräu Lady Hanf hat ein Orangenblütenaroma, einen klaren, süßlichen, nussig-malzigen Geschmack und eine leichte Zedernnote, die von den Hanfblättern herrührt. Die hier vorgestellte Sorte basiert auf einem Weizenbier.

# WADWORTH 6X

| | **HERKUNFT** Südengland, UK |
| | **TYP** Bitter Ale |
| | **ALKOHOLGEHALT** 4,3 Vol.-% |
| | **IDEALE SERVIERTEMPERATUR** 10–13 °C |

Die traditionsbewusste Brauerei Wadworth im Marktflecken Devizes in Wiltshire braut noch mit offenem Kupferkessel und liefert an die örtlichen Pubs Holzfässer aus. Die klassische Brauerei mit Turm wurde 1885 erbaut, ältere Gebäude sind noch erhalten. Wadworths 6X hat eher wenig Alkohol, aber viel Geschmack und Struktur: ein eichenes Aroma mit Spuren von Cognac, eine röstig-nussige Malzigkeit und einen saftigen, leicht herb-, trockenen Abgang.

*Die 6 besten?*
*Als der Buchstabe X oder auch ein Kreuz*
*noch benutzt wurde um Stärke zu symboli-*
*sieren, war dies gewiss ein starkes Gebräu.*

# WADWORTH OLD TIMER

| | |
|---|---|
| HERKUNFT | Westengland, UK |
| TYP | Old Ale |
| ALKOHOLGEHALT | 6,0 Vol.-% |
| IDEALE SERVIERTEMPERATUR | 10–13 °C |

Die klassische englische Landbrauerei in Devizes in Wiltshire braut zwei Biere des Old-Ale-Typs. Farmer's Glory hat etwas von einem Mild, etwas mehr Alkohol (4,5 Vol.-%) und soll über einen Sommer ohne Sonne hinweghelfen. Es ist malzig und süßlich, hat aber auch einen Hauch herben Hopfens. Old Timer ist sahniger, mit frischer, nussiger und vanilleartiger Malzigkeit, die im Winter appetitanregend und beruhigend wirkt.

*Alte Brauzeiten*
*Die Produktion von Old Timer ist bis in das kleinste Detail traditionsverhaftet.*

# WALNUT
# BIG HORN BITTER

W

🛡 **HERKUNFT** Südwesten der USA

🍺 **TYP** Englisches Bitter

🍷 **ALKOHOLGEHALT** 5,2 Vol.-%

🍶 **IDEALE SERVIERTEMPERATUR** 10–13 °C

Die aufgeweckte Szene der Kleinbrauereien in den USA verdankt ihr Wachstum und ihre Raffinesse zum guten Teil Boulder in den Bergen Colorados. Die erste Braukneipe der Stadt wurde 1990 in der Walnut Street eröffnet. Das nach Western klingende Big Horn ist ein echt englisch schmeckendes Bitter. Es ist erfrischend und süffig, mit leichter Malzigkeit, zurückhaltend sauberer Fruchtigkeit und abgerundet mit einer sehr anregenden hopfigen Bitterkeit im Abgang.

# WARTECK ALT

W

| | |
|---|---|
| ⬦ **HERKUNFT** Schweiz | |
| **TYP** Altbier | |
| **ALKOHOLGEHALT** 4,7 Vol.-% | |
| **IDEALE SERVIERTEMPERATUR** 9 °C | |

Ein Direktor der Brauerei Warteck übernahm von seiner Frau, die vom Niederrhein stammte, die Vorliebe für Altbier. Durch diesen eigenartigen Zufall kam das in Basel ansässige Unternehmen gegen Ende der Siebzigerjahre zu seinem eigenen Alt. Diese zeichnet sich durch ein malziges Aroma aus, ist anfänglich leicht karamellig und entwickelt dann eine zimtene Würze, eine duftige Fruchtigkeit und eine leichte, ausgewogene, trockene Hopfigkeit.

# WEIHENSTEPHANER HEFEWEISSBIER

| | |
|---|---|
| 🏵 **HERKUNFT** | Oberbayern, Deutschland |
| **TYP** | Hefeweiße/Weizen |
| **ALKOHOLGEHALT** | 5,4 Vol.-% |
| **IDEALE SERVIERTEMPERATUR** | 9–12 °C |

Die Brauerei in Weihenstephan wird weithin als die älteste Brauerei der Welt betrachtet. Sie liegt auf einem Hügel nahe Freising nördlich von München. Benediktinermönche gründeten hier um 725 einen Orden und kultivierten um 768 Hopfen. Der erste Hinweis auf eine Brauerei datiert von 1040. Das Kloster wurde in den Kriegen des 9. und 16. Jahrhunderts zerstört, von Napoleon geschlossen und später von der königlichen bayerischen Familie übernommen. Die heutige Brauerei und Gaststätte befinden sich teilweise in früheren Klostergebäuden. Sie teilen sich die Räumlichkeiten mit der weltweit bekanntesten Fakultät für Braukunst und einem Hefekultur-Archiv. Das Hefeweißbier ist die würzigste unter den zahlreichen fruchtigen Sorten aus Weihenstephan.

# WEIHENSTEPHANER HEFEWEISSBIER DUNKEL

| | |
|---|---|
| **HERKUNFT** | Oberbayern, Deutschland |
| **TYP** | Dunkles Weizenbier |
| **ALKOHOLGEHALT** | 5,3 Vol.-% |
| **IDEALE SERVIERTEMPERATUR** | 9–12 °C |

Diese dunkle Ausgabe des Weihenstephaner Hefe-weißbiers *(siehe vorige Seite)* schmeckt weniger deutlich nach Hefe wie ihr blasserer Braubruder. Die Hefenote wird durch den deutlichen Charakter des dunklen Malzes abgerundet. Aroma und Geschmack des Malzes sind dominant und erinnern an Ahornsirup. Das vermischt sich wunderbar mit der typischen Fruchtigkeit der Weihen-stephaner Biere. In diesem Fall ähnelt der Fruchtcharakter Bananen mit einem Anklang an Apfel (alle Geschmacks-noten werden allein von Wasser, Malz, Hopfen und Hefe hervorgebracht): ein delikates Bier zu süßen Pfannkuchen. Zu den dunklen Bieren der Brauerei gehört auch ein leichtes, aber sahniges, trockenes Lager, das Export Dunkel.

# WEIHENSTEPHANER KRISTALLWEISSBIER

| | |
|---|---|
| 🛡 **HERKUNFT** | Oberbayern, Deutschland |
| 🍾 **TYP** | Kristallweizen |
| % **ALKOHOLGEHALT** | 5,4 Vol.-% |
| 🍺 **IDEALE SERVIERTEMPERATUR** | 9–12 °C |

Die für alle Weizenbiere typische fruchtige Note ist besonders für die Weihenstephaner Weizenbiere charakteristisch. Am klarsten und deutlichsten ist sie bei diesem hellen, gefilterten Bier. Trotz seines leichten Körpers schmeckt es saftig mit reichhaltigen, frischen Aromen. Der bananenähnliche Fruchtcharakter, den man in vielen Weizenbieren findet, erinnert hier durch einen Hauch von Mango an tropische Früchte und erhält durch einen Anflug von schwarzer Johannisbeere eine gewisse Schärfe. Diese Reichhaltigkeit des Geschmacks wird durch die hauseigenen Hefen erzeugt. Es ist ein spritziges, erfrischendes Bier.

*Weiße Vase*
*Das Glas in Vasenform gehört traditionellerweise zu diesem Biertyp.*

# WELTENBURGER KLOSTER BAROCK-DUNKEL

**HERKUNFT** Oberbayern, Deutschland

**TYP** Dunkles Münchner Lagerbier

**ALKOHOLGEHALT** 4,5 Vol.-%

**IDEALE SERVIERTEMPERATUR** 9 °C

Die älteste Klosterbrauerei der Welt, deren Geschichte bis ins 6. Jahrhundert zurückreicht und deren erste Brauversuche auf das Jahr 1050 zurückgehen. Weltenburg liegt an der Donau bei Kelheim. Das Barock-Dunkel ist weich und hat einen leichten Körper mit gutem Malzcharakter, der auf Kekse und Cracker verweist. Der Abgang schmeckt rauchig nach Röstmalz. Zum Kloster gehören ein Gasthof und ein Biergarten (im Januar und Februar geschlossen).

# Weltenburger Kloster Hefe-Weissbier Dunkel

| | |
|---|---|
| **Herkunft** | Oberbayern, Deutschland |
| **Typ** | Dunkles Weizenbier |
| **Alkoholgehalt** | 5,1 Vol.-% |
| **Ideale Serviertemperatur** | 9–12 °C |

Ein ausgezeichnetes dunkles Weizenbier, von der zabaglione-artigen, sahnigen Krone und dem würzigem Schokoladenaroma über den nussigen (Mandeln?), würzigen (Anis?) Geschmack bis zur erdigen Trockenheit des Abgangs. Es gibt keine Garantie, dass eine Kloster-brauerei gutes Bier herstellt, aber wenn Klosterleben und Tradition zusammengehören, wirkt sich das auch auf die Braukunst aus. In Südbayern findet man berühmte Klosterbrauereien in Andechs und Ettal und weniger bekannte, die von Nonnen betrieben werden, in Mallersdorf (nahe München) und Ursberg (nahe Augsburg). Bei Bischofsheim in Nordbayern liegt die Klosterbrauerei Kreuzberg. Einige früher königliche Brauereien benutzen ebenfalls den Ausdruck »Kloster«. Eine davon ist die hervorragende Kloster-brauerei in Bamberg.

# WERNESGRÜNER PILS LEGENDE

| | |
|---|---|
| **HERKUNFT** | Sachsen, Deutschland |
| **TYP** | Pilsner |
| **ALKOHOLGEHALT** | 4,9 Vol.-% |
| **IDEALE SERVIERTEMPERATUR** | 9 °C |

Dieses legendäre Pils blieb während 40 Jahren DDR kompromisslos herb. Unter der schaumigen Krone verbirgt sich ein erstaunlich trockenes Tonic-Water-Bouquet, ein beinahe reinigender Geschmack und ein forscher, pfefferiger Abgang. Das Etikett nimmt mit dem Versprechen »frisch und spritzig« den Mund keineswegs zu voll: Dies ist der »Gin Tonic« des Biertrinkers.

*Älter als eine Legende*
*Die Geschichte der Brauerei reicht*
*zurück bis 1436, vier Jahrhunderte*
*bevor sich der Pilsner-Stil etablierte.*

# WESTMALLE DUBBEL

**HERKUNFT** Provinz Antwerpen, Belgien

**TYP** Abteibier (Echt Trappisten), Double

**ALKOHOLGEHALT** 6,5 Vol.-%

**IDEALE SERVIERTEMPERATUR** 15–18 °C

Im Dorf West Malle nördlich von Antwerpen liegt ein der Madonna geweihtes Trappistenkloster. Es wurde 1794 gegründet und braut seit 1836 Bier für den Eigenbedarf der Mönche. Ab ungefähr 1870 wurde das Bier auch im Dorf verkauft. In den 1920er-Jahren begann man hier kommerziell zu brauen. Die Brauerei produziert ein »einfaches« Bier für die Mönche, das zeitweise auch außerhalb der Klostermauern erhältlich ist. Der Name des Dorfes wird auf dem Etikett in einem Wort geschrieben und das flämische Wort Dubbel bezeichnet das hier vorgestellte »Double«. Es ist ein köstlich malziges, schokoladenartiges Bier mit einer Andeutung von Banane und Passionsfrucht kurz vor dem trockenen Abgang.

# WESTMALLE TRIPEL

🛡 **HERKUNFT** Provinz Antwerpen, Belgien

🍾 **TYP** Abteibier (Echt Trappisten), Triple

% **ALKOHOLGEHALT** 9,0 Vol.-%

🍺 **IDEALE SERVIERTEMPERATUR** Lagern bei ca. 14 °C, servieren bei nicht unter 10 °C

Das Kloster des Dorfes West Malle braute über 100 Jahre lang nur dunkle Biere, bevor dieses helle Bier nach dem Zweiten Weltkrieg hinzukam. Hoher Alkoholgehalt, alehefige Fruchtigkeit und die Malze und Hopfentypen, die bei Pilsner-Lagerbieren verwendet werden, wurden zu einem völlig neuen Stil kombiniert. Westmalle Tripel ist hierfür ein klassisches Beispiel. Es wurde oft wegen seiner orange-goldenen Farbe, seiner Kombination von Stärke und Trinkbarkeit und seiner Zusammensetzung anregender Aromen und Geschmacksstoffe imitiert, wozu die vom Saazer Hopfen stammende Frische in der Nase, das Kräuter- und Salbeiaroma und eine orangenschalige Fruchtigkeit gehören.

# WESTVLETEREN 8° (BLUE CAP)

HERKUNFT  Westflandern, Belgien

TYP  Abteibier (Echt Trappisten)

ALKOHOLGEHALT  8,0 Vol.-%

IDEALE SERVIERTEMPERATUR  15–18 °C

Belgiens kleinstes Trappistenkloster ist St. Sixtus bei Westvleteren nahe den Schlachtfeldern von Ypern. Seine Biere tragen kein Etikett und sind am Kronenverschluss zu erkennen. Blue Cap 8° ist das fruchtigste und hat einen Anflug von Pflaumenwein oder Weinbrand und eine mandelig schmeckende Trockenheit im Abgang. Probieren Sie dieses Bier zu süßem, weichem Käse.

# WESTVLETEREN BLOND

**HERKUNFT** Westflandern, Belgien

**TYP** Abteibier (Echt Trappisten), Triple

**ALKOHOLGEHALT** 5,8 Vol.-%

**IDEALE SERVIERTEMPERATUR** Lagern bei 14 °C, servieren bei nicht unter 10 °C

In den späten 1990ern wurden helle Biere in Belgien modern. Ein helles Gebräu wird manchmal auch als »blond« bezeichnet. Die neuen »Blonden« waren meist helle Ales im Abtei-Stil mit 6,5–7,0 Vol.-%, weniger Triples mit 9,0 Vol.-%. 1999 stellte Westvleteren sein erstes helles Bier vor. Der Brauch kein Etikett zu verwenden wurde beibehalten. Der Kronkorken ist grün und trägt den Schriftzug »blond«. Das Bier hat ein kräftiges, krautiges Hopfenaroma, einen sanften, glatten, leichten Körper und eine intensiv anregende, duftende Trockenheit: ein wundervoller Aperitiv. Die Brauerei verkauft ihre Erzeugnisse nur über den Klosterladen (eher eine Servierluke) und das Café De Vrede gegenüber. Eine Ansage informiert Anrufer über die aktuell erhältlichen Biersorten.

# WHITBREAD GOLD LABEL

| | |
|---|---|
| HERKUNFT | Nordengland, UK |
| TYP | Barley Wine |
| ALKOHOLGEHALT | 10,9 Vol.-% |
| IDEALE SERVIERTEMPERATUR | 10–13 °C |

Barley Wine hat traditionellerweise eine tiefdunkle Farbe und das üppige, süßlich-schwere Aroma dunkler Malze. Gold Label war der erste helle Barley Wine. Die Farbe changiert zwischen Bernstein und Bronze, der Geschmack verrät die Präsenz heller Malze. Das Bier ist von sahniger Strenge und der unaufdringlichen Süße englischen Teegebäcks; sein Abgang ist fruchtig, würzig und trocken mit einem Hauch Aprikose und Anis. Ursprünglich aus Sheffield (Yorkshire), wird es nun in einer Brauerei nahe Blackburn (Lancashire) gebraut.

# WOODFORDE'S NORFOLK WHERRY

| | |
|---|---|
| 🛡 **HERKUNFT** | Ostengland, UK |
| 🍾 **TYP** | Bitter Ale |
| % **ALKOHOLGEHALT** | 3,8 Vol.-% |
| 🍺 **IDEALE SERVIERTEMPERATUR** | 10–13 °C |

Neue Landbrauerei bei Norwich. Einige der Gebäude sind mit Reet von den nahe gelegenen Kanälen der Norfolk Broads gedeckt. Wherry heißen die typischen flachen Boote der Gegend. Das gleichnamige Bier ist hopfig und hat ein grünes, scharfes Zitronenaroma, einen knusprig-zwiebackenen Malzhintergrund und einen trockenen, zitronatigen Abgang. Ein weiteres exzellentes Bier von Woodford ist das Norfolk Nog, ein Old Ale mit einer ausgeprägten Nussigkeit von »Oloroso-Sherry« und einem Hauch von geröstetem Toast.

# WORTHINGTON WHITE SHIELD

⬦ **HERKUNFT** Früher Trent Valley, jetzt Südengland, UK

🍾 **TYP** Pale Ale/Bottled Bitter

% **ALKOHOLGEHALT** 5,6 Vol.-%

🍺 **IDEALE SERVIERTEMPERATUR** 10–13 °C

Die im 18. Jahrhundert gegründete Brauerei Worthington wurde 1927 von Bass übernommen. Der Name Worthington wurde u. a. beim berühmten White Shield beibehalten, einem Pale Ale, das in Flaschengärung produziert und nicht wie das unter der Bezeichnung Bass laufende gefiltert und pasteurisiert wird. Das Bier hat eine steife Malzigkeit, eine saftige, nach Kräutern und Bruyerholz schmeckende Bitterkeit und eine durchklingende Apfelfruchtigkeit.

# WÜRZBURGER HOFBRÄU JULIUS ECHTER HEFE-WEISSBIER

W

| | |
|---|---|
| 🥬 **HERKUNFT** Franken, Deutschland |
| 🍾 **TYP** Hefeweizen |
| 🍾 **ALKOHOLGEHALT** 5,1 Vol.-% |
| 🍺 **IDEALE SERVIERTEMPERATUR** 9–12 °C |

Die Weinstadt Würzburg stellte 1434 das Brauen »auf ewig« unter Bann, allerdings ohne Erfolg. Als im 17. Jahrhundert die Weingärten den Durst der Truppen des 30-jährigen Krieges nicht stillen konnten, ließ der herrschende Fürstbischof im königlichen Zeughaus eine Brauerei einrichten. Diese wurde später privatisiert. Die gegenwärtigen Gebäude stammen von 1882. Mit dem Julius Echter Hefe-Weissbier wird einem berühmten Würzburger Bischof gehuldigt. Das Bier hat eine Spur Pfefferminztoffee im Aroma, einen leicht fruchtigen Geschmack mit Anklängen an Banane, reife Pflaumen und Kirschen und eine erfrischende Säure im Abgang. Die dunkle Version dieses Bieres hat einen entschieden ausgeprägteren Toffeecharakter und eine offenkundigere Pflaumenartigkeit.

# WÜRZBURGER HOFBRÄU SCHWARZBIER

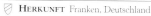

| | HERKUNFT Franken, Deutschland |
| --- | --- |
| | TYP Schwarzbier |
| | ALKOHOLGEHALT 4,8 Vol.-% |
| | IDEALE SERVIERTEMPERATUR 9 °C |

An das Gründungsdatum der Würzburger Brauerei wird mit einem neuartigen Bier, dem 1643 Original Hell, erinnert. Es hat ein gutes Hopfenaroma und einen toastig-malzigen Geschmack wie viele Lager dieser Klasse. Die Brauerei verdankt diese »modernen« Biere der Arbeit des »Engländers«, Theodor Böttinger (1884). Wie sein Name andeutet, war Böttinger ein Deutscher, der jedoch zuerst in England mit seinen hellen Ales aus Burton bekannt wurde. Die Tendenz zu Neuerungen besteht in Würzburg weiterhin. Eines der neuesten Produkte ist das hier vorgestellte Schwarzbier. Es hat das Aroma von Milchkaffee, einen toffeeartigen Geschmack und einen leicht nussigen Abgang.

# WÜRZBURGER HOF-BRÄU SYMPATOR

🛡 **HERKUNFT** Franken, Deutschland

🍾 **TYP** Doppelbock

% **ALKOHOLGEHALT** 7,9 Vol.-%

🍺 **IDEALE SERVIERTEMPERATUR** 9 °C

Es gibt nichts Sympathischeres als ein starkes Bier mit Freunden. Vielleicht wurde die Namensgebung durch den »sympathischen« Bischof von Würzburg, Julius Echter, und die Rolle, die er beim Aufbau der städtischen Universität gespielt hat, inspiriert. Da die Brauerei durch einen Fürst-bischof gegründet wurde und die Stadt Diözesansitz ist, gehört natürlich auch ein Doppelbock zum Repertoire. Sympator hat eine sahnige, stabile Krone, ein weinbrand-ähnliches Aroma, einen sehr sauberen, komplexen Malzgeschmack und einen schmelzenden Abgang.

# WYCHWOOD HOBGOBLIN

| | |
|---|---|
| 🛡 **HERKUNFT** | Südliche Midlands, England, UK |
| 🍾 **TYP** | Pale/Brown Ale |
| % **ALKOHOLGEHALT** | 5,5 Vol.-% |
| 🌡 **IDEALE SERVIERTEMPERATUR** | 10–13 °C |

Der Wald von Wychwood liegt auf den sanften Hügeln der Cotswold Hills. In den Mälzereien der längst geschlossenen Brauerei Clinch wurde 1983 eine Kleinbrauerei eröffnet. Sie verwendet das Wasser des Windrush und Hefen der ehemaligen Morland-Brauerei. Hobgoblin (»Kobold«) ist ein malziges Bier mit Anklängen an schokoladenumhülltes Karamell und braunem Zucker, einer ausgleichenden, zitronenschaligen Hopfigkeit und einem Hauch wärmendem Alkohol im Abgang.

*Übernatürliche Bilder*
*Der boshafte Kobold ist auch als Relief auf der Flasche, auf dem Etikett auf dem Flaschenhals fliegt eine Hexe.*

# YOUNGER OF ALLOA SWEETHEART STOUT

**HERKUNFT** Schottland, UK

**TYP** Süßes Stout

**ALKOHOLGEHALT** 2,0 Vol.-%

**IDEALE SERVIERTEMPERATUR** 13 °C

Dieses Produkt hält einen bekannten schottischen Brauernamen am Leben. Es gab mehrere Brauereien namens Younger, diejenige in Alloa wurde in den 60er-Jahren von Tennent in Glasgow aufgekauft; Tennent wiederum gehört zu Bass. Sweetheart Stout ist, dem Namen angemessen, das zuckrigste dieses Stils: mit einem Hauch Vanille, Karamell und Medizin. Der Typ ist üblicherweise schon alkoholarm, dieses besonders zurückhaltend.

*Brau-Brüder*
*Das Bild ist nach dem Starlet*
*Venetia Stevenson gestaltet,*
*die den Sänger Don Everly*
*geheiratet hat.*

# YOUNG'S DOUBLE CHOCOLATE STOUT

| | |
|---|---|
| 🛡 **HERKUNFT** London, UK |
| 🍾 **TYP** Schokoladen-Stout |
| ⑳ **ALKOHOLGEHALT** 5,0 Vol.-% |
| 🍺 **IDEALE SERVIERTEMPERATUR** 13 °C |

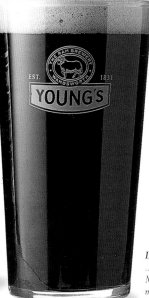

Der erste Stout, der mit echter Schokolade hergestellt wird, wird seit 1997 von Young's in London gebraut. Er ist seidenweich, sämig und von lebhafter Vielfalt. Aroma und Geschmack weisen zunächst einen Hauch Ingwer auf, werden dann sahnig und wiegen die Süße mit einem harmonisch bitteren Abgang auf: ein starkes Bier mit einem relativ geringen Alkoholgehalt. Die Schokolade als Zutat überrascht viele Biertrinker, passt aber hervorragend.

*Das Etikett …*
*… ähnelt dem einer bekannten britischen Milchschokolade, doch das Bier hat mehr Charakter.*

# YOUNG'S OLD NICK

> **HERKUNFT** London, UK
>
> **TYP** Barley Wine
>
> **ALKOHOLGEHALT** 7,2 Vol.-%
>
> **IDEALE SERVIERTEMPERATUR** 13 °C

Früher hatte jede Regionalbrauerei in England ihren eigenen Barley Wine. Viele gaben diese vermeintlich unwichtige Spezialität auf. Die Brauerei Young's jedoch – eine bekannterweise eigensinnige Brauerei – hielt diesem Biertyp die Treue. Old Nick ist ein reichhaltiges, karamellartiges Gebräu mit Bananenlikör im Abgang. Das Etikett legt nahe das Bier vor dem offenen Feuer am Kamin zu genießen, bevor man sich zu Bett begibt.

*Der alte Teufel*
*Das »alte« Ale Old Nick ist*
*stark genug um als Barley Wine*
*ausgezeichnet zu werden.*

# Young's Special London Ale

| | |
|---|---|
| 🛡️ **HERKUNFT** | London, UK |
| 🍾 **TYP** | Englisches Ale/Starkes Helles Ale |
| % **ALKOHOLGEHALT** | 6,4 Vol.-% |
| 🍺 **IDEALE SERVIERTEMPERATUR** | 10 °C |

Der Londoner Brauer John Young ist mit einer Belgierin verheiratet und konzipierte für die Lütticher Lieblingsbrauerei der Frau Gemahlin ein wahrhaft hopfiges englisches Ale. In England ist es als Young's Special London Ale fast schwerer erhältlich als in den USA. Trockener englischer Hopfen zeigt sich hier von seiner würzigsten Seite, wird aber abgefedert von malziger Sahnigkeit und lebhaftem, fruchtigem Hefegeschmack mit Noten von Banane und Orange. Die Fruchtigkeit mildert den abschließenden Hieb bitteren Hopfens.

# YOUNG'S WAGGLE DANCE

**HERKUNFT** London, UK

**TYP** Honig-Ale

**ALKOHOLGEHALT** 5,0 Vol.-%

**IDEALE SERVIERTEMPERATUR** 10–13 °C

Waggle Dance« ist die englische Bezeichnung für den Schwänzeltanz der Bienen, mit dem sie einander über die Lage der Nektarquelle informieren. Das Bier wurde von der Brauerei Vaux in Sunderland entwickelt und von seiner Tochtergesellschaft Ward's in Sheffield produziert. Vier oder fünf Jahre nachdem diese beiden nordenglischen Brauereien geschlossen hatten, wurde die Produktion dieses Biers von Young in London, übernommen. Die stattliche Zugabe von Honig wird im Geschmack des Biers offensichtlich. Es scheint in seinem neuen Brauhaus noch süßer geworden zu sein: ein leckeres Bier zum Dessert.

# ZIRNDORFER LANDBIER HELL

**HERKUNFT** Franken, Deutschland

**TYP** Hell/Helles

**ALKOHOLGEHALT** 4,9 Vol.-%

**IDEALE SERVIERTEMPERATUR** 9 °C

Mit der Bezeichnung Landbier verbindet man ein gutes, solides Landbräu, es bezeichnet jedoch eine bestimmte Brauart. Zirndorf war einst ein eigenständiges Dorf mit eigener Brauerei (1674 gegründet). Inzwischen ist es ein Vorort von Nürnberg. Zirndorfer Landbier Hell wird von der Nürnberger Brauerei Tucher hergestellt. Es hat ein duftendes, pudriges Aroma, einen deutlichen Malzgeschmack zu Beginn und einen sanften, festen Karamellgeschmack, der sich zu einem schnellen, trockenen Abgang rundet.

# GROSSE BIERE
# KLEINES
# HANDBUCH

# DAS EINSCHENKEN

Über das richtige Einschenken eines Biers mag man trefflich streiten, über das erstrebenswerte Resultat dagegen herrscht weitgehend Einigkeit. Ob eine Krone klein, sahnig oder blütenhaft sein oder sich hoch auftürmen soll, hängt von örtlichen Gebräuchen und von Aroma und Geschmack des Biers ab.

## ALE EINSCHENKEN

Langsames und stetes Eingießen ins geneigte Glas verhindert starkes Schäumen des Bieres.

Das Bier darf nicht zu fade sein. Ein steilerer Winkel und direkteres Eingießen sorgen für eine Fingerbreite Schaum.

Zu viel Sahnigkeit nimmt dem Bier den anregend bitteren Charakter. Hopfenöle wechseln dann vom Bier in die Krone über.

## STOUT EINSCHENKEN

Gießen Sie Stout langsam ein, lassen Sie der Krone Zeit zu wachsen. Machen Sie nötigenfalls eine Pause.

Eine dichtere, sahnigere Krone entsteht, wenn man in zwei Phasen eingießt. D passt besser zum Kaffeegeschmack des Stouts.

Stout aus der Flasche hat eine festere, weniger reiche Krone und einen natürlicheren Geschmack als solcher vom Fass, bei dem Treibgas eingesetzt wird.

## PILSNER EINSCHENKEN

*Bei Flaschen kann es länger als die berühmten sieben Minuten dauern. Zum guten Pils gehört eine blühende Krone.*

*Zurückhaltend und sanft zugegebene Kohlensäure belebt die goldene Farbe mit stetig aufsteigenden, perlenden kleinen Bläschen.*

*Die Krone sollte wie ein Softeis über den Glasrand reichen. Das betont das Hopfenaroma und hält die Bitterkeit bis zum Abgang zurück.*

## WEIZENBIER EINSCHENKEN

*Bier mit Hefe enthält viel Kohlensäure, das erfordert ein besonders sanftes Einschenken. In Belgien wird das Glas angefeuchtet.*

*Vor allem in Bayern schenkt man mit großer Krone ein, insbesondere bei flaschengegärtem Bier. Etwas Hefe wird miteingeschenkt.*

*Ist das Bier ausreichend trübe, wird mit den letzten Tropfen durch Schwenken die restliche Hefe in der Flasche aufgelöst und dem Glas hinzugefügt.*

# DIE BIERPROBE

Hopfen und Malz – nach nichts anderem schmeckt ein gutes Bier, ein echtes Lagerbier zumindest. Gutes Ale hat von beidem etwas und noch ein wenig Fruchtigkeit von obergärigen Hefen. Gutes Porter und Stout verdankt seine Schokoladen- oder Espresso-Noten geröstetem Malz. Jedes Bier, ob Lager, Ale, Porter, Stout oder Weizenbier, sollte dem Typ gerecht werden. Ein gutes Bier schmeckt nicht nur typgerecht, sondern verfügt auch über eine interessante und ausgewogene Kombination von Geschmacksnoten – das, was wir unter Vielschichtigkeit verstehen. Ein Bier dieser Qualität scheint bei jedem Glas ein neues Aroma, einen neuen Geschmack zu entfalten.

## BIER BEURTEILEN

Der Genuss eines guten Biers verlangt keine besonderen Kenntnisse. Man sollte vorurteilslos vorgehen, mit Interesse an Bier sowie etwas Scharfsinn um Aroma- und Geschmacksnoten ohne Furcht vor Gespött herauszudeuten.

**Bierprobe:** Bei Tageslicht lassen sich Farben besser beurteilen. Musik kann ablenken. Vermeiden Sie Zigarettenrauch, Kochgerüche und Parfüme. Zur Beurteilung sollten alle Biere aus dem gleichen Glastyp probiert werden. Ein großes, klares Weinglas mit einer das Aroma begünstigenden Rundung wäre ideal.

**Biertemperaturen:** Die empfohlenen Serviertemperaturen sind Vorschläge, sie weichen von den Angaben der Brauereien möglicherweise ab. Zu Vergleichs- und Beurteilungszwecken entfalten sich Aroma und Geschmacksnoten am besten bei Zimmertemperatur.

**Reihenfolge der Biere:** Beginnen Sie mit den hinsichtlich Geschmacksintensität vermutlich leichtesten Bieren und arbeiten Sie sich »nach oben«.

**Wie viele Biersorten?** Schon fünf oder sechs Biere können den Gaumen überfordern und zehn, zwölf sind sicher mehr als genug. Um ein Bier richtig schmecken zu können, muss die Bitterkeit im hinteren Mundraum gespürt werden. Biertester schlucken wenigstens einen Teil hinunter. Ausspucken wie bei Weinverkostern ist weniger üblich. Alkohol beeinträchtigt Ihre Sinne!

**Prüflisten:** Beim Biervergleich dient eine Prüfliste als Gedächtnisstütze. Der Einfachheit halber vergibt man Noten für Typtreue (Wird das Bier dem etikettierten Typ gerecht?), Aussehen (Krone, Farbe, eventuell Klarheit), Aroma (angenehm, anregend, vielfältig, typgerecht?), Geschmack (gleiche Kriterien) und Abgang (Entwickelt sich ein Nachgeschmack oder verschwindet es »grußlos«?).

Dazwischen: Brot, Cracker oder Matzen neutralisieren den Gaumen. Speisen mit Eigengeschmack – etwa Salzbrezeln – vermeiden, ebenso Butter und Käse, deren Fetthaltigkeit den Biergeschmack übertönt. Geschmacksneutrales, stilles Wasser in großen Mengen ist die beste Lösung.

### 1. SCHAUEN
*Bei Essen und Trinken genießen Auge, Nase und Gaumen gleichermaßen. Klarheit ist ein Kriterium für viele, aber nicht alle Biere. Die Farbe spielt eine große Rolle, die besten Biere sind meist von unverwechselbarer und komplexer Farbe und sehen appetitanregend aus.*

### 2. SCHWENKEN
*Vorsichtiges Schwenken setzt die Aromastoffe im Bier frei. In einer Kneipe oder einem Restaurant könnte dies als wichtigtuerisch angesehen werden, prüfen Sie ein Bier auf diese Art daher am besten zu Hause.*

### 3. RIECHEN
*Ob mit oder ohne Schnüffeln – vieles von dem, was wir dem Geschmack zuschreiben, nehmen wir über unseren feinen und wachen Geruchssinn auf. Ein anregendes Aroma ist ein wesentliches Merkmal eines guten Biers.*

### 4. PROBIEREN
*Lassen Sie das Bier auf der Zunge zergehen. Süßen Geschmack (etwa Malz) werden Sie eher vorn auf der Zunge wahrnehmen, salzigen an den Vorderseiten, fruchtige Säure seitlich hinten und hopfige Bitterkeit am ehesten hinten in der Mitte.*

# GESCHMACKS- UND AROMALEXIKON

Viele der im Bier befindlichen Aromen und Geschmacksrichtungen lassen sich nur auf ein einziges Ausgangsprodukt zurückführen. In den Beschreibungen der Biertester findet man häufig Metaphern, die sich auf andere Speisen und Getränke beziehen.

**Äpfel:** Bei einigen englischen Ale-Bieren entsteht während der Fermentation ein frischer, feiner Dessertapfelgeschmack. Ein herberer Geschmack nach grünen Äpfeln zeugt von einer abgebrochenen Reifung.

**Bananen:** Passen zu einigen der süddeutschen Weizenbiere sehr gut.

**Birne:** Hefe-Charakteristikum in einigen Ale-Bieren; zu viel davon heißt das Bier ist zu alt.

**Bitterkeit:** Klingt negativ, ist aber positiv gemeint. Gute Bitterkeit kommt vom Hopfen und ist – unterschiedlich stark – in allen Bieren vorhanden. Robuste Bitterkeitsgrade wirken anregend, übertriebene nicht.

**Erdbeere:** In sehr zurückhaltender Form und im rechten Verhältnis mit Hopfen und Malz ist dies ein angemessenes Resultat der Fermentation bei einigen britischen Ale-Bieren.

**Erdig:** Typisch für traditionelle englische Hopfen. Positives Charakteristikum bei britischem Ale.

**Essig:** *Siehe* Säure.

**Frisches Brot:** *Siehe* keksähnlich.

Gebrannt: Der angenehme gebrannte Geschmack in einigen Stout-Bieren stammt von hochtemperaturig gedarrter Gerste oder Malz. Ein Geschmack nach verbranntem Plastik ist auf zu viel Phenol zurückzuführen.

**Grapefruit:** Typisch für amerikanischen Hopfen, besonders für die Sorte Cascade.

**Gras, Heu:** Möglicher Hopfenton. Ein Geschmack nach frisch gemähtem Heu ist typisch für einige klassische europäische Lagerbiere. Er rührt von den bei der Fermentation entstehenden Dimethylsulfiden her.

**Harzig:** Typisches Hopfenaroma.

**Hefe:** Frisches Hefearoma wie in »gehendem Brot« ist typisch für einige Ale-Biere. Kann bei Bieren aus Yorkshire »bissig« wirken.

**Hopfig:** Kräuterartig, würzig, erdig, zedernartig, kiefernartig, anregend bitter.

**Kaffee:** Ein Malzton in einigen dunklen Lager- und braunen Ale-, Porter- oder Stout-Bieren.

**Karamelbonbon:** Ein Geschmack, der gut zu einigen britischen Ale-Bieren, vor allem manchen aus Nordengland und Schottland, passt. Für Lager-Biere sehr unpassend. Der Geschmack rührt von dem während der Fermentation entstehenden Diacetylalkohol her.

**Karamell:** In der Regel ein Charakteristikum für Malz; manche Brauer setzen Karamell auch direkt zu. Ein zurückhaltender malziger Karamellton ist für viele Biere positiv, zu viel wirkt erschlagend.

**Kaugummi:** Sehr passend bei einigen süddeutschen Weizenbieren. Entsteht durch Guajakol, einen aromatischen Alkohol, der sich während der Fermentation bildet.

**Keksähnlich:** Typisch für helles Malz. Hinweis auf ein frisches Bier mit guten Malzeigenschaften.

**Kiefer:** Typisch für manche, besonders amerikanische, Hopfensorten.

**Körper:** Eher ein Gefühl von Struktur als ein Geschmack; reicht von dünn über fest bis zu sirupartig. Dünn kann heißen, dass ein Bier durchgegoren wurde um einen leichten, durstlöschenden Charakter zu erzielen. Feste »getreidige« Biere können hohen Maischetemperaturen ausgesetzt gewesen sein, bei denen unvergärbare Zucker entstehen. Sirupartige Biere werden mit viel Malz und eventuell mit gebremster Gärung gebraut.

**Kräuter:** Charakteristisch für Hopfen; man findet beispielsweise Lorbeerblätter-, Minze- und Pfefferminznoten.

**Lakritze:** Charakteristisch für einige Malzsorten in deutschem Schwarzbier, englischem Old Ale, Porter und Stout. Im englischsprachigen Raum wird Lakritze teilweise direkt zugegeben.

**Madeira:** Wird durch Oxidation verursacht. Schmeckt bei sehr starken, über mehrere Jahre flaschengereiften Bieren angenehm ausgleichend. Wird in anderen Bieren oft als unangenehm empfunden.

**Malzig:** Siehe keksartig; frisches Brot, Nüsse, Tee, Toast, Kaffee.

**Minze:** Hopfencharakteristikum, besonders Pfefferminze.

**Nelken:** Sehr angemessen bei einigen süddeutschen Weizenbieren. Rührt von den während der Fermentation entstehenden Phenolen her.

**Nuss:** Typisches Malzaroma in vielen Bieren, vor allem in nordenglischem Ale. Wird durch die Verwendung von Kristallmalz erzielt.

**Orange:** Typisch für manche Hopfensorten. Kann auch von der Ale-Hefe herrühren. Positiv, falls nicht zu dominant.

**Pfeffer:** Der Alkoholgeschmack. Weist auf ein starkes Bier hin.

**Pflaume:** Hefearoma in einigen süddeutschen Weizenbieren.

**Rauchig:** Angemessen für »Malzwhisky-«, Rauch- und einige trockene Stout-Biere.

**Rose:** Kann vom Hopfen kommen oder auch von der Hefe bei der Flaschengärung entstehen, wie etwa bei einigen belgischen Bieren.

**Rosine:** Typisch bei der Verwendung von sehr dunklem Malz und bei hohem Alkoholgehalt, etwa bei Imperial Stout.

**Sauer:** Angemessen für Berliner Weiße, Lambic und flämische braune oder rötliche Spezialbiere, nicht jedoch in anderen Typen.

**Säure:** Eine anregende, zuweilen zitronige Säure kommt vom Hopfen. Fruchtige Säure stammt von der Gärhefe, besonders beim Ale und vor allem der *Berliner Weiße*, belgischen *Lambic-Biere* und flämischen Braunen und Roten Ale-Bieren.

**Schokolade:** Ein Malzton in einigen Braunen Ale-, Porter- und Stout-Bieren. Wird durch die Verwendung von Schokoladenmalz erzielt.

**Sherry:** Trockener, feiner Sherry-Geschmack ist typisch für belgische *Lambic-Biere*. Ältere, gut gelagerte, starke, flaschengereifte Biere können einen süßen Sherrygeschmack entwickeln. *(siehe auch Madeira)*.

**Tabak:** An duftenden Tabakrauch kann der Tettnanger Hopfen aus der Bodenseeregion erinnern, der in vielen Lager-Bieren verwendet wird.

**Tee:** Starker Tee nach englischer Art (v. a. Darjeeling mit Milch) ist eine treffliche Aroma-Metapher für Malz.

**Toast:** Malzton, typisch für einige dunkle Ale-, Porter- und Stout-Biere.

**Toffee:** Typischer Malzton im Wiener Bier, im *Märzen* und in Oktoberfestbieren. Sehr anregend, falls nicht zu sehr vorherrschend.

**Wein:** Typisch für *Lambic-Biere* und einige andere fassgereifte belgische Typen.

**Zeder:** Ein Hopfenton.

# WELCHES BIER WANN?

Manche Biere, vom hellen Münchner und Kölsch bis zu den Ales Antwerpens und der USA, sind beruhigend und schmackhaft zugleich und eignen sich ideal für gesellige Augenblicke. Bier für eine längere Feier muss sich lange und leicht trinken lassen, es darf weder zu sehr schäumen, geschweige denn blähen. In England käme dafür ein Bitter Ale wie Young's Special (Erstes von links in der Reihe hier) infrage.

Zum Auftakt einer Party oder eines Grillnachmittags eignet sich ein trockenes Himbeer- oder Kirschbier wie das belgische Cantillon Rosè de Gambrinus. Dieses elegante, weinartige Bier ist die Antwort der Bierwelt auf rosafarbenen Champagner. Man serviert es im typischen Kelch: ein sehr ansehnliches Getränk mit einem koketten Touch.

Zur Erfrischung und gegen den Durst gibt es mehr als Export. Ein fruchtiges Weizenbier aus Süddeutschland oder ein »süß-saures« Rotes Ale aus Belgien passt immer, ebenso eine

*Bitter für den geselligen Augenblick*

*Party-Bier Fruchtbier*

*Der Durstlösc Weizenbier*

leichte, frische und prägnante Berliner Weiße mit einem zitronengrasigen Hauch Waldmeister. In Berlin serviert man das champagnerartige Bier in einer übergroßen Schale.

Sommers wie winters, zum Roadmovie im Fernsehen wie zum gemütlichen Leseabend zu Hause passt das pfefferige Old Knucklehead aus Portland (Oregon).

Und zu einem großen Essen? Auf den folgenden Seiten stellen wir Biersorten vor, die exemplarisch zu Suppen, Salaten, Fisch, Geflügel, Fleisch und vielen anderen Gerichten passen. Das würzige, anisartige, aromatische

La Choulette, ein Bière de Garde aus Nordfrankreich, schmeckt hervorragend zu geschmortem Lamm. Manche Biere passen hervorragend zu Käse oder zu Obst-, Creme- oder Schokoladendesserts. Das opulente und entspannende Kasteel Bière du Château aus Belgien in seinem breiten Kelch ist ein exzellenter, portweinartiger, weinbrandiger Digestif.

Nur dezidierte Biertrinker würden im Lauf eines Tages zu allen Gelegenheiten Bier trinken, aber jede Gelegenheit birgt ihre besonderen Freuden … allerdings nicht unbedingt vom Fass.

*Das Abendgetränk*
*Barley Wine*

*Zum Essen*
*Bière de Garde*

*Nach dem Essen*
*Château-Bier*

# BIER ZUM ESSEN

Ein gut gehopftes Pilsner (etwa Jever, *(siehe S. 251)* oder Christoffel Blond *(siehe S. 121)* ist bitter genug um den Appetit anzuregen. Als Aperitif eignen sich auch Trappistenbiere wie etwa das Orval *(siehe S. 348)* oder die Version Cinq Cents des Chimay *(siehe S. 118)*, starke helle Ales wie Youngs Special London *(siehe S. 507)* oder Anchor Liberty Ale *(siehe S. 22)*.

Zu Suppen oder Vorspeisen passt das sherry-artige *Gueuze* sehr gut. Schalentiere, wie etwa Austern und Venusmuscheln, werden am besten mit einem trockenen Stout, etwa Guiness *(siehe S. 204)*, gereicht. Auch die zahlreichen Oyster Stouts sind ideale Begleiter von Schalentieren. Die trockeneren Brown Ales passen wunderbar zu knackigen Salaten. Süß-saure Biere wie das Rodenbach Grand Cru *(siehe S. 388)* oder das Greene King Strong Suffolk *(siehe S. 198)* reicht man zu Essiggurken oder eingelegtem essig-saurem Gemüse. Starke Lager-Biere wie EKU *(siehe S. 155)* ähneln im Geschmack so sehr dem Sauterne, dass auch sie statt dieses Weines als Getränk zu Pasteten geeignet sind.

Es gibt sehr viel mehr Möglichkeiten Bier zum Essen zu reichen als die bekannte Bier-Würst-chen-Kombination. Es ist nicht immer einfach, dunkles Lager-Bier aufzutreiben, man sollte es dennoch versuchen. Das würzige Bier ist die beste Ergänzung zum klassischen Würstchen. Rauchbiere sind ebenfalls schwer zu bekommen, passen aber ausgezeichnet zu geräuchertem Schinken.

Nur Weißwein zum Fisch? Probieren Sie doch einmal ein Bier, wie etwa das goldfarbene tsche-chische Budweiser Budvar *(siehe S. 89)*. Auf dem Münchner Oktoberfest wird natürlich Grillhendl serviert. Wenn Sie ein Oktoberfest-Bier finden, können sie diese Kombination auch zu Hause probieren. Eine leicht malzige Alternative ist hier das Irish Ale von Kilkenny *(siehe S. 257)*, obwohl dieses Bier mehr nach gekochtem Schinken und Kohl verlangt.

Rotwein zu rotem Fleisch? Auch kräftig gefärbte Ales bringen ausreichend Fruchtigkeit und Komplexität mit um als Getränke zu dunklem Fleisch zu dienen. Probieren Sie es doch einmal mit einem französischen Bière de Garde, wie etwa dem La Choulette Ambrée *(siehe S. 269)*, zu einem Lammgericht oder mit einem englischen Ale wie dem Marston's Pedigree *(siehe S. 309)* zu einem Roastbeef.

Die Pizza stammt wahrscheinlich aus Neapel. Das passende Bier dazu kommt aus Norditalien. Das Moretti La Rossa *(siehe S. 325)* ist vermutlich das klassische Pizza-Bier. In den Staaten ist es sicher üblicher als in Europa, zur Pizza Bier zu servieren. Eine ideale Ergänzung zum typischen Pizzageschmack nach Brot, Tomaten, Oregano und Basilikum ist das malzige Great Lake Elliot Ness Lager.

In manchen belgischen Trappistenklöstern, wie etwa in Chimay, produziert man Bier und Käse. Das Grand Réserve *(siehe S. 119)* passt hervorragend zum Käse aus der klostereigenen Käserei, kann aber auch gut zu Roquefort gereicht werden.

Aber auch die Schleckermäuler werden überrascht sein, wie viele Biersorten ausgezeichnet zu verschiedenen Süßspeisen passen. Die Toffee-Apfel-Aromen deutscher Weizenbiere etwa oder die orangenartigen Noten des belgischen Weizenbieres sowie die belgischen Fruchtbiere sind ideale Süßspeisenbegleiter. Hafermehl-Stouts passen perfekt zu cremigen Nachspeisen wie etwa etwa Tiramisu. Zu Desserts auf Kaffee- oder Schokoladengrundlage reicht man am besten Bier, das die gleichen Geschmacksnoten aufweist: das Double Chocolate Stout von Young *(siehe S. 505)* oder das Red Hook Double Black Stout *(siehe S. 379)*.

Brooklyn Black Chocolate Stout *(siehe S. 83)* und Pyramid Espresso Stout *(siehe S. 375)* erzielen mit dunklen Malzen äußerst wohlschmeckende Ergebnisse.

Ein Essen kann mit dem richtigen Bier zu einer äußerst luxuriösen Angelegenheit werden. Zum Abschluss serviert man eine Zigarre mit einem Glas belgischem Kasteel *(siehe S. 256)*, englischem Barley Wine oder schottischem Wee Heavy *(siehe S. 46)* oder einem amerikanischen Hair of the Dog Adam *(siehe S. 209)*.

# Kochen mit Bier

Biere, die gut zu einem bestimmten Gericht passen, kann man oft auch zum Kochen dieses Gerichts verwenden. Es gibt viele Möglichkeiten, Bier in der Küche einzusetzen.

Selbst Essig, in der Regel ein auf Wein basierendes Produkt, kann aus Biermalz gewonnen werden. Bevor es Kühlschränke gab, hat manche Brauerei ihr sauer gewordenes Bier als Malzessig verkauft. Heute wird dieser Prozess bewusst in Gang gesetzt. Neben dem Malzessig bieten einige Brauereien auch auf Malz basierende Würzmittel für die Essigherstellung an. Auch säuerliche Biere wie etwa die *Berliner Weiße*, belgisches *Lambic* und *Gueuze* oder die flämischen »roten« Biersorten wie Rodenbach *(siehe S. 387–388)* sind als überraschende Würzmittel an Salaten und in Salatsoßen nicht zu verachten. Vor allem die Richtung *framboise* innerhalb der *Lambic*-Familie ist hervorragend für die Zubereitung von Salatsoßen geeignet.

In Belgien verwendet man das *Gueuze* gerne zum Pochieren von Miesmuscheln. Auch leicht säuerliches Ale eignet sich dafür. Säuerliche Biersorten oder auch fruchtige Ales vom englischen Typ eignen sich ebenso zur Herstellung von Marinaden. Sie machen Fleisch zart und dienen als Soßengrundlage. Für die Marinadenherstellung eignen sich etwa die englischen Ale-Sorten Bateman's XXXB *(siehe S. 41)*, Timothy Taylor's Landlord *(siehe S. 456)* und McMullen's Castle Ale *(siehe S. 297)*. Auch das St Ambroise Pale Ale *(siehe S. 391)* aus Kanada und US-amerikanische Ales wie

Oliver's *(siehe S. 344)* oder BridgePort ESB *(siehe S. 80)* sind geeignet. Extrem hopfige Biere sind jedoch ungeeignet, da die Bitterstoffe beim Einkochen der Marinade zu stark hervortreten können.

Die Kombination aus malziger Süße und Struktur mit gras- und kräuterartigen Hopfenaromen sowie einem manchmal hefigen Geschmack macht Bier zu einer idealen Suppengrundlage. Malzige, süßliche Lager-Biere passen gut zu Getreide- oder Muschel-, Krabben- oder Austernsuppen. Nach Milchsäure schmeckende Biere wie etwa die *Berliner Weiße* oder das *Lambic* kann man sogar als Zutat für Fruchtkaltschalen verwenden. Reichhaltige Biere vom dunkleren Ale-Typ geben Fleisch-, Zwiebel- und Käsesuppen ein wunderbares Aroma.

Eintöpfe erhalten durch einen Schuss Bier eine pikante Würze. Selbst gekochte Miesmuscheln, ein recht leichtes Gericht, profitieren durch einen Schuss Bier. Trockene, hopfenbetonte Biere, etwa ein IPA, können, sparsam verwendet, eine aus eher fettem Fisch wie Aal oder Lachs bestehende Fischsuppe ideal abrunden.

Fleischeintöpfe benötigen ein reichhaltigeres Bier, etwa ein irisches Ale, ein französisches *bière de garde*, ein *Märzenbier* oder ein *Bockbier* zu Schwein und Huhn, ein französisches, englisches, schottisches oder belgisches Ale zu Lamm und Rind. Es gibt zahlreiche Rezepte für den berühmten Rind-in-Bier-Eintopf Carbonade Flamande. In manchen werden *Lambic*-Biere als Zutat verlangt, andere schlagen hier die gänzlich anders schmeckenden Stouts, wie etwa Guiness, vor. Wir empfehelen den moderaten Mittelweg und nehmen hier ein leicht saures flämisches Brown Ale wie das Gouden Band von Liefman *(siehe S. 282)*. Dieses Bier ist auch zum Schmoren sehr gut geeignet.

Beizen macht Fleisch zart und verleiht ihm Würze. Ein reichhaltiges, dunkles und malziges Bier verleiht Beizen einen Hauch von toffeeartiger Krustigkeit und Süße. Das passt besonders gut, wenn man etwa Schweinefleisch oder Schinken mit süßen oder fruchtigen Beilagen wie Preiselbeeren oder gekochten Äpfeln servieren möchte. Verwenden Sie für ihre Beize ein süßliches Bier.

In Eierkuchenteig, Brot und Kuchen kommt Bier ebenfalls häufig zum Einsatz. In den USA etwa ist es üblich, als Fingerfood oder Tempura serviertes Gemüse, Austern oder Stockfisch in einen Pfannkuchen einzuhüllen. Am besten verwenden Sie für diese Eierkuchenteige ein hefiges Weizenbier vom deutschen Typ oder ein flaschenvergorenes englisches Ale. Wenn man das Bier erst kurz vor dem Backen beifügt, geht der Teig besser auf. Probieren Sie es einmal mit Yorkshirepudding. Reichhaltige, dunkle Biere machen Pudding und Kuchen saftiger.

In Früchtekuchen erzielt man durch die Zugabe von Imperial Stout gute Ergebnisse. Es macht den Kuchen saftig und betont den Rosinen- und Korinthengeschmack. Ein Schuss Guiness und eventuell Rum wiederum sind ideal, wenn der Früchtekuchen zwar saftig in der Struktur, aber auch trocken im Geschmack sein soll. Auch ein gewürztes Dunkles wie das Liefmans Glühkriek *(siehe S. 281)* passt hier sehr gut. Den Geschmack von Schokoladencremes kann man durch die Zugabe eines starken Stout verstärken.

# GLOSSAR

**Abteibier (Abbaye, Abdij)** Starkes, fruchtig schmeckendes Bier aus Belgien. Manche Benediktiner- und Norbertinerklöster vergeben Braulizenzen an Brauereien. Die dort gebrauten Biere sind von den echten Trappistenbieren inspiriert.

**Ale** Englische Bezeichnung eines Biers, das mit warmer Gärung gebraut wird, traditionellerweise mit obergäriger Hefe. Dazu gehören milde, bittere, helle und braune Ale-Biere.

**Altbier** Ein deutscher Biertyp, vor allem aus dem Rheinland, der dem britischen Bitter oder Pale Ale entspricht.

**Barley Wine** Englische Bezeichnung für ein besonders starkes Ale (»Gerstenwein«).

**Bayern** ehemaliges Königreich, heute Deutschlands zweitgrößtes Bundesland mit den wahrscheinlich meisten Brauereien.

**Bernstein** Sehr ungenaue, in den USA oft benutzte Bezeichnung für bernsteinfarbene Biere des im weitesten Sinne irischen Typs oder auch des Wiener Lagers.

**Bier** Ein mithilfe von Fermentation hergestelltes Getränk aus Getreide, oft mit Malz versehen und in der Regel mit Hopfen gewürzt. Dazu gehören die Sorten Ale, Lager, Weizenbiere und alle in diesem Buch besprochenen Biertypen.

*Bière de Garde* Starkes, aleähnliches Bier, typisch für Nordwestfrankreich.

**Bitter** Bezeichnet ein gut gehopftes Ale.

**Bock** Deutsche Bezeichnung für ein besonders starkes Bier, oft, aber nicht immer, dunkel. Häufig ein Lager-Bier, kann aber auch ein starkes Weizenbier sein. Besitzt meist 6,0 Vol.-% Alkohol oder mehr.

**Böhmen** Ehemaliges Königreich, eine Zeit lang Provinz Österreichs und dann Teil der tschecheslowakischen Republik, heute ein Teil Tschechiens. Neben der Hauptstadt Prag sind, vor allem hinsichtlich der Braukunst, die Städte Budweis und Pilsen wichtig.

**Brabant** Früheres Herzogtum mit Brüssel als Zentrum, heute in drei Provinzen aufgeteilt: eine flämische und eine wallonische in Belgien (mit der Bierstadt Leuven/Löwen) und Nordbrabant in den Niederlanden.

**Brauereigaststätte** Eine Gaststätte oder Kneipe, die ihr eigenes Bier braut, das mitunter auch im Handel erhältlich ist.

*Doppelbock* Bier mit einem Alkoholgehalt von mehr als 7,5 Vol.-%.

**Dortmunder Export** Helles Lager von mineralhafter Trockenheit und etwas überdurchschnittlicher Stärke (*siehe* Export.)

*Dunkel/Dunkle/Dunkles* Deutsche Bezeichnung für dunkles Bier.

**ESB** Extra Special Bitter, ein Bier der englischen Brauerei Fuller. In den USA werden viele ähnliche Biere gebraut.

**Export** Eine deutsche Biersorte mit einem etwas überdurchschnittlichen Alkoholgehalt, meist 5,25 bis 5,5 Vol.-%, oft im Dortmunder Braustil gebraut.

**Flandern** Einer der beiden Landesteile des Königreichs Belgien (neben dem französischsprachigen Wallonien) mit den Provinzen Ost- und Westflandern, Flämisch-Brabant, Antwerpen und Limburg.

**Flaschengärung** Gärungsprozeß lebender Hefekulturen in der Flasche.

*Framboise/Frambozen* Französische bzw. flämische Bezeichnung für belgisches Himbeerbier.

**Franken** Der nördliche Teil des bayerischen Bundeslandes mit den Städten Nürnberg und Bamberg.

*Gueuze/Geuze* Altes und junges *Lambic-Bier* wird gemischt um einen perlenden Champagnereffekt zu erzeugen.

**Hefe** Bierhefe wird zum Brauen gebraucht.

*Hell/Helles* Helles Bier mit einem Malzton, typisch für Bayern, vergleichbar mit dem englischen Pale.

**Imperial Stout** Besonders starkes Stout, das ursprünglich im zaristischen Russland sehr beliebt war.

**IPA** India Pale Ale. Ein Ale, das ursprünglich für Indien gebraut wurde; sollte überdurchschnittlichen Alkoholgehalt und Hopfenbitterkeit aufweisen.

**Irish Ale** Hat typischerweise eine rötliche Farbe und einen Malzakzent; schmeckt manchmal nach Buttertoffee.

*Kellerbier* Normalerweise ein ungefiltertes Lagerbier mit viel Hopfen und ein wenig Kohlensäure.

**Kleinbrauerei** Kleine Hausbrauereien, wie sie etwa in den USA in den späten Siebzigerjahren entstanden.

**Kloster** Deutsche Bezeichnung für ein Bier, das in einem Kloster gebraut wird oder ursprünglich dort gebraut wurde.

*Kölsch* Die Bezeichnung bezieht sich auf die obergärigen hellen, dem britischen Ale ähnlichen Biere, die in Köln oder Umgebung gebraut werden.

*Kriek* Flämischer Begriff für eine Kirschsorte, die manchem Bier zugegeben wird.

**Lager** In Deutschland lange Zeit kaum noch übliche, jüngst aber wieder vermehrt bei den neuen Marken gebrauchte Bezeichnung für ein Bier, das bei niedrigen Temperaturen vergoren und gelagert wird.

*Lambic* Belgische Bezeichnung für ein Bier, das unter Zusatz von wilden Hefen gegärt wurde.

**Limburg** Bierbrauerprovinz der Niederlande mit Maastricht als Zentrum. Limburg heißt auch die angrenzende Provinz in Belgien.

*Maibock* Bockbier, das im späten Frühjahr (März bis Mai) gebraut wird. Oft recht hell, hopfig und spritzig.

*Märzenbier* Traditionellerweise ein Lagerbier, das im März gebraut wurde und bis September oder Oktober reifte. In Deutschland und den USA von rot-bronzener Farbe, aromatisch malzig, mittelstark (5,5 Vol.-% oder mehr).

**Mild** Mild gehopftes Ale mit meist geringem Alkoholgehalt. Die Bezeichnung findet man auch bei manchen mild gehopften Pilsnern.

**Münchner** Üblicherweise ein malzbetontes Lager mit mittlerem Alkoholgehalt, als Dunkles oder Helles erhältlich.

*Oktoberfest* Gewöhnlich ein *Märzenbier*, heute meist heller als dieses.

**Old Ale** Gewöhnlich ein dunkles, mittelstarkes Bier (etwa 6,0 Vol.-%), manche sind auch deutlich stärker.

*Ouid Bruin* Flämisch für »alt braun«. In den Niederlanden ein sehr süßes, dunkles Lager. In Belgien ein säuerliches, braunes Ale im Oudenaarde-Stil, aber von normaler Stärke.

**Pale Ale** Ursprünglich ein britischer Biertyp. Klassische Bronze- bis Kupferfarbe. Pale (»hell«) bezeichnet hier den Gegensatz zu Brown Ale oder Porter.

**Pils/Pilsner/Pilsener** Eine oft falsch verwendete Bezeichnung. Ein Pilsner ist mehr als ein übliches helles Lager mit 4,25 bis 5,25 Vol.-% Alkohol. Es sollte ein reines Malzgebräu sein, mit einem deutlichen, blumigen und trockenen Hopfenton, wie er für die Hopfensorte Saaz üblich ist. Das Original ist das Pilsner Urquell.

**Porter** Dunkelbraunes oder schwarzes Bier, gebraut mit stark gedarrtem Malz, ausgewogen gehopft, traditionell obergärig. Wird in der Regel London zugeordnet.

*Rauchbier* Bier, das mit geräuchertem Malz gebraut wird; vor allem in Bamberg beheimatet.

**Red Ale** *Siehe* Irish Ale.

*Saison* Ein trockener, oft leicht saurer Biertyp; ein erfrischendes, aber starkes (5,0 bis 8,0 Vol.-%) Sommerbier, oft flaschengereift. Typisch für die belgische Provinz Hainaut.

**Schottisches Ale/Scotch Ale** Sanftes, malziges Bier, wie es für Schottland typisch ist. Meist dunkel, in der Regel stark.

*Schwarzbier* Meist ein sehr dunkles Lager mit Bitterschokoladengeschmack. In der Regel aus Thüringen bzw. der früheren DDR.

**Stout** Dunkelbraun bis schwarz. Mit stark geröstetem Getreide und obergäriger Hefe hergestellt. Süße Stouts sind ehr in London beheimatet, hopfigere, trockenere Sorten in Dublin und Cork.

**Trappisten** Strenger Mönchsorden, der in verschiedenen belgischen Klöstern ein starkes Bier mit einem eigenen Charakter braut. Das Logo auf dem Etikett weist darauf hin, dass es sich um »echtes Trappistenbier« handelt.

*Tripel/Triple* In der Regel ein sehr starkes, helles, aromatisches, hopfiges Ale, das in der Art des Westmalle Tripel produziert wird.

**Vol-%** Alkohol pro Volumen in Prozentangaben. Die einfachste und am häufigsten genutzte Angabe des Alkoholgehalts. In den USA wird manchmal auch nach Alkohol pro Gewicht gemessen.

*Weiße/Weißbier/Weißbier* Deutsches Weizenbier mit heller Krone, oft ungefiltert im Gegensatz zu dem gefilterten Kristallweißbier oder Kristallweizen.

*Weizen* *Siehe* Weiße

**White/Wit/Witte** Englische bzw. flämische Bezeichnung für ein im belgischen Stil gebrautes gewürztes Weizenbier.

**Wiener Lager** Bronzenes bis rötliches Lager mit süßlichem Malzaroma und -geschmack. In Wien nicht mehr erhältlich, in den USA jedoch vermehrt produziert. *Märzen-/Oktoberfestbier* ist eine stärkere Variante dieses Typs.

## GROSSBRITANNIEN

### ORGANISATIONEN

CAMPAIGN FOR REAL ALE
(CAMRA)

Eine Verbrauchervereinigung,
die sich mit traditionellen
Bieren aus Großbritannien
beschäftigt. Herausgeber des
monatlich erscheinenden
*What's Brewing*, des Jahresma-
gazins *Good Beer Guide*, das
gute Bierkneipen vorstellt. Die
Vereinigung organisiert auch
das Great British Beer Festival,
das in der Regel im August im
Olympia in London, stattfindet.

230 Hatfield Road
St Albans
Hertfordshire AL1 4LW
Tel.: 01727 867201
Fax: 01727 867670
E-Mail: camra@camra.org.uk
www.camra.org.uk

### WEBSITES

THE BEER HUNTER®
www.beerhunter.com
Die Website des Autors
Michael Jackson mit Nach-
richten, Artikeln, Bierproben,
Besprechungen und ausführ-
lichem Textarchiv des Beer
Hunter's ®.

THE REAL BEER PAGE
www.realbeer.com
Die ausführlichste Website der
Welt zum Thema Bier mit
Links zu vielen anderen Sites.

www.brewolrd.com
Die größte europäische Bier-
Site in englischer Sprache.
info@breworld.com

### HÄNDLER

Oddbinns, ein hochkarätiger
Weinhändler, hat sich in
Großbritannien mittlerweile
auch einen Namen als Bierhändler, vor allem von Spezialitäten, gemacht. Aber auch in
den Supermärkten wie etwa
Asda, Morrisons, Safeway,
Sainsbury, Tesco und Waitrose
oder im Londoner Kaufhaus
Selfridge's findet man eine
große Auswahl an Bier.
∗ Bedeutet: Versandhandel
innerhalb Großbritanniens

THE BOTTLE STORE ∗
77 Queens Road
Leicester LE2 1TT
Tel.: 0116 270 7744
Fax: 0116 270 7744

THE BEER SHOP AND PITFIELD
BREWERY ∗
14 Pitfield Street
Nähe U-Bahn-Station Old Street
London N1 6EY
Tel.: 020 7739 3701
www.pitfieldbeershop.co.uk

THE BEER CELLAR ∗
31 Norwich Road
Strumpshaw
Norwich
Norfolk
Tel.: 01603 714884

THE ARCHER ROAD
Beer Stop ∗
57 Archer Road
Sheffield
Yorkshire
Tel.: 0114 2551356

BARRELS & BOTTLES ∗
3 Oak Street
Heeley Bridge
Yorkshire S8 9UB

Tel.: 0114 2556611
Fax: 0114 2551010
E-Mail:
sales@barrelsandbottles.co.uk
www.barrelsandbottles.co.uk
(internationaler Versandhandel)

PECKHAM & RYE
21 Clarence Drive
Glasgow G12 9QN
Tel.: 0141 334 4312

## AUSTRALIEN

### VERÖFFENTLICHUNGEN

NATIONAL LIQUOR NEWS
97 Victoria Street
Potts Point
NSW 2011
Tel.: 02 9357 7277

LIQUOR WATCH
9 Carisbrook Street
Linley Point
NSW 2066
Tel.: 02 9428 3147

Der australische Bierautor
Willie Simpson schreibt jeden
Dienstag einen Bierartikel für
die Lifestyle-Rubrik des
*Sydney Morning Herald.* Peter
Lalor schreibt eine wöchent-
liche Bierkolumne für die
»Essen&Trinken«-Rubrik des
Zeitungsrivalen *The Daily
Telegraph.*

### WEBSITES

BEER LOVERS AUSTRALIA
www.beerlovers.com.au
Ein Bierklub mit Sitz in
Victoria.

www.vintagecellars.com.au
Website für Online-Bestellun-
gen der Vintage Cellars.

### HÄNDLER

Die folgenden Handelsketten
bieten ein ständig größer wer-

dendes Sortiment an australischen und Import-Bieren. In der Regel haben diese Ketten in jeder größeren Stadt Niederlassungen.

LIQUORLAND
PORTERS
MAC'S
SAFEWAY (nur U-Bahn-Station Victoria )
DAN MURPHY'S (nur U-Bahn-Station Victoria )

## ÖSTERREICH

### WEBSITES

www.breworld.com/austria/
Solide und verständliche Informationen über die österreichische Bierszene vom bekannten österreichischen Bierexperten Conrad Seidl.

www.austrianbeer.com/beer/
Unabhängige, von österreichischen Bierliebhabern betriebene Website mit Besprechungen und Ranglisten sowie Kneipeninfos; sehr touristenfreundlich; auch in englischer Sprache

bier.oesterreich.com
Die offizielle Website des »Verbands der Brauereien« in Österreich mit verlässlichen Informationen und Statistiken zur österreichischen Brauindustrie.

### HÄNDLER

Die beliebte Supermarktkette Interspar führt ein breites Sortiment an österreichischen und Import-Bieren.

GETRAENKEKISTL
R. Ammersin GesmbH
Speisinger Strasse 31
1130 Wien
Tel.: +43 1 804 5508
Fax: +43 1 804 14 44
E-Mail: ammersin@magnet.at

KRAH KRAH
Rabensteig 8
A -1010 Wien
Tel.: 0222/5338193
Riesenauswahl aus mehr als 50 der interessantesten Spezialbiere
www.tourist-net.co.at/wn_lo12.htm

BIER & MEHR HEIMSERVICE GESMBH
Triesterstraße 359
A-8055 Graz-Puntigam
Tel.: +43 316 5023338
Fax: +43 316 5023200
E-Mail:
bestellunggraz@bierundmehr.at
www.bierundmehr.at/bgrz.html
(Liefergebiet Großraum Graz)

BIER & MEHR HEIMSERVICE GESMBH
Ing.Etzelstr. 11
A-6020 Innsbruck
Tel: +43 664 5640126
Fax: +43 512 2463150
E-Mail: bestellunginns-bruck@bierundmehr.at
www.bierundmehr.at/bibk.html
(Liefergebiet Großraum Innsbruck)

## BELGIEN

### ORGANISATIONEN

DE OBJECTIEVE BIERPROEVERS (Belgische Verbraucher-vereinigung)
Postbus 32
2600 Berchem 5
Belgium
Tel.: +32 3 323 4538
Fax: +32 3 226 8532
E-Mail: obp@www.dma.be
www.dma.be/p/obp

CONFÉDÉRATION DES BRASSE-RIES DE BELGIQUE/CONFEDE-RATIE DER BROUWERIJEN VAN BELGIË
Die Berufsorganisation der belgischen Brauindustrie. In ihrem Verbandssitz, einem histori-

schen Gebäude in Brüssel, befindet sich auch ein interessantes Braumuseum. Kundenorientierte Website mit vielen Links.
Maison des Brasseurs
Grand' Place 10
1000 Bruxelles
Belgium
Tel.: +32 2 511 4987
Fax: +32 2 511 3259
E-Mail: cbb@beerparadise.be
www.beerparadise.be

### VERÖFFENTLICHUNGEN

STEPHEN D'ARCY OF THE CAMPAIGN FOR REAL ALE (Brüssel)
Hier findet man einen sehr informativen Newsletter, den *Selective Guide to Belgian Bars*.
67 Rue des Atrébates
B-1040 Brussels, Belgium
Tel.: +32 2 736 7218.
E-Mail:
Stephen.D'Arcy@cec.eu.int

### HÄNDLER

BELGIUM BEERS
2 Reyndersstraat
Antwerp
Tel.: +32 3 226 6853

BIER TEMPEL
56 Rue Marché aux Herbes
Brussels
Tel./Fax: +32 2 502 1906
www.biertemple.com

BIÈRES ARTISANALES
174 Chaussée de Ware
Brussels
Tel.: +32 2 512 1788

DRINK MARKET DELÉPINE
13 Rue Eugène Cattoir
Brussels
Tel.: +32 2 640 4564
Fax: +32 2 640 3623

Hopduvel
625 Coupure Links
Ghent
Tel.: +32 9 225 2068

YVES STREEKBIEREN
1 O.L. Vrouwmarkt
Roeselare
Tel.: +32 5362 67 30

## KANADA

### VERÖFFENTLICHUNGEN
BIÈRE MAG
Tel.: 514 658 81 33
Fax: 514 447 04 26
www.bieremag.ca

### HÄNDLER
Die Händler sind hier alphabe-
tisch aufgeführt.
BEERLAND AT CECIL HOTEL
415 – 4th Avenue S.E.
Calgary, Alberta
T2G 0C8
Tel.: 403 266 33 44
Fax: 403 234 97 56

CHATEAU LOUIS
11727 Kingsway Avenue
Edmonton, Alberta
T5G 3A1
Tel.: 780 452 77 70
Fax: 403 454 34 36
E-Mail: chateau
@planet.eon.net
www.chateaulouis.com

CAMBIE STREET LIQUOR
5555 Cambie Street
Vancouver, B.C.
V5Z 3A3
Tel.: 604 266 13 21
Fax: 604 264 90 71
www.bcliquorstores.com

FORT STREET LIQUOR
1960 Foul Bay Road
Victoria, B.C.
V8R 5A7
Tel.: 250 952 42 20
Fax: 250 595 07 68
www.bcliquorstores.com

MANITOBA LIQUOR MART
(STORE 45)
Grant Park Shopping Centre
1120 Grant Avenue
Winnipeg, Manitoba

R3M 2A6
Tel.: 204 987 40 45
Fax: 204 475 76 66
www.mlcc.mb.ca
(Einer von etwa 25 Händlern
in Manitoba mehr Infos auf
der Website)

L'EPICIER DU MARCHÉ
128 Atwater
Atwater Market
Montreal, Quebec
H4C 2G3
Tel.: 514 637 32 24
Fax: 514 932 77 53

EPICIER DES HALLES
145 St Joseph
St Jean, Quebec
J3B 1W5
Tel.: 450 348 61 00
Fax: 450 348 09 36

8TH STREET LIQUOR
Store #505
3120 8th Street East
Saskatoon, SK
S7H 0W2
Tel.: 306 933 53 18
Fax: 306 933 52 19
E-Mail:
store505@slga.gov.sk.ca

ALBERT SOUTH #557
4034 Albert Street
Regina, SK
S4S 3RS
Tel.: 306 787 42 51
Fax: 306 787 80 75
E-Mail:
store557@slga.gov.sk.ca

## DÄNEMARK

### ORGANISATIONEN
DANISH BEER ENTHUSIASTS
Der Verein der dänischen Bierliebhaber bringt auch eine Zeitschrift, The Beer Enthusiast,
heraus, verschickt einen E-Mail-
Newsletter, hält regionale und
überregionale Treffen ab und
veranstaltet Bierproben und

Brauereibesuche.
Anders Evald
Andedammen 14
DK-3460 Birkerød
Denmark

### FESTIVALS
Das erste dänische Bierfestival,
an dem fast alle dänischen
Brauereien und einige Bierim-
porteure und Bierbrauer aus
den Nachbarstaaten teilnah-
men, fand im Herbst 2000 in
Kopenhagen statt. Es soll nun
alle zwei Jahre stattfinden.

### WEBSITES
www.ale.dk
Eine umfangreiche Website
der BEER ENTHUSIASTS mit
einem Bierführer, einer Knei-
pen- und Händlerliste für ganz
Dänemark und Infos über das
dänische Bierfestival.

### HÄNDLER
GL. STRANDS ØL & VINLAGER
Naboløs 6
DK-1206 København K
Tel.: +45 33 93 93 44
Fax: +45 33 93 96 44

AMAGER ØLHUS
Italiensvej 36A
DK-2300 København S
Tel.: +45 32 59 45 45
Fax: +45 32 59 45 45
E-Mail
amager.olhus@post.cybercity.dk

MALT & HUMLE
Låsbygade 6
DK-6000 Kolding
Tel.: +45 75 54 07 55
Fax: +45 75 54 07 55

Chas E Vinhandel
Ryesgade 5
DK-8000 Århus C
Tel.: +45 86 12 14 11
Fax: +45 86 12 13 34

H.J. HANSEN VINHANDEL A/S
Vingårdsgade 13

DK-9000 Aalborg
Tel.: +45 98 12 52 90

# FINNLAND

## ORGANISATIONEN

THE FINNISH LEAGUE OF
INDEPENDENT BEER SOCIETIES
(FINNLIBS)
Ein Dachverband aller finnischen Biervereine. FINNLIBS
beschäftigt sich vor allem mit
Verbraucherfragen. Mehr
Infos dazu auf der Website:
www.olut.org

## WEBSITES

www.helsinginsanomat.fi/olut-
helsinki
Englischsprachige Informationen zum Bierfestival in
Helsinki

## VERÖFFENTLICHUNGEN

JUOMANLASKIJA MAGAZINE
www.kolumbus.fi/juomanlaskija

## FESTIVALS

In Finnland gibt es zwei große
Bierfestivals, das jährliche DARK
BEER FESTIVAL in Tampere
(Januar) und das HELSINKI
BEER FESTIVAL (April).

## HÄNDLER

In Finnland hält die in Staatsbesitz befindliche Handelskette ALKO das Monopol für
alle Biere, die mehr als 4,7
Vol.-% Alkohol aufweisen.

ALKO OY
Heidehofintie 2,
FIN-01300 Vantaa
Tel.: +358 9 576 576
Fax: +358 9 576 553 50
E-Mail: palaute@alko.fi
www.alko.fi

Die Supermarktkette, zu der
u. a. CITYMARKET, PRISMA,
und SESTO gehören, hat eine
große Auswahl an Bieren mit
geringem Alkoholgehalt.

# FRANKREICH

## ORGANISATIONEN

LES AMIS DE LA BIÈRE
5 Route de Mametz
60220 Aire sur la Lys
Tel.: +33 321 39 14 52
amis.biere.org

## HÄNDLER

BOOTLEGGER
82 Rue de l'Ouest
75014 Paris
Tel.: +33 1 43 27 94 02

BRASSERIE VANUXEEM
(An der Grenze zu Belgien lebende Franzosen kaufen oft in
diesem belgischen Geschäft ein.)
150 Rue d'Armentières
B-7782 Ploegsteert
Belgium
Tel.: +32 56 58 89 23
Fax: +32 56 58 75 59

LES CHOPES
(überdachter Markt in
Wazemmes)
Place de la Nouvelle Aventure
F-59000 Lille
Tel.: +33 320 13 95 25
Fax: +33 320 90 17 37

BOISSONS CASH DUBUS
27 Place République
F-59650 Villeneuve d'Ascq
Tel.: +33 320 02 41 23
Fax: +33 320 05 04 08

DICKELY SELESTAT
DISTRIBUTION
Route de Muttersholtz
67600 Selestat
Tel.: +33 388 92 09 30

BIÈRE ET PAIX
22 Rue des Frères
67000 Strasbourg
Tel.: +33 388 36 90 04

HO' BIÈRE INTERNATIONALE
9 Avenue de la Gare
67140 BARR
Tel.: +33 388 08 88 18

AUCHAN
RN1
Route de Boulogne
62100 Calais
Tel.: +33 321 46 92 92
Fax: +33 321 96 81 50

# DEUTSCHLAND

## WEBSITES

www.bier.de
Umfangreiche, kundenorientierte Seite in Deutsch und
Englisch mit Infos über Bierhändler und Bierfeste.

www.brauer-bund.de
Vom deutschen Brauerbund
betriebene, umfangreiche
Website.

www.bierline.de
Mit einem Überblick über
Biersorten, Infos zum Brauprozess und einem Lexikon

www.biermesse.de/
Alles zum Thema Bier

www.bierforum.de
Allgemeine Infoseite

www.bierchen.de
Infoseite

www.biermarkt.com
Portal zu fränkischen Brauereien

www.hausbrauerei.de
Das Online-Nachschlagewerk
über »Erlebnis-, Gasthaus-,
Kleinst- und Hausbrauereien«,
deren Hersteller und Zulieferer; wurde 1996 begonnen und
wird nach Bedarf regelmäßig
aktualisiert.

www.braugasthoefe.com
Verzeichnis privater Braugasthöfe. Die Kooperation verfolgt
den Zweck die alte Tradtion der
Braugasthöfe wieder zu beleben.

www.brauwelt.de/brauwelt/
kalender.html

Überblick über Messen,
Tagungen, Veranstaltungen.

www.oktoberfest.de
Offizielle Website des Oktober-
fests (22. September bis 7.
Oktober 2001). Das Münchner
Oktoberfest, auch die »Wiesn«
genannt, ist das größte Volksfest weltweit und findet 2001
zum 168. Mal statt. Alljährlich
strömen über 6 Millionen
Besucher auf das Fest, auf
dem u. a. auch die Münchner
Traditionsbrauereien vertreten
sind.

www.manfredwirth.de/bier.htm
Private Website mit einer
Übersicht über bayerische
Bierfeste und Biergärten.

www.stuttgart.de
Cannstatter Volksfest, zweit-
größtes Bierfest der Welt;
Eröffnungsfeier mit Fassanstich.

www.hofbraeuhaus.de
Die Website dieser bayerischen
Traditionsgaststätte

## HÄNDLER

GETRÄNKE-BUNDESWEIT
Eine Vertriebsplattform für
den Getränkehandel. Teilneh-
mende Händler bieten einen
Heimlieferservice an, der post-
leitzahlorientiert organisiert ist.
Online-Bestellung möglich.
www.getraenke-bundesweit.de

### BADEN-WÜRTTEMBERG

COUP DE LOUP
Koellstr. 22
D-76189 Karlsruhe
Tel.: +49 721 961 3245
Fax: +49 721 961 3243
E-Mail:
coup-de-loup@coup-de-loup.de
www.coup-de-loup.de
Online-Bestellservice

GEFAKO GmbH & Co.
Getränke-Fachgroßhandels-

Kooperation Süd KG
Bahnhofstraße 29
73257 Köngen
Tel.: 07024/9719-0
Fax: 07024/84955
(mit Anschriftenverzeichnis
vieler Getränkemärkte)
www.gefako.de

GETRÄNKE OESS
Mosbach, Steige 51
74821 Mosbach-Diedesheim
Tel.: 06261 7122
Fax: 06261 7284
E-Mail: firma@oess.de
www.oess.de

BIERWURZ
Rudolf Wurz GmbH
Getränke-Fachgroßhandel
Eisenbahnstr. 9
D-76530 Baden-Baden
Tel.: 07221 24282
Fax: 7221-26316
E-Mail: info@bierwurz.com
www.bierwurz.de

### BAYERN

ANDECHSER KLOSTERBOUTIQUE
KLOSTER ANDECHS
Postfach 1354
56194 Höhr-Grenzhausen
www.Andechs.de
Umfangreiche Website des
berühmten Brauklosters mit
Online-Shop.

CAFÉ ABSEITS
Ältestes Studentencafé &
Bierspezialausschank mit
Biergarten
Pödeldorfer Str. 39
96052 Bamberg
Tel.: 0951/303422
Fax: 0951/9371091
e-Mail:
Domino.Bamberg@t-online.de
www.abseits.de/abseits.htm
(30 Biersorten im Angebot)

ZIGAG
Rotwandstr. 7
D-81539 München

Tel.: 089 6259179
E-Mail: smaier6202@aol.com
www.bringdienst.de/getrae-
nke/zigag/index.htm

### BERLIN

BIER-SPEZIALITÄTEN-LADEN
Karl-Marx-Alle 56
10243 Berlin
Tel.: +49 30 2492146
Fax: +49 30 2427147

AMBROSETTI
Schillerstr. 103
D-10625 Berlin
Tel: +49 30 312 4726
Fax: +49 30 315 03343
E-Mail: info@ambrosetti.de
www.ambrosetti.de

### BRANDENBURG

BIERPARK MÜNCHHAGEN –
GETRÄNKEFACHGROSSHANDEL
FÜR DEN GROSSRAUM BERLIN
Am Bahnhof 5–7
D-16356 Blumberg
Tel.: 033394 5260
Fax: 33394 52626
www.muenchhagen.de
(mit Online-Shop)

### BREMEN

SCHÜTTINGER BRAUEREI
Hinter dem Schütting 12–13
D-28195 Bremen
Tel.: 0421 3376633
Fax 0421 3376699
E-Mail:
Service@Schuettinger.de
www.schuettinger.de

### HAMBURG

HAUS DER 131 BIERE
Karlshöhe 27
D-22175 Hamburg
Tel.: +49 40 6407299
Fax: +49 40 6402071
E-Mail: 131biere@bier.de
www.biershop.de
(Internationaler Online-
Bestellservice)

## HESSEN

BRUNO MARUHN
Pfungstädter Straße 174–176
D-64297 Darmstadt-Eberstadt
Tel.: +49 61 51 57279
Fax: +49 61 51 595495
(Online-Bestellservice)

ZUR HOFFNUNG
Familie Schmidt
Brückenstraße 17
63628 Bad Soden-Salmünster
Tel.: 06056 1318
Fax: 06056 1301
E-Mail: info@zurhoffnung.de
www.zurhoffnung.de
(große Auswahl an deutschen
und internationalen Fassbieren)

## MECKLENBURG-VORPOMMERN

OSTSEE BRAUHAUS AG – HOTEL
Strandstrasse 41
D-18225 Kühlungsborn
Tel.: 038293 4060
Fax: 038293 40630
E-Mail:
info@Ostsee-Brauhaus.de
www.ostsee-brauhaus.de

## NIEDERSACHSEN

RUSCHMEYER GETRÄNKE-DEPOT
Alte Schulstr. 18
D-21271 Hanstedt
Tel.: 04184 7977
E-Mail:
sven.scheff@t-online.de
www.bringdienst.de/getraenke/ruschmeyer/index.htm

SOS SEKT ODER SELTERS GMBH
Steinriedendamm 15
D-38108 Braunschweig-Kralenriede
Tel.: 0531 353640
www.bringdienst.de/getraenke/sos/index.htm

## NORDRHEIN-WESTFALEN

GETRÄNKE RAAB
Groß- und Einzelhandel
Getränke Raab
Tannenweg 2
36391 Sinntal-Sannerz
Tel.: 06664 9700
Fax: 06664 970345
www.getraenke-raab.de

GETRÄNKE LEETHAUS
Volmerswerther Deich 252
D-40221 Düsseldorf
Tel.: 0211 153709
www.getraenke-duesseldorf.de
(Liefer- und Abholservice im
Raum Düsseldorf)

PROBIER GMBH
Postfach 11 03 23
D-44058 Dortmund
Tel.: 0231 6070010
Fax: 0231 6070011
E-Mail: info@probier-shop.de
www.probier.com

GETRÄNKE TURAN
Bahnhofstr. 1
D-47829 Krefeld-Uerdingen
Tel.: 02151 476889
www.bringdienst.de/getraenke/turan/index.htm

LEON DE BELGE
BIERHAUS
Rellinghauser Straße 140
D-45130 Essen
Tel./Fax 0201 777977
E-Mail: leon@bicks.de
www.leon-de-belge.de

COLONIA GETRÄNKE MÄRKTE
GMBH
Merheimer Platz 16
D-50733 Köln
Tel.: 0221 9726033
Fax: 0221 9726035
www.getraenke-profis.de

## RHEINLAND-PFALZ

LANDAUER BRAUHOF
Postfach 22 27

D-76812 Landau
Tel.: 06341 85009
Fax: 06341 87748
E-Mail: i@brauhof.de
www.brauhof.de

## SAARLAND

METTLACHER ABTEI-BRÄU
GMBH
Bahnhofstraße 32
D-66693 Mettlach
Tel.: 06864 93232
Fax: 06864 93235
E-Mail: Info@abtei-brauerei.de
www.abtei-brauerei.de

## SACHSEN

BALL- UND BRAUHAUS WATZKE
Kötzschenbroder Straße 1
D-01139 Dresden
Tel.: 0351 852920
Fax: 0351 8529222
E-Mail: dresden@watzke.de
www.watzke.de
(bietet Bierseminare an)

## SACHSEN-ANHALT

BRAUHAUS ZUM REFORMATOR
Friedenstr. 12
D-06295 Luthertstadt Eisleben
Tel.: 03475 680511
Fax: 03475 680254
www.reformation.de/luthland/essen/reformator

## SCHLESWIG-HOLSTEIN

KIELER BRAUEREI
Alter Markt 9
D-24103 Kiel
Tel.: 0431 906290 oder 0431 8008811
Fax: 0431 9062915
E-Mail:
kieler-brauerei@t-online.de
www.kieler-brauerei.de
(mit Online-Shop)

## THÜRINGEN

ZAPFWERK 1/3
Zeulenrodaer Str. 6

Deutschland – 07937
Greiz/Thüringen
Tel.: 03661 6292-0, 671146
Fax: 03661 629223
E-Mail: zapfwerk@t-online.de
www.zapfwerk.de
(44 Sorten Bier vom Fass –
Selbstbedienungszapfanlage –
Fassweine)

GASTHAUSBRAUEREI »FELSEN-
KELLER«
Humboldtstraße 37
D-99425 Weimar
Tel.: 03643 850366
Fax: 03643 850368
E-Mail: info@weimarergastro-
betriebe.de
www.weimarergastrobetriebe.de/
felsenkeller/index.html

## ITALIEN
### VERÖFFENTLICHUNGEN
IL MONDO DELLA BIRRA
In italienischer Sprache,
teilweise auf Deutsch
Via Cagliero 21
20125 Milano
Italien
Tel.: +39 2 668 2834
Fax: +39 2 607 2185
E-Mail: monbirit@tin.it

### HÄNDLER
A TUTTA BIRRA
Via L. Palazzi, 15 (lat. Corso
Buenos Aires)
I-20124 Milan
Tel.: +39 220 1165

OASI DELLA BIRRA
Piazza Testaccio, 38/41
I-00153 Rome
Tel.: +39 657 46122

## JAPAN
### HÄNDLER
MOMOYA SHOTEN
Minami 5, Nishi 5
Chuo-ku, Sapporo
Tel.: +81 11 521-0646

SAKE CLUB TOKI
Daiei Hirosaki B1
2–1 Oh-machi 2-chome
Hirosaki City
Aomori Prefecture
Tel.: +81 17238-2233

TOBU DEPARTMENT STORE
Ikebukuro branch
1-1-25 Nishi Ikebukuro
Toshima-ku, Tokio
Tel.: +81 3981-2211
Eine der am besten sortierten
japanischen Bierhandlungen
mit über 200 Bieren aus
34 Ländern

ISETAN DEPARTMENT STORE
Shinjuku branch
3-14-1 Shinjuku
Shinjuku-ku, Tokio
Tel.: +81 3 3352-1111
Umfangreiches Sortiment mit
etwa 100 japanischen und
Importbieren mit regelmäßigen
Neuheiten

BEER SPOT CHITASHIGE
3–50 Sakurayama-cho
Showa-ku, Nagoya
Tel.: +81 52 841-1150

ASAO SAKATEN
6 Tanaka Nogami-cho
Sakyo-ku, Kyoto
Tel.: +81 75 781-3210

KIOKA BELGIAN BEER
SPECIALTY SHOP
9-288-3 Nakamachi
Ohtori, Sakai City
Osaka
Tel.: +81 722 62-1341
Mehr als 120 belgische und
einige andere europäische
Biersorten.

IYOTETSU SOGO
DEPARTMENT STORE
5-1-1- Minato-cho
Matsuyama City,
Ehime Prefecture
Tel.: +81 899 48-2111

SAZAN BEFU-TEN
2-9-1 Befu
Johnan-ku, Fukuoka City
Tel.: +81 92 821-2207

## NIEDERLANDE
### ORGANISATIONEN
PINT
(PROMOTIE INFORMATIE
TRADITIONAL BIER)
(holländischer Verbraucher-
verband)
Postbus 3757
1001 AN Amsterdam
Niederlande
E-Mail: info@pint.nl
www.pint.nl

### HÄNDLER
DE BIERKONING
Paleisstraat 125
Amsterdam
1012 ZL
Tel.: +31 20 625 2336
Fax: +31 20 627 0654
E-Mail: info@bierkoning.nl
www.bier.nl

D'OUDE GEKROONDE
BIER EN WIJNWINKEL
Rosmarijn Steeg 10
1012RP Amsterdam
Tel.: +31 20 623 7711
(Bierproberaum im ersten Stock)

THE BEER SHOP
Gier Straat 70
2011GG Haarlem
Tel.: +31 23 53 14180
Fax: +31 23 52 47868

VERSLUIS DRANKENHAND
35a Conradkade
Den Haag
Tel.: +31 70 345 3682

## NEUSEELAND
### WEBSITES
www.brewing.co.nz
Die umfangreichste Site zur
neuseeländischen Bierszene.
Mit umfangreichen Listen und

Besprechungen sowie Informationen über lokale Bierfeste.

www.nz-beer-awards.co.nz
Auch für den Verbraucher interessante Site zum erstmals 1999 vergebenen neuseeländischen Bierpreis (New Zealand International Beer Award).

### HÄNDLER

Die Händler sind im Folgenden von Nord nach Süd aufgelistet.

THE BEER CELLAR
158 Garnet Road
Westmere
Auckland
Tel.: +64 9 360 72 51

MASONIC TAVERN
29 King Edward Parade
Devonport
Auckland
Tel.: +64 9 445 04 85
E-Mail: fist@ihug.co.nz

HAVELOCK WINES & SPIRITS
Donnelly Street
Havelock North
Hastings
Tel.: +64 6 877 82 08
Fax: +64 6 877 52 23

REGIONAL WINES & SPIRITS
15 Ellice Street
Basin Reserve
Wellington
Tel.: +64 4 385 69 52
Fax: +64 4 382 84 88
E-Mail:
wine@regionalwines.co.nz
www.regionalwines.co.nz

LIQUORLAND
Cnr. Clyde & Ilam Roads
Ilam
Christchurch
Tel.: +64 3 351 92 85

MEENAN WINES & SPIRITS
750 Great King Street
Dunedin North
Dunedin

Tel.: +64 3 477 20 47
Fax: +64 3 477 20 49

## NORWEGEN

### ORGANISATIONEN

NORØL (NORSKE ØLVENNERS LANDSFORBUND) (Verband norwegischer Biertrinker)
Postboks 6567 Etterstad,
N-0607 Oslo
NORWAY
E-Mail: nor-ale@interpost.no
www.interpost.no/nor-ale

### WEBSITES

BRYGGERI – OG MINERAL-VANNFORENINGEN
www.nbmf.no
Site norwegischer Bierbrauer und Getränkeproduzenten mit ausführlichen Statistiken.
In Englisch.

### FESTIVALS

NORØL organisiert seit 1994 immer am zweiten Novemberwochenende ein kleines WEIHNACHTSBIERFESTIVAL »JULEØLFESTIVAL« in Oslo. Hier kann man die traditionell »starken« (über 6,5 Vol.-%) Weihnachtsbiere probieren. Mit dem vom selben Verband organisierten kleinen BOCKBIERFEST (BOKKØLFESTIVAL). Im Februar/März jeden Jahres sollen die heimischen Bockbierbrauer unterstützt werden.

### HÄNDLER

In Norwegen besitzt der Staat über die Firma Vinmonopol das Biermonopol auf Bier mit einem Alkoholgehalt von über 4,75 Vol.-%. Leichtere Biere dürfen auch im Supermarkt verkauft werden.

ØLEKSPERTEN BEMA100
Sandsværvn 221

3615 Kongsberg
Tel.: +47 32 73 18 50

BRYGGERIMESTERN A.S.
Cappelensgt 12
3718 Skien
Tel./Fax: +47 35 53 10 99

OLE SIMON AS
Vågsg. 43
4306 Sandnes
Tel.: +47 51 66 20 84

ULTRA
Bryn Senter
Østensjøv. 79
0667 Oslo
Tel.: +47 22 75 79 00

## SCHWEDEN

### WEBSITES

www.stockholmbeer.se
Die wichtigste Bier-Website in Schweden (mit englischen und schwedischen Texten) wird vom Organisator des Stockholmer Bierfestivals betrieben (siehe unten).

www.swedbrewers.se
Verzeichnis (englisch und schwedisch) schwedischer Brauereien.

### VERÖFFENTLICHUNGEN

APÉRITIF
Eine auf alkoholische Getränke spezialisierte Zeitschrift.
Box 15
S-101 20 STOCKHOLM
Tel.: +46 8 545 12 000
Fax: +46 8 545 12 011
E-Mail: m.ljungstrom@tidningsmakarna.se

### FESTIVALS

Das STOCKHOLM BEER FESTIVAL gehört zu den größten Messen Skandinaviens. Hier findet man über 1000 verschiedene Bier-, Cidre- und Whiskeysorten aus aller Welt.
Die Messe findet seit 1992

jedes Jahr an den letzten beiden Septemberwochenenden statt.

## HÄNDLER

Systembolaget ist der schwedische Monopolbetrieb für den Alkoholvertrieb im Land. Es gibt 403 Niederlassungen von Systembolaget. Mehr Infos findet man unter www.systembolaget.se.

Die drei größten Systembolaget-Geschäfte findet man in den drei größten schwedischen Städten.

SYSTEMBOLAGET BEER SHOP
Norra Stationsgatan 58–60
S-113 33 Stockholm
Tel.: +46 8 31 73 49
Fax: + 46 8 32 69 04
E-Mail:
butik.0140@systembolaget.se

SYSTEMBOLAGET
Lilla Klädpressargatan 8–16,
Östra Nordstan
S- 404 22 Göteborg
Tel.: +46 31 25 80 09
Fax: + 46 31 15 25 59
E-Mail:
butik.1409@systembolaget.se

SYSTEMBOLAGET
Baltzargatan 23
S-211 36 Malmö
Tel.: +46 40 6 11 68 45
Fax: +46 40 12 20 63
E-Mail: butik.1201@systembolaget.se

## SCHWEIZ

### WEBSITES

www.beerculture.com
Außergewöhnlich schön gemachter, rein virtueller Online-Shop mit riesiger Auswahl und umfangreichem Infomaterial rund ums Bier. Liefergebiete: Schweiz und Liechtenstein.

www.bier.ch
Site des schweizerischen Bierbrauervereins

www.bierig.ch
Interessengemeinschaft unabhängiger Klein- und Mittelbrauereien

### HÄNDLER

FELDSCHLÖSSCHEN-GETRÄNKEGRUPPE
Theophil-Roniger-Strasse
CH-4310 Rheinfelden
Tel.: +41 61 8 33 48 48
Fax: +41 61 8 33 48 00
E-Mail:
info@feldschloesschen.com
www.feldschloesschen.com

WÄDI-BRAU-HUUS AG
Steinacherstrasse 105
CH-8804 Au-Wädenswil
Tel.: +41 17 82 66 55
Fax: +41 17 82 66 56
E-Mail:
waedibrauhuus@active.ch
www.waedi-bier.ch

## USA

### ORGANISATIONEN

ASSOCIATION OF BREWERS
Hier findet man Informationen über Bierbrauer in den USA, vor allem über Kleinbrauereien und Brauereigaststätten sowie das alljährlich stattfindende Great American Beer Festival.
736 Pearl St, PO Box 1679, Boulder, Colorado 80306-1679, USA.
Tel.: 303 447 08 16
Fax: 303 447 28 25
www.beertown.org

### PUBLIKATIONEN

ALE STREET NEWS
Eine Zeitschrift für Biertrinker aus der Region New York/New Jersey.
Tel.: 800 351 ALES
Fax: 201 368 91 00

E-Mail:
tony@alestreetnews.com
www.alestreetnews.com

ALL ABOUT BEER
US-Zeitschrift für Bierliebhaber.
Tel.: 919 490 05 89
Fax: 919 490 08 65
E-Mail: AllAboutBeer@mindspring.com
www.allaboutbeer.com

CELEBRATOR
Die Zeitung hat ihren Sitz in der Bucht von San Francisco, deckt aber den ganzen Westen und teilweise die ganze USA mit ihren Nachrichten ab.
Tel.: 510 670 01 21
Fax: 510 670 06 39
E-Mail:
tdalldorf@celebrator.com
www.celebrator.com

MALT ADVOCATE
US-Zeitschrift für Bier- und Malzwhiskey-Liebhaber.
Tel.: 610 967 10 83
Fax: 610 965 29 95
E-Mail: maltman999@aol.com
www.whiskeypages.com

MID-ATLANTIC BREWING NEWS
Box 20268
Alexandria
VIRGINIA 22320-1268
E-Mail:
greg@brewingnews.com
www.brewingnews.com

MIDWEST BEER NOTES
Regionale Zeitung aus Minnesota/Wisconsin.
PO Box 237
Ridgeland
WISCONSIN 54763-0237
Tel: 715 837 11 20
E-Mail:
beernote@realbeer.com
www.realbeer.com/beernotes

NORTH WEST BEER NOTES
Tel.: 715 837 11 20
E-Mail:
beernote@realbeer.com
www.realbeer.com/beernotes

ROCKY MOUNTAIN BEER NOTES
Regionale Zeitung aus Colorado
Tel.: 715 837 11 20
E-Mail:
beernote@realbeer.com
www.realbeer.com/beernotes

YANKEE BREW NEWS
Zeitung für Biertrinker aus
New England.
Tel.: 800 423 3712
E-Mail: Brett@ynakee brew.com
realbeer.com:80/ybn/

## FESTIVALS

Die amerikanische Association
of Brewers veranstaltet in
Colorado jedes Jahr im Oktober das weltweit größte und
interessanteste Bierfest.

## HÄNDLER

KAPPY'S
175–177 Andover Street
Peabody
Massachusetts
Tel/Fax.: 978 532 23 30
www.kappys.com

SHANGY'S, THE BEER
AUTHORITY
40 East Main Street
Emmaus
Pennsylvania
18049
Tel.: 610 967 1701
Fax: 610 967 6913
E-Mail: shangys@aol.com
www.shangys.com

STATE LINE LIQUORS
1610 Elkton Road
Elkton
Delaware
Maryland 21921
Tel.: 1 800 446 9463/
410 398 3838

Fax: 410 398 1303
E-Mail:
stateline@eclipsetel.com
statelineliquors.com

SAM'S WINES & SPIRITS
1720 N. Marcey St.
Chicago
Illinois 60614
Tel.: 312 664 4394/800 777 9137
Fax: 312 664 8666
E-Mail: sams@samswines.com
www.samswine.com

HAPPY HARRY'S BOTTLE SHOP
2051 32nd Avenue S.
Grand Forks
North Dakota 58201
Tel.: 701 780 0902
Fax: 701 780 0905
E-Mail:
happyharrys@corpcomm.net
www.happy-harrys.com

LIQUOR MART INC.
1750 15th Street
Boulder
Colorado 80302
Tel.: 303 449 3374
Fax: 303 938 9463
www.liquormart.com

SPEC'S
2410 Smith Street
Houston
Texas 77006
Tel.: 713 526 8787
Fax: 713 526 6129
www.specsonline.com

CENTRAL MARKET
4821 Broadway
San Antonio
Texas 78209
Tel.: 210 368 8600
Fax: 210 826 3253
www.centralmarket.com

CANNERY WINE CELLARS
2801 Leavenworth
CA 94133
Tel.: 415 673 0400

Fax: 415 673 0461
www.cannerywine.com

HI TIME CELLARS
250 Ogle Street
Costa Mesa
CA 92627
Tel.: 949 650 8463
Fax: 949 631 6863
E-Mail: hitimeclrs@aol.com
www.hitimewine.com

BELMONT STATION
4520 SE Belmont
Portland
Oregon 97215
Tel.: 503 232 8538/
1888 892 2337
Fax: 503 234 9107
www.horsebrass.com/bel-
mont_station

BURLINGAME GROCERY
8502 SW Terwilliger
Portland
Oregon 97219
Tel.: 503 246 0711
Fax: 503 246 0723
www.burlingamemarket.com

LARRY'S MARKET
Totem Lake – Store #6
12321 – 120th Pl. NE
Kirkland
Washington 98034
Tel.: 425 820 2300
Fax: 425 820 8176
www.larrysmarkets.com

# INDEX

Anmerkung: Da die Biere im Buch in alphabetischer Reihenfolge aufgeführt sind, sind sie in diesem Index nach ihrer Landeszugehörigkeit geordnet. Manche sind zusätzlich unter ihrem allgemein bekannten Namen aufgeführt.

# F

# G

# W

**Wales,** Biere aus

# DANK

**Danksagung des Autors:** Die meisten Biere wurden vom Autor aufgrund früherer Bierproben ausgewählt. Dann wurden die Brauereien um aktuelle Flaschen für eine nochmalige Probe und eine Fotografie gebeten. Der Autor und der Verlag danken allen Brauereien, die Biere zur Verfügung gestellt haben herzlich, besonders jenen, deren Bier nicht berücksichtigt werden konnte, was wir hoffentlich in späteren Ausgaben nachholen können. Die Gläser wurden meist von den Brauereien zur Verfügung gestellt, ein großer Teil jedoch auch von der Firma Rastal in Höhr-Grenzhausen, Deutschland; ihr gilt unser spezieller Dank. Zu diesem Buch haben folgende Personen einen Beitrag geleistet:

Larry Baush, Stepen Beaumont, Eugene Bohensky, Andrew Bonner, Kathleen Boyen, Ian Burgess, Sonia Charbonnier, Jennifer Colosi, Vince Cottone, Tom Dalldorf, Stephen D'Arcy, Erich Dederichs, Jürgen Deibel, René Descheirder, Alan Dikty, Sarah und Phil Doersam, Jim Dorsch, Pierre-André Dubois, Anders Evald, Drew Ferguson, David Furer, Gary und Libby Gillman, Geoff Griggs, Chuck Hahn, Thomas Halpin, Erik Hartman, Dr. Alfred Haunold (Oregon State University), Bob Henham, Hans J. Henschien, Graham Howard, Miles Jenner, Vidar Johnsen, Eric Källgren, Nirbhao Khalsa, Alan Knight, Konishi Brewing, Jim Krecjie, Michiko Kurita, Graham Lees, Lars Lundsten, Rob Maerz, Peter McAuslan, Ed McNally, Franz Mather, Carl Mathys, Bill Metzger, Steve Middlemiss, Mikko Montonen, Richard Morrice, Mathias MüllerMultilines, Pater Ronald Murphy (Georgetown University), Prof. Dr. Ludwig Narziss von Weihenstephan, Hans Nordlov, Lynne und Don O'Connor, Ryouji Oda, Darren Peacock, Barrie Pepper, Chris Pietruski, Portugalia Wines (UK), Hélène Reuterwall, Bernard Rotman, John Rowling, Rüdiger Ruoss, Silvano Rusmini, Margarita Sahm, Dr. Hans Schultze-Berndt (†), Prof. Paul Schwarz (North Dakota State University), Conrad Seidl, Todd Selbert, Willie Simpson, Simpson's Malt, Ritchie Stolarz, Peter Terhune, Unto Tikkanen, Anastasy und Jo Tynan, Mike Urseth, Marianne Wallberg Sämsjö, De Wolff Cosijns Malt, Derek Walsh, Sabina Weyermann, Przemyslaw Wisniewski, Kari Ylane...

...und ein Dank allen anderen, die mir geholfen haben oder unterwegs ein Bier mit mir getrunken haben.

**Dank des Verlags:**
*Fotografie:* Steve Gorton, Ian O'Leary, Sarah Ashun
*Lektoratsassistenz:* Jill Fornary, Tracie Lee Davis
*Index:* Margaret McCormack *Hop illustration:* Ruth Hall
*Home economist:* Ricky Turner

# WEITERE LITERATUR

*1516 Biere. Der endgültige Atlas für die ganze Bierwelt.* Von Michael Rudolf. Ed. Tiamat, Berlin (1999).

*Bier.* Von Michael Jackson. Dorling Kindersley Verlag GmbH, München (2000).

*Bier International.* Von Michael Jackson. Hallwag im GU, München (1999)

*Bier. Geschichte, Herstellung, Sorten und Marken.* Von Josh Leventhal. Könemann, Köln (1999).

*Bierführer Niederbayern. Alle Brauereien, alle Biere.* Von Harald Schieder, Ralph Forster. Mittelbayer. Druckg., Rg. (2000).

*Bierologie.* Von Martin Knab, Johannes Schulters. H. Carl, Nürnbg. (1999).

*Conrad Seidls Bier-Katechismus. Der Bierpapst antwortet auf alle Fragen rund ums Bier.* Von Conrad Seidl. Deuticke, Wien (1999).

*Michael Jacksons kleines Buch vom Bier.* Von Michael Jackson. ars edition, Mchn. (1999).

*Österreichisches Bier-Taschenbuch.* Von Egon Mark. Ed. Löwenzahn, Innsbr. (1998).

*Bier International.* Von Michael Jackson. Hallwag, Ostfildern (1999).

*Bier. Über 1000 Marken aus aller Welt.* Von Michael Jackson. Hallwag im GU, München (2000).